AMSER I DDUW

Trysorfa o weddïau hen a newydd

AMSER I DDUW

Trysorfa o weddïau hen a newydd

ELFED ap NEFYDD ROBERTS

CYMDEITHAS LYFRAU CEREDIGION GYF

Cyhoeddwyd gan Gymdeithas Lyfrau Ceredigion Gyf.,
Blwch Post 21, Yr Hen Gwfaint, Ffordd Llanbadarn,
Aberystwyth, Ceredigion SY23 1EY.
Argraffiad cyntaf: Hydref 2004
Clawr caled â siaced lwch: ISBN 1-84512-018-3
Clawr caled heb siaced lwch: ISBN 1-84512-024-8
Dyluniwyd y clawr gan Adran Ddylunio Cyngor Llyfrau Cymru
Argraffwyd gan Creative Print & Design Cymru, Glynebwy NP23 5XW

CYNNWYS

RHAGAIR

GWEDDI yw calon crefydd fyw a hanfod ffydd a bywyd y Cristion. Martin Luther a ddywedodd mai 'ffydd yw gweddi, a dim ond gweddi'. Y mae ffydd a gweddi fel ei gilydd yn cyfeirio at berthynas yr enaid â Duw, ac y mae perthynas fyw bob amser yn weithgaredd parhaus o gyfathrebu, gwrando a deall, o rannu cyfrinachau, o geisio arweiniad, o fwynhau cwmni a thyfu mewn adnabyddiaeth. Ac fel pob perthynas rhyngom fel bodau dynol, rhaid meithrin a datblygu ein perthynas â Duw. Ond y mae'r gweithgaredd ysbrydol, eneidiol hwn yn cael ei esgeuluso gennym, ac un rheswm am hynny yw ein methiant i sylweddoli fod gweddi yn rhywbeth i'w ddysgu.

Er bod greddf naturiol ym mhob person i droi at Dduw, pa mor aneglur bynnag ei syniad amdano a pha mor ansicr bynnag ei gred ynddo, yn enwedig pan ddaw argyfyngau a phrofiadau anodd i dorri ar ei ddedwyddwch, eto rhaid meithrin y reddf hon a thyfu i ddeall ac ymarfer gweddi. Cais un o ddisgyblion Iesu oedd, 'Arglwydd, dysg i ni weddïo' (Luc 11:1). Rhaid cydnabod bod angen ein dysgu ninnau a bod dysgu gweddïo yn broses sy'n parhau trwy gydol ein hoes. Nid oes neb yn dod yn 'arbenigwr' ar y pwnc. Dysgwyr ydym bob un, a pho fwyaf y dysgwn, mwyaf y sylweddolwn fod cymaint mwy eto i'w ddysgu.

Bellarmin, awdur Pabyddol o'r unfed ganrif ar bymtheg, a ddywedodd fod gweddïo yn debyg i anadlu. 'Y mae'r corff yn byw wrth anadlu,' meddai, 'a'r enaid yn byw wrth weddïo. Os yw peidio ag anadlu yn arwydd o farwolaeth, onid yw'n dilyn fod yn rhaid ystyried y rhai nad ydynt yn gweddïo yn farw i Dduw?' Y mae meddwl am weddi fel anadl yr enaid yn awgrymu ei bod yn weithgaredd dwyfol a dynol. Duw sy'n rhoi i ni anadl einioes a'r gallu i anadlu, ond y mae'r weithred o anadlu yn ymdrech ddynol, gorfforol. Yn yr un modd y mae gweddi yn rhodd oddi wrth Dduw ac yn ddawn a blannwyd ynom ganddo. Ond os yw'r rhodd i fod yn effeithiol a'r ddawn i ddatblygu, yna rhaid wrth ddisgyblaeth ac ymroddiad dynol.

Y mae ei natur ddwyfol-ddynol yn golygu fod gweddi yn *ddyhead*. 'Fel y dyhea ewig am ddyfroedd rhedegog, felly y dyhea fy enaid amdanat ti, O Dduw. Y mae fy enaid yn sychedu am Dduw, am y Duw byw' (Salm 42:1–2). Am fod dyn wedi ei greu ar lun a delw Duw y mae ynddo ddyhead am berthynas â tharddiad ei fodolaeth, er i'r dyhead hwnnw ei fynegi ei hun yn aml fel anniddigrwydd poenus nad yw'n ei ddeall nac yn medru ei ddiwallu. Daeth Awstin Sant i ddeall fod ei anesmwythyd mewnol yn ddyhead am darddiad a diben ei fywyd yn Nuw: 'Yr wyt yn ein deffro ni i ymhyfrydu yn dy foliant, oblegid ti a'n creaist ni i ti dy hun, ac anniddig yw ein calon hyd oni orffwyso ynot ti.'

Y mae ei natur ddwyfol-ddynol yn golygu hefyd fod gweddi yn *ymateb i ddatguddiad Duw ohono'i hun.* Nid dyhead am y dirgelwch dwyfol yn unig yw gweddi Gristnogol, ond ymateb llawen yr enaid i'r Duw sydd eisoes wedi agosáu ato ac wedi ei ddatguddio'i hun iddo yn Iesu Grist. Yn wahanol i lawer o grefyddau eraill y byd sy'n rhoi pwyslais ar ymdrech yr enaid i'w godi ei hun i wyddfod Duw trwy weddi ac ympryd a disgyblaeth ysbrydol, y mae pwyslais y Beibl yn gwbl wahanol. Nid taith ysbrydol ddyrys i chwilio am Dduw yw gweddi. Nid oes angen teithio ymhell na dringo'n uchel i'w ganfod gan ei fod eisoes wedi cymryd y cam cyntaf tuag atom yn Iesu Grist ac wedi dod i drigo yn ein plith yn ei Ysbryd Glân. Nid oes angen i ni ond ymagor i'w bresenoldeb. Rhaid i weddïo ddechrau, nid â geiriau ond â distawrwydd disgwylgar sy'n ein galluogi i ymwybod â'i bresenoldeb a nesáu at y Duw sydd eisoes wedi nesáu atom ni.

Gellir dweud un peth arall am natur ddwyfol-ddynol gweddi, sef mai *cymundeb yr enaid â Duw* yw gweddi yn ei hanfod. Y mae'r dyhead a'r ymateb i ddatguddiad Duw ohono'i hun yn arwain at berthynas agos a chymundeb dwfn â Duw. Nid dod at Dduw er mwyn cael rhywbeth ganddo er ein lles ein hunain yw gweddi yn bennaf, ond yn hytrach ceisio Duw er ei fwyn ei hun. Y mae popeth y mae Duw yn ei roi yn eilradd i'w rodd ohono'i hun. Gweddïodd Thomas à Kempis, 'Y mae unrhyw beth a roddi i mi, ar wahân i ti dy hun, yn rhy fach ac annigonol.'

Yn ei hanfod y mae gweddi mor syml â chyfeillgarwch, ac eto'r un mor rhyfeddol – yr enaid yn dyheu am Dduw, yn ei ganfod yn agos yn nyfnder y galon, ac o ymateb iddo yn profi cymundeb ag ef ac yn tyfu yn ei adnabyddiaeth ohono.

Rhodd Duw yw gweddi, ond rhodd i'w defnyddio a'i datblygu. Teitl llyfr enwog Olive Wyon ar weddi yw *School of Prayer*, a theitl cyffelyb sydd i gyfrol Anthony Bloom, *School for Prayer*. Mae'r ddau yn awgrymu'r angen am ddysgu ac am hyfforddiant ysbrydol. Y ffordd orau yw dysgu trwy wneud; dysgu gweddïo trwy weddïo. Ar yr un pryd y mae cymorth i'w gael o esiampl a phrofiad saint yr oesau ac o waddol y traddodiad Cristnogol ysbrydol. Y mae hynny'n golygu gwneud defnydd o lyfrau – llyfrau ar weddi a gweddïo, a llyfrau o weddïau.

Amcan y gyfrol hon yw cynorthwyo'r rhai sy'n dymuno dysgu mwy am weddi. Gobeithio y bydd o gymorth i rai sy'n arwain addoliad cyhoeddus i baratoi gweddïau. Cyfrifoldeb arswydus yw arwain eraill mewn gweddi a cheisio bod yn enau i'w diolchiadau a'u dyheadau hwy. Nid yw hynny'n diddymu'r 'weddi o'r frest', oherwydd rhaid paratoi meddwl ac enaid i arwain mewn gweddi fyrfyfyr yn ogystal â gweddi ysgrifenedig. Gobeithio y bydd y casgliad hwn o gymorth hefyd i rai sy'n mynychu cyfarfod neu grŵp gweddi. Ar adegau y mae gweddi rhywun arall yn mynegi i'r dim yr hyn sydd yn ein calon. Yn fwyaf arbennig gobeithio y bydd o gymorth i rai yn eu defosiwn personol. Wrth ddefnyddio gweddïau hen a newydd a gweddïau saint yr oesoedd, cawn ein tynnu i mewn i lifeiriant addoliad a defosiwn pobl Dduw dros y canrifoedd.

Bu'r syniad o lunio casgliad fel hwn yn troi yn fy meddwl ers rhai blynyddoedd, ond gwahoddiad gan Dylan Williams o Gymdeithas Lyfrau Ceredigion fu'r sbardun i droi'r syniad yn ffaith. Rwy'n ddiolchgar iawn iddo am y gwahoddiad, a'r fraint o gael ymgymryd â'r gwaith, ac yn fwy diolchgar fyth iddo ef a'i staff am eu hamynedd a'u cefnogaeth pan oedd deunydd yn araf yn dod i law oherwydd amgylchiadau arbennig. Rydym yn byw mewn cyfnod pan yw addoli cyhoeddus ar drai, a llai a llai yn mynychu'n lleoedd o addoliad. Ar yr un pryd y mae arwyddion clir o ddiddordeb newydd mewn ysbrydoledd, myfyrdod a gweddi. Gobeithio y bydd y gyfrol hon o gymorth i rai sy'n chwilio am ffordd ymlaen ar eu pererindod ysbrydol ac y bydd yn gyfrwng i dywys rhywrai i ddarganfod cyfoeth y traddodiad Cristnogol Cymraeg.

Elfed ap Nefydd Roberts
Gorffennaf 2004

FFYNONELLAU

Allor, Yr, Urdd y Deyrnas, Y Bala, 1929

ab Iwan, Emrys, *Pregethau*, Llyfrfa'r M.C., Caernarfon, dim dyddiad

Addolwn ac Ymgrymwn, BBC, 1955

Allchin, A. M. ac Esther De Waal, gol. *Ar Drothwy Goleuni*, Cymdeithas Lyfrau Ceredigion Gyf., Aberystwyth, 1992

ap Nefydd Roberts, Elfed, *Gweddïau Ymatebol a Chynulleidfaol*, Cyhoeddiadau'r Gair, Bangor, 2000

ap Nefydd Roberts, Elfed, *Hwn yw'r Dydd*, Gwasg Pantycelyn, Caernarfon, 1997

ap Nefydd Roberts, Elfed, *O Fewn ei Byrth: Cyfrol o Weddïau Cyhoeddus*, Gwasg Pantycelyn, Caernarfon, 1994

ap Nefydd Roberts, Elfed, *Y Duw Byw*, Cyhoeddiadau'r Gair, Bangor, 1995

ap Nefydd Roberts, Elfed, *Yn Ôl y Dydd*, Gwasg Pantycelyn, Caernarfon, 1991

Bayly, Lewis, *Yr Ymarfer o Dduwioldeb*, Cyf. i'r Gymraeg gan Rowland Vaughan 1630, adarg. Gwasg Prifysgol Cymru, Caerdydd 1930

Bob Bore o Newydd, BBC, 1938

Chapman, Roy a Donald Hilton, *Gweddïau i'r Eglwys a'r Gymuned*, addasiad Cymraeg gan Trefor Lewis, Cyhoeddiadau'r Gair, Bangor, 1995

Davies, Aled, gol. *Gweddïau Cyhoeddus*, Cyfrol 1, Cyhoeddiadau'r Gair, Bangor, 1997

Davies, Cynthia Saunders, gol. *Gweddïau Enwog*, Cyhoeddiadau'r Gair, Bangor, 1993

Davies, Olaf, *Gair a Gweddi*, addasiad Cymraeg o *Epilogues and Prayers*, William Barclay, Cyhoeddiadau'r Gair, Bangor, 1995

Davies, Pennar, *Cudd fy Meiau*, Gwasg John Penry, Abertawe, 1955

Evans, Aled Lewis, *Troeon*, Cyhoeddiadau'r Gair, Bangor, 1998

Evans, D. J., *Gweddïau Cyfoes*, Cyhoeddiadau Modern, 1980

Evans, D. Tecwyn, *Gweddïau*, Llyfrau'r Dryw, Llandybïe, 1945

Evans, Trebor Lloyd, *Bore a Hwyr: Gweddïau Personol*, cyfieithiad o
    A Diary of Private Prayer, John Baillie, Gwasg John Penry,
    Abertawe, 1978

Fawcett, Nick, *Does Debyg Iddo Fe*, addasiad Cymraeg gan Olaf Davies,
    Cyhoeddiadau'r Gair, Bangor, 2002

Foreol a'r Hwyrol Weddi, Y, Gwasg yr Eglwys yng Nghymru, 1984

Green, Menna Lloyd, gol. *Gweddïau i'r Teulu*, Bwrdd Cenhadaeth ac
    Undeb, Eglwys Bresbyteraidd Cymru, 1994

Gweddïau ar Gyfer Mileniwm Newydd, Cytûn: Eglwysi Ynghyd yng
    Nghymru, Abertawe, 2000

Hughes, John, *Allwydd Paradwys i'r Cymry*, 1670, adarg. Gwasg
    Prifysgol Cymru, Caerdydd, 1929

Johansen-Berg, John, *Gweddïau'r Pererin*, addasiad Cymraeg gan Glyn
    Tudwal Jones, Cyhoeddiadau'r Gair, Bangor, 1996

Jones, Idwal Wynne, gol. *Lewis Valentine: Dyrchafwn Gri*, Gwasg
    Pantycelyn, Caernarfon, 1994

Jones, John Gwilym, D. Gerald Jones, D. Morlais Jones, T. Elfyn Jones,
    gol. *Rhagor o Weddïau yn y Gynulleidfa*, Gwasg John Penry,
    Abertawe, 1991

Jones, R. J., *Wrth Orsedd Gras*, Gwasg John Penry, Abertawe, 1953

Jowett, J. H., *Eto Ddiwrnod Arall*, cyfieithiwyd i'r Gymraeg gan William
    Thomas, Cyngor Cenedlaethol yr Eglwysi Rhyddion, Llundain, 1914

Lewis, H. Elvet, *Boreuau Gyda'r Iesu*, Hughes a'i Fab, Wrecsam, 1916

Lewis, H. Elvet, *Hwyrnosau Gyda'r Iesu*, Hughes a'i Fab, Wrecsam, 1928

Llawlyfr *Gweddïo* 1975, 1982, 1985, 1987, 1990, 1991, 1992, 1993, 1994,
    1995, 1997, 1999, 2001–02, 2002–03, 2003–04, Y Swyddfa Genhadol,
    Undeb yr Annibynwyr Cymraeg, Tŷ John Penri, Abertawe

Llawlyfr Defosiwn i Blant a Phobl Ieuainc, Llyfrfa'r M.C., Caernarfon, 1960

Llyfr Gwasanaeth yr Eglwys Fethodistaidd, Llyfrfa Talaith Cymru o'r
    Eglwys Fethodistaidd, 1985

Llyfr Gwasanaeth, Eglwys Bresbyteraidd Cymru, Llyfrfa'r M.C., Caernarfon, 1958

Llyfr Gwasanaeth, Undeb yr Annibynwyr Cymraeg, Gwasg John Penry, Abertawe, 1962

Llyfr Gwasanaeth, Undeb yr Annibynwyr Cymraeg, Gwasg John Penry, Abertawe, 1998

Llyfr Gwasanaethau, Eglwys Bresbyteraidd Cymru, Gwasg Pantycelyn, Caernarfon, 1991

Llyfr o Wasanaethau Crefyddol ar Gyfer Ieuenctid Cymru, Urdd Gobaith Cymru, Aberystwyth, 1942

Llyfr yr Addoliad Teuluaidd, Llyfrfa'r M.C., Caernarfon, 1929

Loader, Maurice, gol. *Gweddïau yn y Gynulleidfa*, Gwasg John Penry, Abertawe, 1978

Mawl ac Addoliad, Undeb Bedyddwyr Cymru, Tŷ Ilston, Abertawe, 1996

Morgan, Enid, gol. *Cyfoeth o'i Drysor: Gweddïau Hen a Newydd*, Yr Eglwys yng Nghymru, 1992

Morgan, Gerald ac A. K. Morris, *Gwyn Fyd*, Gomer, Llandysul, 1978

Nicholas, W. Rhys, *Gweddïau a Salmau*, Gwasg John Penry, Abertawe, 1989

Nicholas, W. Rhys, *Oedfa'r Ifanc*, Gwasg John Penry, Abertawe, 1974

O'Malley, Brendan, gol. *Cydymaith y Pererin*, Gomer, Llandysul, 1989

Parri, Harri a D. Ben Rees, gol. *Llyfr Gwasanaeth (Ieuenctid)*, Llyfrfa'r M.C., Caernarfon, 1967

Parri, Harri a William Williams, gol. *Ffenestri Agored*, Llyfrfa'r M.C., Caernarfon, 1976

Parri, Harri, gol. *Ffynnon ac Allor: Llawlyfr o Homilïau a Gweddïau*, Gwasg Pantycelyn, Caernarfon, 1983

Roberts, Brynley F., gol. *Cynnal Oedfa*, Gwasg Pantycelyn, Caernarfon, 1993

Teulu Duw yn Addoli, Cyngor Eglwysi Cymru, Abertawe, 1986

Thomas, D. R., *Gwynfyd a Gwae*, Gwasg Gomer, Llandysul, 1987

Thomas, T. Glyn, *Ar Ddechrau'r Dydd*, Gwasg Gee, Dinbych, 1962

Tymhorau Gogoniant: Adnoddau Addoli ar Gyfer y Flwyddyn Gristnogol, Cytûn: Eglwysi Ynghyd yng Nghymru, Abertawe, 1997

Williams, Meurwyn, *Am Funud*, Gwasg John Penry, Abertawe, 1988

Williams, R. R., *Llyfr Addoliad Cyhoeddus*, Llyfrfa'r M.C., Caernarfon, 1967

Wynne, Ellis, *Rheol Buchedd Sanctaidd*, Cyfieithiad o *Holy Living and Holy Dying*, Jeremy Taylor, 1701, adarg. Gwasg Prifysgol Cymru, Caerdydd, 1928

CYFROLAU SAESNEG

Appleton, George, edit. *Daily Prayer and Praise*, Lutterworth, 1962

Appleton, George, edit. *The Oxford Book of Prayer*, Oxford University Press, Oxford, 1985

Askew, Eddie, *Many Voices, One Voice*, The Leprosy Mission International, London, 1985

Askew, Eddie, *No Strange Land*, The Leprosy Mission International, London, 1987

Baillie, John, *A Diary of Private Prayer*, Oxford University Press, 1942

Banyard, Edmund, *Turn But a Stone*, National Christian Education Council, Redhill, 1992

Barclay, William, *Prayers for the Christian Year*, SCM Press Ltd., London, 1964

Book of Common Order [of the Church of Scotland], The, Saint Andrew Press, Edinburgh, 1994

Cairns, David, Ian Pitt-Watson, James A. Whyte, T. B. Honeyman, comp. *Worship Now*, The Saint Andrew Press, Edinburgh, 1972

Colquhoun, Frank, edit. *Contemporary Parish Prayers*, Hodder and Stoughton, London, 1975

Colquhoun, Frank, edit. *Parish Prayers*, Hodder and Stoughton, London, 1967

Forrester, Duncan B., David S. M. Hamilton, Alan Main, James A. Whyte, comp. *Worship Now, Book II*, The Saint Andrew Press, Edinburgh, 1989

Fosdick, H. E., *The Meaning of Prayer*, SCM Press Ltd., London, 1915

Galloway, Kathy, edit. *The Pattern of our Days*, Wild Goose Publications, Glasgow, 1996

Hammarsköld, Dag, *Markings*, Faber and Faber, London, 1964

Huggett, Joyce, *Embracing God's World*, Hodder and Stoughton, London, 1996

Iona Abbey Worship Book, The Iona Community, Wild Goose Publications, Glasgow, 2002

Micklem, Caryl, edit. *Contemporary Prayers for Public Worship*, SCM Press, London, 1967

Micklem, Caryl, edit. *More Contemporary Prayers*, SCM Press Ltd., London, 1970

Milner-White, E. and G. W. Briggs, *Daily Prayer*, Penguin, London, 1959

Milner-White, E., *My God my Glory*, SPCK, London, 1956

Morley, Janet, edit. *Bread of Tomorrow*, SPCK and Christian Aid, London, 1992

Patterns for Worship, Church House Publishing, London, 1995

Perry, Michael, edit. *Prayers for the People*, Marshall Pickering, London, 1992

Prayers for Sunday Worship, The Saint Andrew Press, Edinburgh, 1980

Quoist, Michel, *Prayers of Life*, Gill and Son, Dublin, 1963

Restless Hope, A, CWM Prayer Handbook 1995, Council for World Mission, London, 1995

Sayers, Susan, *To Worship in Stillness: Thirty Reflective Services*, Kevin Mayhew, Bury St Edmunds, 1991

Sayers, Susan, *Together in Prayer*, Kevin Mayhew, Stowmarket, 1999

Snashall, Hazel, edit. *Everyday Prayers*, National Christian Education Council, Redhill, 1978

SPCK Book of Christian Prayer, The SPCK, London, 1995

Taylor, Jeremy, *Holy Living and Holy Dying*, Methuen and Co. Ltd, London, 1908

Tilestone, Mary W., edit. *Great Souls at Prayer*, Allenson and Co. Ltd, London, 1898

Van de Weyer, Robert, edit. *The Harper Collins Book of Prayers*, Castle Books, Edison, New Jersey, 1997

Wee Worship Book, A, Wild Goose Worship Group, Wild Goose Publications, Glasgow, 1999

Williams, Dick, edit. *Prayers for Today's Church*, CPAS Publications, London, 1972

Worshipping Together, Panel on Worship of The Church of Scotland, The Saint Andrew Press, Edinburgh, 1991

Cydnabyddir yn ddiolchgar ganiatâd yr holl awduron i gynnwys eu gweddïau yn y gyfrol, ynghyd â chaniatâd golygyddion a chyhoeddwyr y cyhoeddiadau a nodir yn y ffynonellau.

Gwnaed pob ymdrech i ddarganfod perchnogion hawlfraint y darnau a ddyfynnir yn y gyfrol hon. Gwahoddwn ddeiliaid hawlfreintiau i gysylltu â ni er mwyn cynnwys cydnabyddiaethau cywir mewn argraffiadau pellach.

NESÂD

Da i mi yw bod yn agos at Dduw;
yr wyf wedi gwneud yr Arglwydd Dduw yn gysgod i mi.
(SALM 73:28)

Nesewch at Dduw, ac fe nesâ ef atoch chwi . . .
Ymostyngwch o flaen yr Arglwydd,
a bydd ef yn eich dyrchafu chwi.
(IAGO 4:8,10)

∽

1   MEDDIANNA FY NGHALON
Arglwydd Iesu, fy Ngwaredwr, gad i mi nesáu atat ti yn awr.
    Y mae fy nghalon yn oer: cynhesa hi â gwres dy gariad;
    y mae fy nghalon yn aflan: glanha hi â'th werthfawr waed;
    y mae fy nghalon yn dywyll: goleua hi â llewyrch dy
    wirionedd;
    y mae fy nghalon yn wan: cryfha hi â nerth dy Ysbryd;
    y mae fy nghalon yn wag: llanw hi â'th bresenoldeb dwyfol.
Arglwydd Iesu, y mae fy nghalon yn eiddo i ti:
    meddianna hi a thrig o'i mewn, yn awr a phob amser.

Golygydd

2   GLANHA FEDDYLIAU EIN CALONNAU
Hollalluog Dduw,
i ti y mae pob calon yn agored,
pob dymuniad yn hysbys,
ac nid oes dim dirgel yn guddiedig:
glanha feddyliau ein calonnau
trwy ysbrydoliaeth dy Lân Ysbryd,
er mwyn i ni dy garu'n berffaith
a mawrhau yn deilwng dy enw sanctaidd;
trwy Grist ein Harglwydd.

Y Llyfr Gweddi Gyffredin

3   EIN GWEDDÏAU

Mae'n gweddïau o'n mewn, Arglwydd, fel hadau sydd wedi eu
    cuddio yn y pridd, yn disgwyl am rywbeth i'w deffro i fywyd.
Mae arnom ni angen dy nerth di i chwalu'r pridd caled a
    galluogi'r hedyn i dyfu yng ngoleuni ffydd.
Ac felly, gyda gwyleidd-dra, y gofynnwn ni am nerth dy Ysbryd
    Glân i fynegi'n deisyfiadau ger dy fron.
Datglo ddrysau ein heneidiau fel y llifa'n gweddi heb atal:
    boed i gyffes ddod yn rhwydd o'n gwefusau;
    boed i foliant ddod o'n genau yn wastad;
    boed i ymbil godi o'n calonnau,
    a hynny bob amser ar ran eraill.
A diolch, Arglwydd, dim ond diolch yw ein lle
    am dy drugaredd tuag atom.

                                                    Meurwyn Williams, 1940–98

4   RHO I MI DY HUN

Tyrd i'm henaid mewn trugaredd fawr, O Arglwydd; meddianna
hi a thrig ynddi. Rho i mi dy hunan, oherwydd hebot ti ni all dy
holl roddion, na dim ar a wnaethost erioed, fy modloni. Chwilied
fy enaid amdanat fyth, a gad i mi ddyfal chwilio nes cael ohonof
dydi.

                                                    Awstin Sant, 354–430

5   RHOWN EIN HUNAIN

Grist Iesu,
    rydym oll yn dyheu am dy bresenoldeb di.
Felly, er mwyn dirnad dymuniad dy gariad di, a dim arall,
    ceisiwn mewn distawrwydd a thangnefedd calon ein rhoi ein
    hunain yn llwyr i ti ym mhob symlrwydd.
Bendigedig yw'r rhai sy'n dod atat ti a'u calon yn ymddiried
    ynot, am mai ohonot ti y tardd eu llawenydd a'u mawl.

                                                    Y Brawd Rhosier, Taizé

6   ORIAU YN DY GWMNI

Athro da, pa le yr wyt yn trigo?
Nid yw'n ddigon i ni dy weld yn rhodio,
er hardded dy gerddediad.
Rhaid i ni gael oriau tawel yn dy gwmni:
oriau i'r enaid wrando arnat mewn distawrwydd;
oriau i gyfaddef wrthyt – wrthyt ti yn unig –
holl wamalrwydd a phryder di-elw ein calon;

oriau i ti ein hiacháu o bob llygredd,
a'n gwreiddio yn nhangnefedd dy anfeidrol ras.
Rho i ni fwy o'th ras o ddydd i ddydd,
fel y bydd yr oriau sy'n gywilydd gennym eu cofio yn prinhau,
a'r oriau y cofiwn gyda dedwyddwch yn amlhau.

H. Elvet Lewis, 1860–1953

7   DIOLCH AM ADDOLIAD

Diolch i ti, O Dduw, am gynulleidfa dy bobl ac addoliad dy dŷ.
Gallai'r addoliad fynd ymlaen hebom ni,
    ond ni allwn ni fynd ymlaen heb addoli.
Addoli sy'n cyfarfod â'n hangen dyfnaf;
    hebot ti, O Dduw, does dim dyfnder na helaethrwydd i'n
    bywyd.
Addoli sy'n diogelu'n cymeriad;
    ni ddeuwn yn dda oni ddeuwn at Dduw.
Addoli sy'n datguddio'n natur;
    rydym yn greaduriaid mawr, er i ni fod yn greaduriaid gwael.
Addoli sy'n dangos dy feddyliau di amdanom;
    fe'n ceraist ar gyfer dy hun.
    Mewn addoliad y deui di a ninnau'n un.

D. Hughes Jones

8   DIGON WYT I MI

Arglwydd, o'th ddaioni, rho dy hun i mi, oherwydd digon wyt i
mi. Ni allaf ofyn am lai i fod yn deilwng ohonot ti. Pe bawn i'n
gofyn am lai, anghenus fyddwn yn barhaus. Ynot ti yn unig yr
wyf yn meddu popeth.

Julian o Norwich, 1342–1443

9   YN LLOND POB LLE

Arglwydd Dduw,
yn llond pob lle,
yn bresennol ym mhob man,
yn agos atom yn awr:
d'agosrwydd yn gwmni i ni;
d'agosrwydd yn ein gwroli;
d'agosrwydd yn gyfrwng i ni dy adnabod:
offrymwn i ti gariad ein calonnau,
ddyhead dwfn ein heneidiau,
a chlod ac addoliad ein genau.

Golygydd

10 GWEU TAWELWCH YNOF

Rwy'n gweu tawelwch ar fy ngwefusau;
 gweu tawelwch i mewn i'm meddwl;
 gweu tawelwch yn fy nghalon.
Rwy'n cau fy nghlustiau i'r pethau sy'n denu fy sylw;
 cau fy llygaid i'r pethau sy'n denu fy chwant;
 cau fy nghalon i'r pethau sy'n denu fy mryd.
Tawela fi, Arglwydd, fel y tawelaist y storm;
 llonydda fi, Arglwydd, a chadw fi rhag pob drwg;
 gad i'r holl ferw sydd ynof ddarfod,
 a chofleidia fi yn dy dangnefedd.

Enid Morgan

11 MAE D'EISIAU DI ARNAF

Mae d'eisiau di arnaf, Arglwydd;
 mae d'eisiau arnaf yn awr.
Gwn fod llawer o bethau y gallaf wneud hebddynt,
 ond hebot ti ni allaf fyw, ac ni feiddiaf farw.
Mae d'eisiau di arnaf pan ddaw gofidiau i'm blino,
 a phan fydd cysgodion yn disgyn ar draws fy nyddiau.
Mae d'eisiau di arnaf pan fydd afiechyd
 yn gosod ei law ar fy nheulu,
 a phan fydd ofn yn fy ngyrru ar fy ngliniau.
Mae d'eisiau di arnaf pan fydd problemau a phenderfyniadau
 anodd yn pwyso arnaf a minnau'n baglu
 heb wybod i ba gyfeiriad i droi.
Ac er i'r haul dywynnu arnaf heddiw,
 gwn fod d'eisiau di arnaf yn yr heulwen yn ogystal â'r storm.
Diolch am yr ymdeimlad o ddibyniaeth arnat
 sy'n fy nghadw bob amser yn agos atat.
Helpa fi i ddal gafael yn dy law
 ac i wrando'n wastad am ddoethineb dy lais.
Llefara wrthyf er mwyn i mi dy glywed yn fy nerthu
 i wynebu amserau anodd ac i gyflawni tasgau anodd.
Nid wyf yn gofyn am daith esmwyth,
 ond am ras i wynebu pob dydd yn dy gwmni,
 pa mor galed bynnag fo'r ffordd,
 pa mor herfeiddiol bynnag fo'r awr,
 a pha mor dywyll bynnag fo'r awyr uwchben.
Mae d'eisiau di arnaf, Arglwydd;
 mae d'eisiau di arnaf yn awr a phob amser.

Peter Marshall, 1902–1949

12 Y GOLEUNI DWYFOL
Fy Arglwydd a'm Duw,
    ti yw goleuni'r wawr ar ei thoriad;
    ti yw'r goleuni sy'n ymlid y tywyllwch;
    ti yw goleuni'r haul ganol dydd;
    ti yw fy Nuw, fy Ngheidwad a'm Tad,
    o flaen disgleirdeb dy sancteiddrwydd yr ymgrymaf,
ac yn llewyrch dy gariad y dymunaf rodio,
yn awr a phob amser.

John Johansen-Berg, addas. Glyn Tudwal Jones

13 AGOR NI
Dduw cariadus, agor ein calonnau
fel y gallwn deimlo anadl dy Ysbryd yn chwarae ynom;
agor ein dyrnau
fel y gallwn estyn llaw i'n gilydd a chyffwrdd ac iacháu;
agor ein gwefusau
fel y gallwn ddrachtio mwynder a rhyfeddod bywyd;
agor ein clustiau
fel y gallwn glywed dy ddioddefiadau di yn ein creulonderau ni;
agor ein llygaid
fel y gallwn weld Crist mewn cyfaill a dieithryn.
Anadla dy Ysbryd i mewn i ni
a chyffwrdd ein bywyd â bywyd Crist.

Helder Camara, 1909–99

14 UNO'N HYSBRYD AG YSBRYD IESU
O Arglwydd, una'n hysbryd ni ag Ysbryd Iesu Grist, dy Fab di,
a Mab Dyn, ein Duw a'n Brawd ninnau; fel trwy yr undeb agos
a bywiol hwnnw y dysgwn ni garu fel y carodd ef,
a bendithio fel y bendithiodd ef, a gweddïo fel y gweddïodd ef.

Emrys ap Iwan, 1851–1906

15 TYRD ATAF, ARGLWYDD
Tyrd, fy Ngoleuni, goleua fy nhywyllwch.
Tyrd, fy Mywyd, adfywia fi o farw.
Tyrd, fy Meddyg, iachâ fy nghlwyfau.
Tyrd, Fflam y cariad dwyfol, difa ddrain fy mhechodau,
    gan danio fy nghalon â fflam dy gariad.
Tyrd, fy Mrenin, eistedd ar orsedd fy nghalon a theyrnasa yno,
    oblegid ti yn unig yw fy Mrenin a'm Harglwydd.

Sant Dimitrii o Rostof, 17eg ganrif

21

16   Y DUW AGOS
Os byddi di, Arglwydd, yn agos ataf,
bydd pob peth yn hyfryd.

Os byddi di ymhell oddi wrthyf
nid oes dim a ddichon fy niddanu.

Ti sy'n rhoi esmwythdra i'm meddwl
a llawenydd i'm calon;
ti sy'n rhoi i mi gariad perffaith;
ti sy'n rhoi i mi ras i'th foliannu'n ddi-baid;
ni ddichon yr holl fyd fy modloni hebot ti,
oherwydd nid oes dim sy'n dirion heb dy diriondeb di;
y mae pob peth yn beraidd i'r sawl sy'n dy garu di,
a phob peth yn chwerw i'r sawl sy'n dy gasáu.

Gan hynny, Dragwyddol Oleuni,
yr hwn wyt oleuach na'r haul,
disgleiria o'm hamgylch,
llewyrcha yn fy nghalon,
glanha a llawenha fy enaid â phelydrau dy ddisgleirdeb,
er mwyn i mi orfoleddu ynot yn oes oesoedd.

Thomas à Kempis, 1380–1471

17   TRWY'R DYDD A PHOB DYDD
Arglwydd, rho i mi ddyhead a gras,
y dydd hwn a phob dydd,
i geisio dy bresenoldeb,
i ddynesu'n addolgar atat,
i ymgrymu o'th flaen,
i gyfranogi ohonot,
i drigo ynot –
trwy'r dydd a phob dydd:
i dyfu a dwyn ffrwyth ohonot,
i rodio wrth dy ochr,
i weithio i ti,
i siarad a gwrando arnat,
i garu gyda thi ac yn ôl dy fesur,
i ymorffwys ynot –
trwy'r dydd a phob dydd:
yn ffyddlon, yn ostyngedig,
yn ddiflino ac yn eiddgar,
y dydd hwn ac am byth.

E. Milner-White, 1884–1963

18   GWÊL FY ANGEN

O Arglwydd,
   ni wn pa beth y dylwn ei ofyn gennyt;
   tydi yn unig a ŵyr fy angen;
   ceri di fi yn well nag a garaf fy hunan.
O Dad, rho i dy blentyn
   yr hyn na ŵyr sut i ofyn amdano.
Nid gwiw gennyf ofyn am groesau na chysuron;
   gosodaf fy hunan ger dy fron;
   agoraf fy nghalon i ti;
   gwêl fy angen a rho i mi yn ôl dy drugaredd rasol.
Rho ddyrnod neu wên i mi;
   gostwng neu dyrchafa fi:
   moliannaf dy holl amcanion heb eu gwybod;
   ymostyngaf i ti;
   ni fynnaf unrhyw amcan arall
   ond gwneud dy ewyllys sanctaidd.

François Fenelon, 1651–1715

19   CYFARWYDDO A LLYWIO EIN CALONNAU

O Dduw, gan na allwn hebot ti ryngu bodd i ti, o'th drugaredd
caniatâ i'th Lân Ysbryd ym mhob peth gyfarwyddo a llywio ein
calonnau; trwy Iesu Grist ein Harglwydd.

Y Llyfr Gweddi Gyffredin

20   DYMUNIAD AM WELD WYNEB DUW

O Dduw,
dangosi dy hun i bawb sy'n dy geisio,
rhoddi wybodaeth helaeth ohonot dy hun i bawb sy'n dy garu,
amlygi dy ogoniant i'r galon bur:
y mae dy Ysbryd yn trigo ym mhob dim,
yn llefaru yn y wawr hael,
yn galw yn y machlud haul,
yn ymaros yn y dyfnfor,
ac yn cartrefu yng nghalon dyn.
   Cawsom ein creu i gymuno â thi,
a threfnwyd ein bywydau i rodio gyda thi;
tyrd dithau yn agos atom;
didola ni oddi wrth y byd;
deued Ysbryd Iesu arnom,
a rho i ni deimlo'n gartrefol yn dy gwmni.

Lewis Valentine, 1893–1986

21   O'N HAMGYLCH AC O'N MEWN

Bydded tawelwch o'n hamgylch ac o'n mewn;
boed i'r tawelwch fod yn ddwfn ac ystyrlon;
boed i'r tawelwch fod yn ddwys ac iachusol;
boed i'r tawelwch lefaru wrthym am Dduw.

John Johansen-Berg, addas. Glyn Tudwal Jones

22   AGOR EIN LLYGAID

Arglwydd Iesu, rydym yn ddall
ac yn methu gweld dy wyneb;
mae tywyllwch yn cau amdanom,
yn pylu ein gweledigaeth,
ac yn dy guddio oddi wrthym.

     Gwrando ddyhead ein calon,
a symud ymaith gaddug ein pechod.

     Agor ein llygaid i ni edrych ar dy ogoniant,
ymhyfrydu yn dy gwmni, ymgolli yn dy gariad,
a'n rhoi ein hunain yn llwyr ac yn llawen i'th wasanaeth di.

Golygydd

23   TREIDDIO I'R DYFNDER

Mor ddwfn wyt ti, O Drindod dragwyddol.

     Po bellaf i mewn i'r dyfnder y mentraf, mwyaf yn y byd yr
wyf yn ei gael, a mwyaf yn y byd yr wyf yn ei chwennych.

     Ni chaiff yr enaid ei fodloni gan dy ddyfnder, oherwydd
mae'n sychedu amdanat ti, y Drindod dragwyddol, yn barhaus,
gan chwennych dy weld â'th oleuni di.

     Fel y mae'r hydd yn chwennych y ffynhonnau o ddŵr bywiol,
felly mae fy enaid yn chwennych gadael carchar y corff tywyll
hwn a'th weld di mewn gwirionedd.

     O Ddyfnder, O Dduwdod tragwyddol, O Fôr dwfn, beth
mwy na thi dy hun y medret ti ei roi i mi?

     Ti yw'r tân sy'n llosgi'n barhaus heb gael ei ddifa; yr wyt ti'n
difa yn dy wres holl hunangariad yr enaid; ti yw'r tân sy'n dwyn
ymaith yr oerfel.

     Â'th oleuni goleua fi, fel y gallaf ddirnad dy holl wirionedd
di.

     Dillada fi, dillada fi â thi dy hun, Wirionedd tragwyddol, fel y
gallaf fyw'r bywyd marwol hwn mewn gwir ufudd-dod ac yng
ngoleuni dy ffydd sancteiddiaf.

Catherine o Siena, 1347–80

24 GWNA NI'N ADDAS I'TH DEYRNAS

O Dduw, yn dy dosturi mawr caniatâ fod tân dy gariad yn llosgi
popeth ynom sy'n dy ddigio, a gwna ni'n addas i'th deyrnas nefol.

Y Brefiari Rhufeinig

25 YN Y LLONYDDWCH

Arglwydd, yn llonyddwch y munudau hyn
gwna fi'n ymwybodol o'th agosrwydd,
arwain fi i gymundeb â thi,
helpa fi i glywed dy lais yn llefaru wrthyf,
a rho i mi dy hedd.

    Pan fydd geiriau'n pallu,
rhuthr y byd yn distewi
a phob sŵn yn peidio,
cofleidia fi yn dy gariad,
a llanw fy mywyd â'th fywyd di dy hun.

Golygydd

26 GLANHAU A PHURO'R GALON

Mae d'eisiau arnaf i'm dysgu o ddydd i ddydd yn ôl fel y byddo'r
cyfle a'r angen.

    Rho i mi, O fy Nuw, y glendid cydwybod hwnnw a all yn
unig dderbyn dy ysbrydoliaeth, a all yn unig ei gryfhau.

    Mae fy nghlustiau'n hwyrdrwm fel na allaf glywed dy lais.

    Pylodd fy llygaid fel na allaf weld dy arwyddion.

    Ti yn unig a all roi min ar fy nghlyw a chlirio fy ngweld, a
glanhau a phuro fy nghalon.

    Dysg i mi eistedd wrth dy draed a gwrando dy Air.

John Henry Newman, 1801–90

27 CYMORTH YR YSBRYD

Ysbryd Sanctaidd, cynorthwya fi yn fy ngwendid; ni wn sut y
dylwn weddïo. Chwilia fy nghalon, ac ymbil drosof mewn
ochneidiau y tu hwnt i eiriau.

Rhufeiniaid 8:26–7

28 OLL FEL YR WYF

Gan nad oes ynof rinwedd na chymhwyster i nesáu atat ti,
O Dduw, deuaf fel yr wyf, yn dlawd, yn wael, yn wan,
gan bwyso'n unig ar dy gariad a'th drugaredd di yn Iesu Grist.

Golygydd

29 O'TH FLAEN, DAD

O'th flaen, Dad,
mewn cyfiawnder a gostyngeiddrwydd;
gyda thi, Frawd,
mewn ffydd a dewrder;
ynot, Ysbryd,
mewn llonyddwch.

Dag Hammarskjöld, 1905–61

30 DRWS Y TŶ

O Dduw, gwna ddrws y tŷ hwn
yn ddigon llydan i dderbyn pawb
y mae angen cariad dynol a chymdeithas dda arnynt;
yn ddigon cul i gadw allan
bob eiddigedd, balchder ac ymryson.
    Gwna ei drothwy yn ddigon llyfn
fel na fyddo'n faen tramgwydd i blant,
nac i draed crwydredig,
ond yn ddigon garw i gadw grym y temtiwr draw.
    O Dduw, gwna'r drws hwn
yn borth i'th deyrnas dragwyddol di.

Eglwys Sant Steffan, Walbrook, Llundain

31 EIN MEDDWL AR DDUW

Plygwn ger dy fron, O Arglwydd,
a deisyf yn ostyngedig am arweiniad dy Ysbryd
i'n cadw rhag crwydro yn ein meddyliau.
    Gwyddom y gallwn dy anrhydeddu â'n gwefusau,
a'n meddyliau serch hynny'n troi i bob cyfeiriad,
a'n calonnau'n pellhau oddi wrthyt.
    Heb dy arweiniad di byddwn yn ansicr o'n ffordd;
rho i ni deimlo'n awr ein bod yn cael ein harwain
o lwybrau'r byd i mewn i gymdeithas â thi.
    Cydnabyddwn mai braint yw cael cymdeithas â'n gilydd,
ond y mae'r fraint yn llawer mwy, a'r gymdeithas yn
gyfoethocach, pan fyddi di yn y canol.

Gweddïau yn y Gynulleidfa

32 TYRD ATAF

Arglwydd, tyrd ataf, mae fy nrws yn agored.

Michel Quoist

33 LLANW FI Â'TH FYWYD
Bywyd wyt, fy Arglwydd;
   bywyd a llawenydd ac angerdd pob creu.
Llanw dy was â goleuni dy nefoedd:
   llanw fy nghorff a'm henaid,
   fy ngwaed a'm dychymyg;
   llanw fy mywyd â'th fywyd di.
Pâr i mi fwynhau ac ymorffwys
yn llifeiriant dy nerth creadigol a chymodol,
ac yn y cariad sydd o dragwyddoldeb i dragwyddoldeb.

        Pennar Davies, 1911–96

34 CRIST WRTH Y DRWS
O Arglwydd Iesu,
   pan guri di wrth ddrws fy nghalon,
   na ad i mi dy gadw i sefyll o'r tu allan,
   ond dy groesawu â llawenydd a diolch;
   na ad imi goleddu dim yn fy nghalon a fydd yn rhwystr i ti;
   na ad i mi gadw'r un gornel ohoni rhag dy ddylanwad.
Gwna yr hyn a fynni â mi, O Arglwydd,
   llunia fi fel y mynni,
   newidia fi fel y mynni,
   a defnyddia fi fel y mynni,
   yn awr ac yn oes oesoedd.

    John Baillie, 1886–1960, cyf. Trebor Lloyd Evans

35 GWEDDI'R CHWE CHYFEIRIAD
Trown at y Dwyrain ac wynebu codiad haul:
   molwn Dduw am roi bywyd, ieuenctid a dechreuadau newydd.
Trown at y De: diolchwn am y bobl, y digwyddiadau a'r pethau
   sy'n cynhesu ein bywyd ac yn ein helpu i dyfu a datblygu.
Trown at y Gorllewin lle mae'r haul yn suddo ac yn machlud:
   molwn Dduw am bob machlud, pob nos a phob diweddglo yn
   ein bywyd.
Trown at y Gogledd:
   molwn Dduw am fod gyda ni drwy her a chaledi ein byw.
Plygwn i gyffwrdd â'r ddaear:
   molwn y Creawdwr am ei roddion i gynnal ein bywyd.
Syllwn ar y nefoedd:
   rhown ddiolch i Dduw am roi i ni obeithion a breuddwydion
   fel y gallwn fentro ymlaen i'r dyfodol.

    Gweddi Indiaidd o Ogledd America

36   Â'N HOLL GALON AC Â'N HOLL ENAID
O Dduw y Goleuni Tragwyddol, goleua ni;
y Grym Tragwyddol, nertha ni;
y Ddoethineb Dragwyddol, dysg ni;
y Tosturi Tragwyddol, trugarha wrthym;
a chaniatâ inni â'n holl galon ac â'n holl feddwl
geisio dy wyneb di,
a charu dy enw di,
trwy Iesu Grist ein Harglwydd.

Alcwin, 735–804

37   TEML Y TEMLAU
Pan ddof i mewn i'th bresenoldeb di,
    yng nghynulleidfa dy bobl neu yn unigedd fy ystafell,
    yno y mae teml y temlau, y cysegr sancteiddiolaf:
    ti dy hunan yw'r allor,
    ti dy hunan yw'r goleuni,
    ti dy hunan yw'r wledd.
Gad i'm defosiwn a'm gweddïau godi atat fel arogldarth,
    fel y bydd undeb a chymundeb rhyngof a thi:
    dy Ysbryd yn ymdywallt i'm henaid,
    a'm henaid yn ymgolli ynot ti –
    ti ynof fi a minnau ynot ti –
    y Tragwyddol, yr Anfeidrol, y Sanctaidd.

anad.

38   YR WYT TI GYDA NI
Diolchwn i ti, Arglwydd, am sicrwydd dy bresenoldeb:
    ar y stryd neu gartref ar yr aelwyd,
    mewn ffair a chyngerdd,
    mewn gwaith a hamdden,
    yr wyt ti gyda ni.
Diolchwn yn arbennig am y mannau hynny sydd wedi eu
    neilltuo er mwyn i ni fod yn ymwybodol o'th bresenoldeb,
    ac am bopeth sy'n ein hatgoffa ohonot:
    am gapel ac eglwys,
    am sain organ a lliwiau ffenestri,
    am bob peth sy'n gymorth i ni nesáu atat
    ac ymdeimlo â'th sancteiddrwydd.
Clodforwn di, Arglwydd,
    oherwydd sanctaidd wyt ti.

Elwyn a Gwenda Richards, *Gweddïo*, 1999

39   CYFEIRIA'N MEDDYLIAU

O Dad tirion,
rho feddyliau a dyheadau pur yn ein calonnau
fel y bwrir allan bob myfyrdod ofer a phechadurus.
   O Arglwydd Iesu,
tyrd i mewn i aelwyd ein henaid;
ehanga ac adnewydda hi a chysegra hi yn drigfan i ti dy hun,
fel y gallom dy garu a'th wasanaethu â'n holl nerth.
   O Ysbryd purdeb a gras,
glanha feddyliau ein calonnau;
cyfeiria hwy at y pethau hynny sydd gyfiawn,
bur, hawddgar a chanmoladwy,
a hoelia'n serch a'n myfyrdod arnat ti yn wastad.

Samuel M'Comb

40   GOSOD FY SERCH ARNO

Arglwydd, cynorthwya fi i osod fy serch arnat
ac i ddarostwng fy holl natur i ti:
dwysbiga fy nghydwybod â'th sancteiddrwydd;
portha fy meddwl â'th wirionedd;
pura fy nychymyg â'th brydferthwch;
agor fy nghalon i'th gariad;
plyg fy ewyllys i'th bwrpas,
a chynorthwya fi drwy'r cyfan i'th foli di,
fy Nuw a'm Gwaredwr.

Yn seiliedig ar eiriau o eiddo William Temple, 1881–1944

41   YN YR YSTAFELL DDIRGEL

Yn ystafell ddirgelaf fy nghalon
   yr wyt yn aros i gyfarfod â mi ac i siarad â mi,
   ac yn cynnig dy gymdeithas i mi'n rhydd a rhad
   er gwaethaf fy holl bechu.
Gad i mi'n awr fanteisio ar y ffordd agored hon
   i dangnefedd meddwl.
Gad i mi nesáu i'th ŵydd yn ostyngedig ac mewn parch.
Gad i mi ddwyn gyda mi ysbryd fy Arglwydd a'm Meistr,
   Iesu Grist.
Gad i mi adael o'm hôl bob anniddigrwydd,
   pob dymuno annheilwng,
   pob meddwl maleisus tuag at fy nghyd-ddynion,
   pob petruso rhag ildio fy ewyllys i'th ewyllys di;
   er mwyn Iesu Grist fy Arglwydd.

John Baillie, 1886–1960, cyf. Trebor Lloyd Evans

42 FY SYNHWYRAU

Arglwydd da,
pura fy synhwyrau a'm dyheadau
a defnyddia hwy i ddangos dy hun i mi.
    Tro fy llygaid oddi wrth bopeth aflan
a chyfeiria hwy at dy brydferthwch di.
    Cau fy nghlustiau i bob llais twyllodrus
a gad i mi wrando'n unig ar dy eiriau di.
    Rhyddha fy meddwl o bob cymhelliad a dymuniad aflan
a chanola fy myfyrdod ar dy wirioneddau di.
    Pura fy nychymyg o bob amhuredd;
sefydla fy ngolwg arnat, a gad i mi dy weld,
ac o'th weld, dy garu, dy addoli ac ymgolli ynot.

Golygydd

43 DYSGU GWRANDO

Yn nyfnder distawrwydd
nid oes angen geiriau,
nid oes angen iaith.
    Yn nyfnder distawrwydd gofynnir i ni wrando:
gwrando ar guriadau ein calon,
gwrando ar sŵn y gwynt yn chwythu –
ar gyffro'r Ysbryd.
    Ymlonyddwch, medd yr Arglwydd,
a dysgwch mai myfi sydd Dduw:
gwrandewch ar gri y di-lais;
gwrandewch ar riddfannau'r rhai sydd heb fwyd;
gwrandewch ar boen y rhai sydd heb dir;
gwrandewch ar ochneidiau'r rhai a ormesir,
ac ar chwerthin y plant –
oherwydd dyna yw gwir gyfathrebu:
gwrando ar bobl, byw gyda phobl, marw dros bobl.

Janet Morley

44 TROI GWEDDI'N GYMUNDEB

Atat ti, ein Tad, y ceisiwn gyfeirio ein meddwl a'n serch yn awr
gan ddeisyf i'r arfer hon o weddïo, yn breifat ac yn gyhoeddus,
gael ei throi'n gymundeb gwir ac yn foddion gras. Grymusa
reddf bob un ohonom fel y'n tynnir yn naturiol at y da,
y dyrchafol a'r gwaredigol, ac y gwrthodwn bob peth sy'n groes i
hynny; trwy Iesu Grist, y Ffordd, y Gwirionedd a'r Bywyd.

Huw Ethall

45 O'TH FLAEN, ARGLWYDD
Mewn distawrwydd
   i fod yma o'th flaen di yn unig, Arglwydd:
   i gau llygaid fy nghorff,
   i gau llygaid fy enaid,
   i fod yn llonydd ac yn dawel,
   i amlygu fy hun i ti,
   fel yr wyt ti'n amlygu dy hun i mi.
I fod yma o'th flaen di, y Presenoldeb tragwyddol,
   yn barod i deimlo dim, Arglwydd,
   i weld dim,
   i glywed dim.
Yn waglaw,
   yn y tywyllwch,
   heb syniadau,
   na delweddau:
   rwyf yma'n syml
   i gyfarfod â thi heb unrhyw rwystrau,
   yn nistawrwydd ffydd,
   o'th flaen di, Arglwydd.

Michel Quoist

46 DUW O'M MEWN
Arglwydd, yr wyt ti o'm mewn ac ni chollir mohonot o'm calon,
ond yr wyf fi ymhell oddi wrthyt ti nes y caf hyd i ti. Nid oes
angen i mi redeg i unman i'th geisio ond i mewn i mi fy hun lle
yr wyt ti yn aros amdanaf. Ti yw'r trysor cuddiedig ynof: tyn fi
atat dy hun, felly, fel y canfyddaf di a'th feddiannu a'th
wasanaethu dros byth.

Walter Hilton, 14eg ganrif

47 CEISIO A CHANFOD
O Dad grasol a sanctaidd, rho i ni
ddoethineb i'th ganfod,
deall i'th amgyffred,
diwydrwydd i'th geisio,
amynedd i ddisgwyl wrthyt,
llygaid i'th weld,
calon i fyfyrio arnat,
a bywyd i'th gyhoeddi;
trwy rym Iesu Grist ein Harglwydd.

Benedict Sant, 480–543

48   Y LLE HWN

Yr wyt ti, Arglwydd, yn llond pob lle
   ac yn bresennol ym mhob man;
     mae dy bresenoldeb yn llenwi'r lle hwn a'r awr hon.
Yr wyt yn fy amgylchynu,
   yn fy llenwi ac yn fy hawlio'n llwyr i ti dy hun.
Rho dy gymorth i mi osod fy mryd arnat
   ac i ymwybod â'th agosrwydd a'th arweiniad.
Ond er dy fod yma'n awr,
   yr wyt hefyd yn llawer mwy na'r lle hwn,
   a dirgelwch dy fawredd y tu hwnt i mi –
   tu hwnt i'm dychymyg a thu hwnt i'm deall.
Dduw agos ac aruchel, gwrando fy ngweddi.

Susan Sayers

49   DUW YN GWRANDO

Ynghanol sŵn a dwndwr ein bywyd,
yr wyt ti, Arglwydd, yn gwrando
ein meddyliau dirgel a chri ddistaw ein calonnau.
   Down o'th flaen heb rodres na balchder,
mewn symlrwydd a gostyngeiddrwydd,
gan wybod dy fod yn ein gwrando cyn i ni lefaru,
oherwydd gwyddost ein hanghenion,
ein hofnau a'n hiraeth
cyn i ni ofyn dim gennyt.
   Diolch nad wyt yn glustfyddar i eiriau'n gweddïau
nac yn ddi-hid o'n gwir anghenion,
ond yn gwrando, yn deall ac yn derbyn y cyfan
yn dy drugaredd a'th gariad.

Golygydd

50   GEIRIAU

Geiriau!
Y fath sŵn sydd yn y byd!
   Pobl yn siarad yn ddi-baid:
yn dweud clep,
yn trafod busnes,
yn cynllunio a chynllwynio –
â geiriau, yn brifo;
â geiriau, yn edliw;
â geiriau, yn rhagrithio;
mae'r byd yn llawn o sŵn – sŵn geiriau.

A geiriau y lleferaist ti, O Dduw:
'Gynt wrth y tadau trwy'r proffwydi',
a dywedaist wrth ddynion parablus
mewn un Gair clir, diamwys,
am dy gariad tuag atynt,
am dy ofal amdanynt,
am dy ofal diollwng ynddynt;
ac ni pheidiaist â llefaru;
ond pobl, ni wrandawant dy Air di.

Geiriau sydd ar fy ngwefusau innau, Arglwydd;
ond gwared fi rhag gwneud sŵn geiriau, heb weddïo,
a chymorth fi i siarad llai a gweddïo mwy.

Eric Edwards, 1908–2003

51   TROI I'R YSTAFELL DDIRGEL

O Dad, na ad inni fod yn rhy brysur i droi i'r ystafell ddirgel.
Mae arnom gymaint o angen nerth a goleuni gweddi.

Cynorthwya ni â'th ras, ac ar yr adegau hynny pan na
theimlwn fel gweddïo o gwbl, a phan fydd ein meddwl yn dywyll
a'n calon yn galed, ysgoga ni i alw 'Abba', ac i wybod fod dy
Ysbryd yn cynorthwyo ein gwendid ni.

Drwy gydol prysurdeb oriau gwaith, pan fyddwn yn
canolbwyntio ar ein gorchwylion, cadw ni mewn cymundeb â thi,
a bydded i'th Ysbryd ein bywhau a throi pob gwaith yn weddi
ddi-baid er dy glod. A derbyn ein diolch am fod i bawb ohonom
ddyfodiad trwy Grist, yn yr Ysbryd, at y Tad.

M. Islwyn Lake, Gweddïo,1985

52   TRWY GYDOL Y DYDD

O Ysbryd Sanctaidd Duw, gwna i mi ymwybod
â'th agosrwydd di o'm mewn trwy gydol y dydd hwn.

Ysbrydola fy meddyliau,
treiddia drwy fy holl ddychmygion,
cyfeiria fy holl benderfyniadau,
trig o fewn fy ewyllys a threfna fy holl weithrediadau.

Bydd gyda mi pan fwy'n ddistaw a phan fwy'n siarad;
yn ffresni'r bore ac ym mlinder yr hwyr.

Rhoi i mi'r gras ar bob adeg
i lawenhau yn nirgelwch dy gymdeithas –
fy nghalon yn allor a'th gariad di yn fflam.

Na ad fi, O Bresenoldeb grasol.

John Baillie, 1886–1960, cyf. Trebor Lloyd Evans

53 HYFRYD HEDD EI BRESENOLDEB
Diolch i ti, O Dduw,
   am yr hyfryd hedd sydd yn dy bresenoldeb.
Diolch i ti mai yn y tawelwch y clywn dy lais,
   uwchlaw sŵn y byd a'i bethau, yn ein gwahodd a'n cysuro.
Diolch i ti mai yn y tawelwch y canfyddwn dy sancteiddrwydd ac
   y profwn gyffyrddiad dy Ysbryd â'n heneidiau.
Diolch i ti mai yn y tawelwch yr ymdeimlwn â'r nerthoedd glân a
   grasol hynny sydd ar ein cyfer yn Efengyl dy Fab, Iesu Grist.
Cadw ni, Arglwydd, yn wastad yn dy gwmni a'th dangnefedd.

Golygydd

54 TROI AT DDUW
Arglwydd sanctaidd,
tro fy nyheadau oddi wrth bethau di-fudd
a chanola hwy arnat ti yn unig;
tro fy nychmygion oddi wrth ddelweddau amhur
a gosod hwy i ystyried yn unig dy harddwch di;
tro fy serchiadau oddi wrth chwantau dros dro
a thywys hwy i ymhyfrydu'n unig yn dy gariad di;
tro fy egnïon oddi wrth fwriadau hunanol
a chyfeiria hwy at gyflawni'n unig dy ewyllys di;
tro fy meddyliau oddi wrth bob syniad ofer
ac arwain hwy i fyfyrio'n unig ar dy wirionedd di;
tro holl ogwydd fy mywyd oddi wrth amcanion bydol,
oddi wrth hudoliaeth pethau ac amcanion isel,
a rho imi awydd i'th geisio di o flaen popeth arall,
ac o'th ganfod, canfod fy hunan ynot ti.

Leslie Weatherhead, 1893–1976

55 CROESO'R ARGLWYDD
Dywedodd Iesu,
   'Deuwch ataf fi, bawb sy'n flinedig ac yn llwythog,
   ac fe roddaf fi orffwystra i chwi.'
Yr wyt ti, Arglwydd, yn ein gwahodd atat ac yn ein croesawu.
Pan ydym yn llon a'n calonnau'n ysgafn,
yn llawn hwyl a chwerthin:
   Yr wyt ti, Arglwydd, yn ein croesawu.
Pan ydym yn drist, ein gobeithion yn deilchion
a phobl yn cefnu arnom:
   Yr wyt ti, Arglwydd, yn ein croesawu.

Pan ydym yn flinedig, ein beichiau yn ein llethu
ac angen heddwch a gorffwys arnom:
    Yr wyt ti, Arglwydd, yn ein croesawu.
Pan ydym yn teimlo cywilydd,
ein beiau'n staen ar ein heneidiau
ac euogrwydd yn corddi ynom:
    Yr wyt ti, Arglwydd, yn ein croesawu.
Arglwydd croesawgar,
y mae dy ddrws ar agor led y pen
ac yr wyt yn ein gwahodd atat:
    Cyfarfyddwn yma gyda thi yn awr
    a diolchwn am dy bresenoldeb a'th groeso.

Golygydd

56   DUW FO YNOF

Duw fo yn fy mhen ac yn f'ymresymiad;
Duw fo yn fy nhrem ac yn f'edrychiad;
Duw fo yn fy ngair ac yn fy siarad;
Duw fo yn fy mron ac yn fy nirnad;
Duw ar ben fy nhaith, ar fy ymadawiad.

Horae Pynson, 1514, cyf. R. Glyndwr Williams

57   AR AWR WEDDI

Daethom yma i weddïo, ein Tad, i gwmnïa â thi.
    Mae dy gwmni yn cynhyrfu a diddanu:
weithiau fel grym trydan yn rhedeg trwom,
ac weithiau fel eli ar ddolur yn llaesu poen a phryder.
    Ac y mae angen y naill a'r llall arnom, Arglwydd.
    Mae angen arnom ein cynhyrfu,
i'n deffro ac i'n gwneud yn anniddig ac anfodlon –
yn anfodlon arnom ein hunain,
yn anfodlon ar ein heglwysi,
yn anfodlon ar gyflwr cymdeithas a byd.
    Ond rwyt ti'n medru diddanu hefyd;
a'r diddanwch mwyaf oll
yw gwybod dy fod ti gyda ni.
    Arglwydd, yn ein hofn a'n swildod,
yn ein digalondid a'n hunigrwydd,
rho i ni ddiddanwch dy bresenoldeb;
hynny'n unig a'n ceidw rhag diffygio yn dy waith.

D. Andrew Jones

MOLIANT

Mawl sy'n ddyledus i ti, O Dduw, yn Seion;
ac i ti, sy'n gwrando gweddi, y telir adduned.
(SALM 65:1)

Molwch yr Arglwydd, yr holl genhedloedd;
clodforwch ef, yr holl bobloedd.
Oherwydd mae ei gariad yn gryf tuag atom,
ac y mae ffyddlondeb yr Arglwydd dros byth.
Molwch yr Arglwydd.
(SALM 117)

∽

58   SANCTUS
Sanct, sanct, sanct, Arglwydd y lluoedd;
y mae nef a daear yn llawn o'th ogoniant.
Hosanna yn y goruchaf.

Eseia 6:3

59   RHODDWN GLOD
Am dy waith mewn creadigaeth a rhagluniaeth:
   Rhoddwn glod i ti, O Dduw.
Am Waredwr yn Iesu Grist
ac am ddoniau'r Ysbryd Glân ym mhob oes:
   Rhoddwn glod i ti, O Dduw.
Am fendithion yr Efengyl i'n gwlad,
ac am bawb a fu'n wrol dros y gwir:
   Rhoddwn glod i ti, O Dduw.
Am ryddid i alw ar dy enw;
am y tangnefedd sydd uwchlaw pob deall
ac am obaith gogoniant:
   Rhoddwn glod i ti, O Dduw.

R. J. Jones, 1882–1975

36

60   MOLIANT NEF A DAEAR

Ti, Dduw, a folwn; ti a gydnabyddwn yn Arglwydd.

Yr holl ddaear a'th fawl di, y Tad tragwyddol.

Arnat ti y llefa'r holl angylion; y nefoedd a'r holl nerthoedd o'u mewn.

Arnat ti y llefa ceriwbiaid a seraffiaid â lleferydd di-baid.

Sanctaidd, sanctaidd, sanctaidd, Arglwydd Dduw y lluoedd; nefoedd a daear sy'n llawn o'th ogoniant.

Gogoneddus gôr yr apostolion a'th fawl di;

moliannus nifer y proffwydi a'th fawl di.

Ardderchog lu y merthyron a'th fawl di;

yr Eglwys lân drwy'r holl fyd a'th addef di,

y Tad o anfeidrol fawredd; dy anrhydeddus, wir ac unig Fab;

hefyd yr Ysbryd Glân, y Diddanydd.

Ti, Grist, yw Brenin y gogoniant; ti yw tragwyddol Fab y Tad.

Pan gymeraist arnat waredu dyn, ni ddiystyriaist fru y Wyryf.

Pan orchfygaist holl nerth angau, agoraist deyrnas nef i bawb sy'n credu.

Ti sydd yn eistedd ar ddeheulaw Duw yng ngogoniant y Tad.

Yr ŷm yn credu mai tydi a ddaw yn Farnwr arnom.

Gan hynny atolygwn i ti gynorthwyo dy weision a brynaist â'th werthfawr waed.

Pâr iddynt gael eu cyfrif gyda'th saint yn y gogoniant tragwyddol.

Te Deum laudamus

61   BETH A DDYWEDAF WRTHYT?

Beth a ddywedaf wrthyt, fy Nuw?

A gasglaf ynghyd yr holl eiriau a ddefnyddiwyd erioed i foli dy enw sanctaidd?

A roddaf arnat ti, yr un na ellir dy enwi, holl enwau'r byd hwn?

A ddywedaf amdanat, 'Dduw fy mywyd, ystyr fy modolaeth, ysbrydoliaeth fy ngweithredoedd, diben fy nhaith, gerwinder fy oriau garw, cartref fy unigrwydd, cyfrinach fy hapusrwydd?'

A ddywedaf: Creawdwr, Cynhaliwr, Maddeuwr, yr Un Agos, yr Un Pell, yr Un Anchwiliadwy, Duw y blodau a'r sêr, Duw yr awel dyner a'r brwydrau enbyd, Doethineb, Grym, Teyrngarwch a Geirwiredd, Tragwyddoldeb ac Anfeidroldeb, ti yr Holldosturiol, ti y Cyfiawn Un, ti Gariad perffaith?

Beth a ddywedaf ond, 'Abba, Dad'?

Karl Rahner, 1904–84

62 GOGONIANT YN Y GORUCHAF
Gogoniant yn y goruchaf i Dduw,
a thangnefedd i'w bobl ar y ddaear.

Arglwydd Dduw, frenin nefol,
hollalluog Dduw a Thad,
addolwn di, diolchwn i ti,
clodforwn di am dy ogoniant.

Arglwydd Iesu Grist, unig Fab y Tad,
Arglwydd Dduw, Oen Duw,
yr hwn wyt yn dwyn ymaith bechod y byd,
trugarha wrthym;
tydi sy'n eistedd ar ddeheulaw'r Tad,
derbyn ein gweddi.

Canys ti yn unig sy'n sanctaidd,
ti yn unig yw'r Arglwydd,
ti yn unig yw'r Goruchaf,
Iesu Grist, gyda'r Ysbryd Glân,
yng ngogoniant Duw Dad.

Gloria in Excelsis

63 ADDOLIAD Y SUL
Diwrnod i'w ddathlu yw'r Sul:
diwrnod cyntaf y creu,
diwrnod buddugoliaeth Iesu,
diwrnod y rhodd o'r Ysbryd Glân,
diwrnod cyntaf wythnos newydd.

Arglwydd, cymorth ni i ddathlu'r dydd hwn:
i lawenhau yn rhoddion dy gread,
i ganfod bywyd newydd yn Iesu,
i osod ein golygon ar y ffordd a baratoist i ni
ar gyfer yr wythnos sy'n dod,
ac i fwynhau cymdeithas ac addoliad dy Eglwys.

Gweddïau i'r Eglwys a'r Gymuned, addas. Trefor Lewis

64 YMATEB I'R CARIAD DWYFOL
O Dduw, rho i ni'r ddoethineb yn awr
i ymatal rhag ceisio dy rwydo mewn geiriau,
ymaflyd ynot â'n meddwl,
caethiwo dy ryfeddod â'n syniadau'n hunain.
Yn hytrach, gad i ni syllu arnat,
a gad i'r syllu hwnnw droi'n adnabyddiaeth,
a'r adnabyddiaeth yn fawl.

38

Gwared ni rhag llefaru geiriau gwag
a bodloni ar hen ddelweddau;
ond rho i ni'r wefr honno a deimla'r sawl
a ddaw i undeb bywiol â thydi.

A ninnau'n dod atat fel y daw plentyn at dad sy'n ei garu,
gwna ni'n ymwybodol o'th gariad anhraethol tuag atom:
cariad a ddatguddiwyd i ni yn dy Fab Iesu,
a chariad y dylem ninnau ei adlewyrchu
yn ein hymwneud â'n gilydd.

Boed ein haddoliad felly yn ddim llai nag ymateb byw
i'r cariad hwnnw.

Cynnal ac arwain ni, a thu ôl i'r dirgelwch
sy'n dy guddio oddi wrth dy blant,
gad i ni ganfod gwedd yr Arglwydd Iesu.

Elwyn a Gwenda Richards, Gweddïo, 1999

65   Y DUW ANFEIDROL
O Dduw, yr hwn wyt anfeidrol a digyfnewid,
gogoneddus mewn sancteiddrwydd,
llawn cariad a thosturi,
helaeth mewn gras a gwirionedd,
dy holl weithredoedd a'th fawl di ym mhob rhan o'th
    lywodraeth,
a'th ogoniant a ddatguddir yn Iesu Grist dy Fab.

Am hynny, moliannwn di, Dad, Mab ac Ysbryd Glân,
un Duw bendigaid yn oes oesoedd.

R. R. Williams, 1887–1971

66   ADDOLIAD GAIR A SACRAMENT
Daethom at ein gilydd, ein Tad,
    yn deulu o'th bobl i'th bresenoldeb.
Daethom i gyflwyno i ti ein clod a'n diolchgarwch,
    i glywed ac i wrando dy Air sanctaidd,
    i ddwyn ger dy fron anghenion y byd
    ac i geisio dy faddeuant am ein pechodau.
Daethom i dorri bara ac yfed gwin
    er cof am dy Fab, Iesu Grist, ein Harglwydd.
Una'n moliant â moliant dy saint.
Boed i addewid dy Air a rhin y Sacrament hwn
    fod i ni yn foddion gras, drwy dy Ysbryd Glân.
Gofynnwn hyn drwy Iesu Grist, ein Harglwydd.

Llyfr Gwasanaeth yr Annibynwyr, 1998

67 CYFARCHAF DI

O Haul tu draw i bob haul,
cyfarchaf di ar y diwrnod newydd hwn.
Pâr i'r greadigaeth oll dy foli.
Pâr i oleuni'r wawr a'r cysgodion dy foli.
Pâr i'r ddaear ffrwythlon ac i ddyfnder y môr dy foli.
Pâr i'r gwyntoedd a'r glaw, y mellt a'r taranau dy foli.
Pâr i bopeth ac ynddo anadl, yn wryw a benyw, dy foli,
ac fe folaf innau dydi.
Arglwydd bywyd oll,
cyfarchaf di ar y dydd hwn.

J. Philip Newell

68 MOLIANT I'R DRINDOD

Dduw ein Tad,
Arglwydd nef a llawr,
ffynhonnell a nerth ein bywyd:
 Molwn a chlodforwn di.
Arglwydd Iesu Grist,
ein Gwaredwr a'n gobaith,
rhoddwr bywyd yn ei helaethrwydd:
 Molwn a chlodforwn di.
Ysbryd Sanctaidd,
ein diddanydd a'n harweinydd,
nerth a bywyd Duw ynom:
 Molwn a chlodforwn di.
Dduw – Dad, Mab ac Ysbryd Glân,
perffaith mewn undod a chariad,
yn ein huno ni â thi ac â'n gilydd:
 Yn awr ac yn oes oesoedd, molwn a chlodforwn di.

Golygydd

69 GWISG MOLIANT

Arglwydd, dyro i ni ymwisgo â gwisg moliant.
Na ad i ni roi heibio'r wisg hon wrth ddod i ddiwedd Saboth ac
 wrth ymado â'th gysegr.
Boed hon yn wisg am ein heneidiau, yn ein cartrefi ac yn ein
 gorchwylion; yn ein myfyrdodau ac ar ein teithiau; yn ein
 cynlluniau ac yn ein siomedigaethau.
Dyro gymorth inni gadw'r wisg amdanom mewn dyddiau tywyll
 a brwydrau, wrth drin y cleddau a chario'r groes.

Er i ni fethu â chanu dy fawl gan mor ddiffygiol yn aml yw ein
   ffydd, cadw, Arglwydd, sŵn y delyn yn ein henaid.
Dyro inni weld y cymylau a'r tywyllwch yn cilio,
   a ninnau yn y dydd newydd yn seinio dy glod
   yn sicrach ac yn uwch nag erioed.

H. Elvet Lewis, 1860–1953

70 DYRCHAFAF FY NGHALON
Dad grasol,
dirion Iesu,
Ysbryd bendigaid,
Sanctaidd, Sanctaidd, Sanctaidd,
Dduw hollalluog:
dyrchafaf fy nghalon atat mewn cariad;
dyrchafaf fy enaid atat mewn gweddi;
dyrchafaf fy nwylo atat mewn gwasanaeth;
dyrchafaf fy ngeiriau atat mewn clod:
Sanctaidd, Sanctaidd, Sanctaidd Dduw.

Golygydd

71 BENDIGED Y CREAD DYDI
Ogoneddus Arglwydd, henffych well:
Bendiged di eglwys a changell . . .
Bendiged di'r tair ffynnon sydd . . .
Bendiged di nos a dydd . . .
A'th fendigodd di, Abram, pen ffydd,
Bendiged di fywyd tragywydd;
Bendiged di adar a gwenyn,
Bendiged di borfa'r glaswelltyn;
A'th fendigodd di Aaron a Moses,
Bendiged di ddyn a dynes;
Bendiged di wythnos a sêr,
Bendiged di awyr ac ether;
Bendiged di lên a llyfrau,
Bendiged di bysgod dan donnau;
Bendiged di feddwl a gweithred,
Bendiged di ddaear y blaned;
Popeth da grëwyd, bendiged.
Ac fe'th fendigaf innau di, Arglwydd y gogoniant:
Ogoneddus Arglwydd, henffych well.

Llyfr Du Caerfyrddin

72   HYN YW EIN HADDOLIAD

Arglwydd, hyn yw ein haddoliad:
   troi oddi wrth y byd a'i brysurdeb,
   oddi wrth atyniad y materol,
   oddi wrth waith a gofalon,
   i sefyll ym mhresenoldeb yr hyn sydd real
   ac i ymgrymu gerbron y tragwyddol.
Arglwydd, hyn yw ein haddoliad:
   cael dod yn eiddgar o'th flaen
   i rannu â thi ein profiadau,
   i ddyrchafu'n bywyd a'n gwaith a'n hanghenion atat,
   i ddiolch am yr hyn a gyflawnwyd
   a'r hyn a fwynhawyd gennym,
   a'u rhannu ag un sy'n deall ac yn derbyn y cyfan.
Arglwydd, hyn yw ein haddoliad:
   ymhyfrydu yn dy gwmni,
   syllu mewn rhyfeddod ar dy ogoniant,
   gwirioni arnat,
   dy garu,
   dy glodfori,
   dy wasanaethu,
   fel y perffeithir ein ffydd
   ac fel y llenwir ein bywyd â'th fywyd di dy hun.

George Appleton, 1902–93

73   ANADL EIN HEINIOES

O Bresenoldeb dwyfol,
na wyddost na phellter nac agosrwydd,
ond sydd, fel yr aer a anadlwn, gyda ni yn wastad:
Arglwydd, anadl ein heinioes,
addolwn di.

Amy Carmichael, 1869–1951

74   YMATEB I DDUW

Dduw, ein creawdwr,
   cydnabyddwn ein bod yn eiddo i ti.
Dduw, ein brenin,
   talwn i ti ein gwrogaeth.
Dduw, ein cynhaliwr,
   diolchwn i ti am dy fendithion.
Dduw, ein barnwr,
   cyffeswn i ti ein pechodau.

Dduw, ein Gwaredwr,
ymddiriedwn yn dy drugaredd.
Dduw, ein Tad,
cyflwynwn i ti ein cariad.
Dduw, ein Duw,
offrymwn i ti ein haddoliad
a molwn dy enw sanctaidd.
Rho dy arweiniad i ni, Arglwydd,
yn ein haddoliad y dydd hwn,
fel y bydd ein gwefusau yn dy foli,
ein myfyrdodau yn dy fawrygu,
a'n bywydau yn dy ogoneddu;
trwy Iesu Grist, ein Harglwydd.

Susan Sayers

75   RHO DY GYMORTH
Diolchwn, O Arglwydd, am i ti blygu at ein gwendid ni
a dod yn agos atom yn dy Fab Iesu Grist.
     Cynorthwya ni, trwy dy Ysbryd Glân, i nesáu atat ti:
i ymdawelu ger dy fron a theimlo dy bresenoldeb,
i ddisgwyl wrthyt ac ymddiried ynot,
i fyfyrio arnat a cheisio dy wyneb,
i ddiolch i ti ac i edifarhau,
i roi mewn geiriau ein hofnau a'n gobeithion,
ein heiriolaeth a'n hymbiliau.
     Cynorthwya ni i doddi'r dieithrwch sydd rhyngom a thi
ac i weld bod ffordd wedi'i hagor o'n calonnau cyndyn ni
i gyfeiriad dy nefoedd dy hun,
a chymorth ni i gerdded y ffordd honno
gyda chalonnau llawn cariad a chlod.

Golygydd

76   MOLIANT POB CREADUR SY'N BYW
Gogoniant i'r Tad, trwy'r Mab, ac yn yr Ysbryd Glân:
tri Pherson yn gydradd o fawredd,
yn ddiwahân mewn godidogrwydd,
yn un Duw yn wastad i'w addoli a'i ogoneddu,
gan holl lu'r nef a chan yr holl ddynolryw,
gan bob creadur sy'n byw, a'r holl greadigaeth.
     Y fendith, yr anrhydedd, y gogoniant a'r gallu
a fo i ti byth bythoedd.

anad.

77   YDWYT YR HYN YDWYT
'Tydi a rydd fywyd i fychan a mawr,
Tydi ym mhob bywyd yw'r bywyd bob awr.'

Ti yw'r cynhyrfwr sy'n corddi'r nerfau
A'r tawelwch diwaelod sydd yng nghraidd ein bod.

Ti yw'r tywyllwch na all deall ei dyllu
A'r golau sy'n treiddio trwy bob dirgelwch.

Ti yw'r tu hwnt sy'n orwel anghyrraedd
A'r agosrwydd sy'n anadl einioes.

Ti yw'r Erlynydd sy'n herio pob haeriad
A'r Amddiffynnydd sy'n cadarnhau ein ffydd.

Ti yw'r gydwybod sy'n staenio pob ymdrech
A'r drugaredd sy'n maddau ein holl anwireddau.

Ti yw'r anwybod sy'n gwawdio'r diwinydd
A'r golud crisial sy'n gorlifo'r galon.

Ti yw'r corwynt sy'n graeanu'r cerrig
A'r gaer sy'n gadarn ym mhob gerwinder.

Ti yw'r angau sy'n terfynu'n hingoedd
A'r bywyd real sy'n gorchfygu marwolaeth.

Ti yw'r farn sy'n hidlo'r cenhedloedd
A'r cariad ffyddiog sy'n cyweirio'r byd.

Ti yw sêl y rebel sy'n rheibio
A'r tosturi sy'n gymod ynghanol trais.

Ynot mae popeth yn byw, symud a bod,
Ynot mae rhyfel a thangnef ein hanfod.

D. R.Thomas, 1908–2004

78   CYFLWYNAF FY NGHARIAD I TI
Cyflwynaf fy nghariad i ti, Arglwydd,
a derbyniaf dy lawenydd di.
Cyflwynaf fy llawenydd i ti, Arglwydd,
a derbyniaf dy dangnefedd di.
Cyflwynaf fy nhangnefedd i ti, Arglwydd,
a derbyniaf dy gariad di.

John Johansen-Berg, addas. Glyn Tudwal Jones

79   EI RASUSAU EF

Offrymwn i ti, O Dduw,
ein mawl a'n haddoliad,
am y nerthoedd glân a graslon
yr wyt ti yn eu tywallt arnom yn Efengyl dy Fab, Iesu Grist:
am iddo ef ein dwyn o dywyllwch ein pechod
i oleuni dy faddeuant;
am iddo lenwi ein calonnau â'th gariad
a'n heneidiau â'th hedd;
am iddo agor ein llygaid i'th hawddgarwch
a'n meddyliau i'th wirionedd;
am iddo roi i ni fywyd
ac agor i ni byrth y bywyd tragwyddol.
    Caniatâ i'w rasusau ef ffrydio i'n heneidiau
a throi yn ffynnon o fywyd dwyfol ynom.

anad.

80   GOGONIANT ANNHERFYNOL

Hollalluog Dduw, sancteiddiaf a godidocaf,
   o flaen disgleirdeb dy bresenoldeb di
   gorchuddia'r angylion eu hwynebau;
   gyda pharch gostyngedig a chariad addolgar,
   cydnabyddwn ninnau dy ogoniant annherfynol
   a moliannwn di, Dad, Mab ac Ysbryd Glân,
   Drindod dragwyddol.
   Bendith ac anrhydedd a gogoniant a gallu
   a fo i'n Duw ni yn oes oesoedd.

The Book of Common Order

81   YR WYT YN EIN MYSG

Yr wyt ti, Arglwydd, yn ein mysg;
y mae dy bresenoldeb yn llenwi'r lle hwn,
yn llenwi'r awr hon,
yn llenwi'r eiliad hwn,
yn llenwi'n calonnau a'n heneidiau,
ac yn ein clymu ynghyd yn un cymundeb ysbrydol,
yn gorff Crist ac yn deulu'r ffydd.
    Yng nghymdeithas yr Ysbryd Glân,
a chyda'th Eglwys fawr yn y nef ac ar y ddaear,
offrymwn i ti, Dduw Dad Hollalluog,
ein clod, ein cariad a'n hufudd-dod.

Golygydd

82   SALM I FWYNDER

Y mae ein bryniau'n mynegi tiriondeb Duw,
A'u llethrau yn llun o'i fwynder tragwyddol ef.
Ar eu llechweddau y pawr y diadelloedd stond,
A'r ehedydd yn gwasgar ei gân dros geunant a ffridd.
Gwelwch gynhaliaeth ddihysbydd yr Arglwydd i'w bobl,
A hoffter yr Arglwydd o ryddid ac awen a cherdd.

O grombil y bryniau y cloddiwyd llechi a glo i'n diddosi,
Haearn i'n gwarchod, a chopr ac arian ac aur.
Y mae'r mwynau hefyd yn mynegi mwynder Duw:
Tiriondeb sy'n finiocach na'r gallestr,
Tynerwch sy'n galetach na haearn,
Ac yn loywach, ddisgleiriach nag aur.

Ni all llygaid yr Arglwydd edrych ar ddim sy ddrwg.
Ei fwynder ef sydd gyfiawnder hefyd.
Ac fe erys byth, fel mwynder ein bryniau ni,
Heb ei erydu gan rew drygioni na chroeswyntoedd pechod.
Fel y saif ein mynyddoedd oesol, fe saif ein Duw,
Yn gaer o gyfiawnder, yn gastell cynhaliaeth a gras.

Canys Duw sy'n teyrnasu. Aeth ei Eneiniog i fyny â bloedd
Oddi ar y groes honno a godwyd ar Fryn Calfaria,
A dychwelodd yn Atgyfodiad y trydydd dydd
Yn fuddugwr dros angau, yn goncwerwr y fagddu a phechod,
Ei fwynder yn galetach na chaledwch,
A'i diriondeb yn drech na'r drwg.

Canmolwn diriondeb trugaredd ein Duw,
Y tynerwch yng nghraidd y bydysawd sy mor dawel â
   diadelloedd pell y llethrau.
Diolchwn am yr hynawsedd sy'n ein cynnal a'n gwarchod,
Ac yn ein derbyn yng nghoncwest addfwynder Oen yr Aberth;
Am y mwynder sydd yng nghalon cyfiawnder,
A'r cyfiawnder sydd o Dduw.

Gwynn ap Gwilym

83   MOLI EI ENW

Dyrchafaf di, fy Nuw, O Frenin,
  a bendithiaf dy enw byth bythoedd.
Bob dydd bendithiaf di, a moliannu dy enw byth bythoedd.
Mawr yw'r Arglwydd, a theilwng iawn o fawl,
ac y mae ei fawredd yn anchwiliadwy.

Salm 145:1–2

84 MYND AM DRO

Euthum am dro, Arglwydd,
    a mwynhau cerdded:
    mwynhau'r aer pefriog,
    awel ffres y môr,
    yr awyr las uwchben
    a heulwen digwmwl.
'Ystyria'r adar,' meddet ti wrthyf,
    ac fe wnes,
    a chlywed eu clegar,
    a'u gweld yn codi a phlymio,
    a rhai yn disgyn i yfed o'r pyllau dŵr
    a ffurfiwyd gan law neithiwr.
'Ystyria'r lili,' sibrydaist,
    ac fe wnes,
    a gweld carped o flodau'r gwynt,
    yn biws a phinc a melyn;
    ac fe gesglais fwyar duon,
    a chael hyd i dri mochyn coed mawr
    i addurno'r tŷ dros y Nadolig.
Yna, cyrraedd adref,
    ac wrth hwylio swper,
    gweld drwy ffenestr y gegin
    glamp o leuad llawn yn sbecian dros ysgwydd y mynydd.
'Fy rhodd i ti,' meddet wrthyf,
    'i'th atgoffa fy mod yn dy garu.'
Y fath lawenydd –
    dagrau o lawenydd ac o foddhad.

Joyce Huggett, addas.

85 Y DUW SANCTAIDD

Sanctaidd wyt ti, O Dduw y Tad,
    yr hwn a wnaethost o un gwaed holl genhedloedd y ddaear.
Sanctaidd wyt ti, O Dduw y Mab,
    yr hwn a waredaist yr holl ddynolrwydd o allu'r tywyllwch.
Sanctaidd wyt ti, O Dduw yr Ysbryd Glân,
    rhoddwr bywyd a goleuni, yr wyt yn arwain ac yn
    sancteiddio'r holl Eglwys.
Sanctaidd wyt ti, O Dduw y Drindod dragwyddol ac addoladwy,
    er gogoniant yr hwn y mae pob peth ac y crëwyd pob peth.

Student Prayer

86   CLYWSOM AMDANAT

Clywsom amdanat ti, Dduw pob gallu:
lluniaist y byd yn dy haelioni
gan greu trefn allan o anhrefn;
gwnaethost bob un ohonom ar dy ddelw dy hun
gydag ôl dy fys ar bob enaid.
    Am hynny clodforwn di:
    Molwn ac addolwn di.

Clywsom amdanat ti, Iesu Grist:
y saer a adawodd ei offer a'i grefft;
y gŵr tlawd a wnaeth eraill yn gyfoethog;
yr iachäwr a gafodd ei hun ei glwyfo;
y troseddwr y poerodd y milwyr arno
heb wybod eu bod yn baeddu wyneb Duw;
y Gwaredwr a fu farw ac a atgyfodwyd.
    Am hynny clodforwn di:
    Molwn ac addolwn di.

Clywsom amdanat ti, Ysbryd Sanctaidd:
diddymaist y rhaniadau rhwng hiliau a chenhedloedd,
er mwyn i Dduw siarad ym mhob iaith;
gwnaethost i ddisgyblion feddwi â gras;
achubaist eneidiau,
agoraist galonnau a phocedi,
agoraist ddrysau i obaith a rhyddid,
a dangosaist fod cariad yn gwneud pob peth yn newydd.
    Am hynny clodforwn di:
    Molwn ac addolwn di.

Wild Goose Worship Group

87   I'R FENDIGAID DRINDOD

O Dduw, Tad y nefoedd,
    a greaist y byd o ddim yn rhyfeddol,
    yr hwn wyt yn rheoli ac yn cynnal nef a daear â'th allu,
    ac a draddodaist dy unig-anedig Fab i farw er ein mwyn:
O Dduw y Mab, Gwaredwr y byd,
    a ewyllysiaist dy ymgnawdoli o forwyn,
    a'n golchaist oddi wrth ein pechodau â'th werthfawr waed, ac
    wedi atgyfodi o farw a esgynnaist yn fuddugoliaethus i'r nef:
O Dduw, yr Ysbryd Sanctaidd, y Diddanydd,
    a ddisgynnaist ar Iesu ar ffurf colomen,
    a ddaethost at yr Apostolion gan ymddangos mewn tafodau
    tân, ac a wyt yn ymweld i gadarnhau â'th ras galonnau'r saint:

O sanctaidd, oruchaf, dragwyddol,
   wynfydedig, fendigaid Drindod, yn wastad i'th foliannu:
O Dad daionus,
O Fab cariadlawn,
O Ysbryd addfwyn,
Dduwdod, Undod, Trindod,
   ti a addolwn, ti a gyfarchwn,
   a chyda holl serch ein calonnau,
   ti a fendigwn yn awr a thros byth.

Lancelot Andrewes, 1555–1626

88   YMGRYMAF AC ADDOLAF
Ymgrymaf gerbron y Tad
   a'm gwnaeth i.
Ymgrymaf gerbron y Mab
   a'm gwaredodd i.
Ymgrymaf gerbron yr Ysbryd
   sy'n fy arwain i.
Gan garu ac addoli,
   rhof fy ngwefusau,
   rhof fy nghalon,
   rhof fy meddwl,
   rhof fy nghryfder.
Ymgrymaf ac addolaf di,
   Sanctaidd Dri,
   Y Bythol Un –
   Y Drindod.

Enid Morgan

89   LLAWENYDD
Fel y gwnaed fy llaw i gydio
a'm llygad i weld,
lluniaist fi, Arglwydd,
i lawenhau.
   Rhanna â mi'r weledigaeth
sy'n canfod llawenydd ym mhobman:
ym mhrydferthwch gwyllt y fioled,
ym melodi'r ehedydd,
yn wyneb person tosturiol,
yng ngwên plentyn bach,
yng nghariad rhieni,
ym mhurdeb Iesu.

Joyce Huggett

90   PA FODD Y GALLWN BEIDIO Â MOLI?
Tydi, O Arglwydd, a lanwodd ein calonnau â llawenydd.
    Pan oeddem yn eistedd mewn tywyllwch,
gorchmynnaist i oleuni lewyrchu arnom.
    Pan oeddem ar grwydr fel defaid mewn anialwch,
daeth y Bugail Da i'n ceisio.
    Pan oedd cysgod barn arnom,
daeth y Gwaredwr a dioddef y gosb trosom ni.
    Tydi, ein Tad trugarog,
oedd yng Nghrist yn cymodi'r byd â thi dy hun,
a hynny heb gyfrif i ni ein pechodau.
    Pa fodd y gallwn beidio â chanu a moli?
    Cyffyrdded dy Ysbryd Sanctaidd â'n calonnau
nes bod gorfoledd yn dygyfor ynddynt
a gwefr yr iachawdwriaeth yn troi'n gân ar ein gwefusau.
    Ymunwn gyda'r gwaredigion yn dy bresenoldeb yn y nefoedd
i ganu i'r hwn a'n carodd ni ac a'n golchodd ni oddi wrth ein
pechodau yn ei waed ei hun.
    Iddo ef y byddo'r gogoniant a'r gallu yn oes oesoedd.

R.Tudur Jones, 1921–98, *Gweddïo*, 1992

91   Y DUW HOLLBRESENNOL
Yn y dechreuad,
cyn bod amser, cyn bod pobl,
cyn dechreuad y byd:
    Yr oedd Duw.
Yma yn awr,
yn ein mysg, wrth ein hymyl,
yn galw pobloedd daear
i ddibenion nefoedd:
    Y mae Duw.
Yn y dyfodol,
pan mai llwch fyddwn
a phopeth wedi dod i'w gyflawnder:
    Bydd Duw.
Nid yn ymwrthod â'r byd, ond yn ymhyfrydu ynddo,
nid yn condemnio'r byd, ond yn ei achub
trwy Iesu Grist,
yng ngrym yr Ysbryd Glân:
    Y Duw a fu, y Duw sydd a'r Duw a fydd.

Wild Goose Worship Group

92   ARGLWYDD EIN IÔR NI
      Arglwydd ein Iôr ni,
tydi a'n creaist ar dy ddelw
ac a roddaist dy lun ar bridd y ddaear;
o wybod ac adnabod ein defnydd,
gwiw gennyt gofio mai llwch ydym,
a gwrthrychau dy drugaredd.
      Arglwydd ein Iôr,
agor ein gwefusau i draethu dy fawl
ac i ddatgan dy ogoniannau
megis y datgan y nefoedd ogoniant Duw
ac y mynega'r ddaear waith dy fysedd.
      Arglwydd ein Iôr,
agor di ein llygaid
i weld camp a chrefft ddwyfol dy greadigaeth,
ym mhedwar tymor blwyddyn,
ar fryn a phant,
ar dir ac ar fôr;
dyro i ni weld o'r newydd
gywreinrwydd brodwaith y cread,
a synhwyro gallu a gras y Crëwr,
yn nhrefn y rhodau,
yn nhes yr heuliau,
yn nescant y gwynt,
ac yn nhrysorau yr eira.
      Arglwydd ein Iôr,
agor di ein calon,
a meddalha ei chaledwch â'th ras,
fel y cydnabyddwn dy Benarglwyddiaeth
ar ddaear a dyn,
ac y delom yn hyderus at orseddfainc dy ras,
fel y derbyniom eto drugaredd.

Ffowc Williams, 1897–1995

93   PROFIADAU HYFRYD
O Dduw ein Tad,
    dymunwn ddiolch i ti am holl brofiadau hyfryd bywyd.
Helpa ni i'w gweld, i'w cyfrif,
    i'w gwerthfawrogi a'u cofio,
    fel y bydd ein bywydau'n llifo o foliant a diolch;
    er mwyn Iesu Grist ein Harglwydd.

J. H. Jowett, 1846–1923

94   GWEDDI NATUR

Ti yw'r artist sy'n lliwio pob gwawr a machlud;
    ti yw cyfansoddwr ac arweinydd cân yr adar;
    ti yw'r un sy'n anfon dŵr i'r cymylau, yr afonydd a'r ddaear;
    ti sy'n llunio'r mynyddoedd ac yn trefnu'r sêr yn y ffurfafen;
    ti yw ffynhonnell bywyd ac esgorydd anifeiliaid y maes;
    ti a'm lluniodd a'm ffurfio ar dy ddelw dy hun,
    a diolchaf i ti.
Cadw fi rhag dy anghofio neu d'esgeuluso;
    gad i mi ymateb yn wastad i'th syched am fy nghariad;
    a phan deimlaf yn hesb
    ac yn dda-i-ddim,
    bydd yn rym cariad
    ac yn egni'r Ysbryd o'm mewn –
    yn dy garu fel yr haeddi dy garu,
    yn dy foli fel y teilyngi fawl.

Cathy, o Embracing God's World

95   OEDFA'R CREAD

Mae adar y nefoedd
    yn canu clodydd,
    a'r anifeiliaid oll
    yn ymlonyddu yn y porfeydd gwelltog.
Llifa cân y nentydd i'r entrych
    a bydd organ y moroedd yn chwyddo'r mawl.
Mae'r bryniau yn cyhoeddi rhyddid
    a'r dyffrynnoedd yn cynnal cymundeb.
O'r gerddi daw salmau'r lliwiau
    ac y mae ieir bach yr haf
    yn seiadu yn y tes.
Mae dail y coed yn gweddïo
    a holl flodau'r maes yn plygu pen.
Daw anthemau'r berllan
    i alw'r gwenyn i'r gyfeillach,
    a bydd twf y ffrwyth
    yn cyhoeddi maddeuant.
Wedi sacrament y gwlith
    mae'r awel yn lledaenu'r newyddion da,
    a chyn i'r caeau gwenith gyhoeddi'r fendith
    bydd yr haul yn bedyddio'r byd
    yn enw'r Creawdwr Mawr.

W. Rhys Nicholas, 1915–96

96   AM EI DDAIONI CYSON

Am ei ddaioni cyson,
ei ddoethineb a'i gariad:
   Molwn enw'r Arglwydd Iôr.
Am y cread mawr,
ei ryfeddodau lawer,
ei harddwch a'i holl amrywiaeth:
   Molwn enw'r Arglwydd Iôr.
Am ein gwlad ein hunain,
ei hiaith a'i diwylliant,
ei broydd hoff a'i bryniau hardd:
   Molwn enw'r Arglwydd Iôr.
Am bob arloeswr dewr,
pob gweithiwr cydwybodol,
a phob un sy'n dyfeisio ac yn creu er mwyn eraill:
   Molwn enw'r Arglwydd Iôr.
Am yr Arglwydd Iesu Grist,
ei fywyd cyfoethog o ras,
ei ddysgeidiaeth ddoeth a'i aberth drosom:
   Molwn enw'r Arglwydd Iôr.
Am yr Eglwys Gristnogol,
ei hanes a'i gwaddol,
ei gweddi a'i gwaith,
a'i gobaith mawr:
   Molwn enw'r Arglwydd Iôr.

W. Rhys Nicholas, 1915–96

97   DATHLU'R ADDEWIDION

Ynghanol newyn a rhyfel
dathlwn yr addewid o ddigon a heddwch.
   Ynghanol gorthrwm a gormes
dathlwn yr addewid o wasanaeth a rhyddid.
   Ynghanol amheuaeth ac anobaith
dathlwn yr addewid o ffydd a gobaith.
   Ynghanol ofn a brad
dathlwn yr addewid o lawenydd a ffyddlondeb.
   Ynghanol casineb a marwolaeth
dathlwn yr addewid o gariad a bywyd.
   Ynghanol pechod a gwywedigaeth
dathlwn yr addewid o waredigaeth ac adnewyddiad.
   Ynghanol marwolaeth ar bob llaw
dathlwn addewid y Crist byw.

Teulu Duw yn Addoli: Cyngor Eglwysi Cymru

98 ABERTHWN ITI'N BYWYDAU
Cyffeswn di yn Frenin,
derbyniwn di yn Arglwydd,
rhown iti'n gwasanaeth,
cyflwynwn iti'n hufudd-dod,
addefwn di'n Feistr,
cynigiwn iti ein serch,
offrymwn iti'n gobeithion,
cyfrannwn iti'n ffydd,
aberthwn iti'n bywydau.
    Arglwydd, rho di dy hunan i ni.

Enid Morgan

99 CÂN Y CREADURIAID
Hollalluog Arglwydd da a goruchaf;
  i ti y perthyn moliant, gogoniant, anrhydedd a phob bendith;
  i ti yn unig y gweddant, ac nid oes neb yn deilwng i sôn amdanat.
    Mawl i ti, Arglwydd, ynghyd â'th holl greaduriaid, ac yn
enwedig ein brawd yr haul, sy'n peri i'r dydd wawrio; trwyddo ef
y daw goleuni i ni.
    Y mae'n hardd ac yn disgleirio â gogoniant mawr:
  O Arglwydd, y mae'n arwydd ohonot ti.
    Mawl i ti, f'Arglwydd, am ein chwaer y lleuad, ac am y sêr a
osodaist yn y ffurfafen yn glir, yn werthfawr ac yn hardd.
    Mawl i ti, f'Arglwydd, am ein brawd y gwynt, ac am awyr a
chwmwl, am hin deg a phob rhyw dywydd sy'n cynnal bywyd y
creaduriaid i gyd.
    Mawl i ti, f'Arglwydd, am ein chwaer y dŵr, sy'n ddefnyddiol
iawn a gostyngedig, sy'n werthfawr a phur.
    Mawl i ti, f'Arglwydd, am ein brawd y tân; trwyddo ef y
cawn oleuni i oleuo'r nos; ac y mae yn llachar a dymunol, yn
gadarn a nerthol.
    Mawl i ti, f'Arglwydd, am y ddaear, ein mam, sy'n ein cynnal
a'n meithrin; yn dwyn amrywiol ffrwythau, blodau amryliw a
glaswellt.
    Mawl i ti, f'Arglwydd, am y rhai oll sy'n maddau i'w gilydd o
gariad tuag atat ti, a'r rhai sy'n dioddef gwendid a gorthrymder.
    Gwyn eu byd y rhai sy'n dioddef yn dangnefeddus, canys ti a
ddyry iddynt goron.
    Mawl i ti, f'Arglwydd, am ein chwaer, marwolaeth y corff, na
all neb byw ddianc rhagddi.

Gwyn eu byd y rhai a geir yn rhodio llwybr dy ewyllys sanctaidd di, oherwydd ni wna'r ail farwolaeth ddim niwed iddynt.

Molwch a bendithiwch yr Arglwydd, diolchwch iddo a gwasanaethwch ef mewn gostyngeiddrwydd mawr.

Canticum Solis, Ffransis o Assisi, 1181–1226

100 HOLL DRUGAREDDAU DUW

Hollalluog Dduw, dyrchafwn ein calonnau atat ti mewn moliant, a gogoneddwn dy enw sanctaidd am dy holl ddaioni a'th drugareddau grasol inni.

Am fywyd ac iechyd,
am fwyd a dillad a chlydwch,
am gartref a'i gysuron,
am ein hanwyliaid a'n cyfeillion
ac am bob bendith a ddaw inni drwy dy ragluniaeth ddoeth:
> *Bendithiwn di, O Dduw.*

Am gyfoeth a phrydferthwch y byd,
am bob peth sydd wir ac uniawn,
am bob peth sydd hawddgar a chanmoladwy:
> *Bendithiwn di, O Dduw.*

Am dy ddawn anhraethol yn yr Arglwydd Iesu Grist, dy
uniganedig Fab,
am y gras a'r gwirionedd a ddaeth trwyddo ef,
ac am iddo fod yn ufudd hyd angau, ie angau ar groes:
> *Bendithiwn di, O Dduw.*

Am ei atgyfodiad a'i esgyniad,
am ei deyrnas a'i ogoniant,
a sicrwydd ei oruchafiaeth dragwyddol:
> *Bendithiwn di, O Dduw.*

Am yr Ysbryd Glân a anfonwyd o'r nef,
i gyfrannu bywyd i'th bobl ac i'w tywys i'r gwirionedd;
am yr Eglwys, corff Crist, sydd yr un drwy'r ddaear a'r nef;
am yr Ysgrythurau sanctaidd a'r sacramentau a phob moddion o
ras, ac am gymdeithas y saint:
> *Bendithiwn di, O Dduw.*

Yr anrhydedd, y mawl a'r diolch a fyddo i ti,
Dduw Hollalluog, Dad, Mab ac Ysbryd Glân,
y Drindod Sanctaidd sydd yn fendigedig yn dragwyddol.

Llyfr Gwasanaeth, Eglwys Bresbyteraidd Cymru, 1958

101   YN HELAETH YN EI WAITH

Nid wyt ti, Arglwydd, byth yn blino gwneud lles i ni. Na ad i ni fyth flino ar dy wasanaethu di. Ond fel yr wyt ti'n ymhyfrydu yn ffyniant dy weision, felly gad i ni ymhyfrydu yng ngwasanaeth ein Harglwydd a bod yn ddyfal yn dy waith, yn dy gariad ac yn dy glod am byth. Llanw ni â pha beth bynnag sy'n brin ynom, cywira bopeth sy'n gam ynom, a pherffeithia'r hyn sy'n ein blino, er mwyn i dystiolaeth dy gariad maddeuol drigo am byth yn ein calonnau oll.

John Wesley, 1703–91

102   BYWYD DIWRNOD ARALL

O Arglwydd a Gwneuthurwr pob dim,
    drwy allu creadigol yr hwn y daeth y goleuni cyntaf, a'r hwn
    a edrychaist ar fore cyntaf y byd ac a welaist mai da oedd,
    molaf di am y goleuni sy'n llifo ataf drwy fy ffenestri yn awr
    ac yn fy nihuno i fywyd diwrnod arall.
Molaf di am y bywyd sy'n ennyn o'm mewn:
Molaf di am y byd cain a phrydferth yr af iddo:
Molaf di am dir a môr a ffurfafen,
    am gwmwl a yrrir gan wynt ac am gân aderyn:
Molaf di am y gwaith a roddaist i mi i'w wneud:
Molaf di am ddiddordebau f'oriau hamdden;
Molaf di am fy nghyfeillion:
Molaf di am fiwsig a llyfrau
    a chwmni da a phob pleser glân.

John Baillie, 1886–1960, cyf. Trebor Lloyd Evans

CYFFES

Bu imi gydnabod fy mhechod wrthyt,
a pheidio â chuddio fy nrygioni; dywedais,
'Yr wyf yn cyffesu fy mhechodau i'r Arglwydd';
a bu i tithau faddau euogrwydd fy mhechod.
(SALM 32:5)

Os cyffeswn ein pechodau,
y mae ef yn ffyddlon ac yn gyfiawn,
ac fe faddeua, felly, inni ein pechodau,
a'n glanhau o bob anghyfiawnder.
(1 IOAN 1:9)

∽

103   Y PECHODAU A DDAW I'M COF
Maddau i mi, Arglwydd annwyl,
    y pechodau a ddaw i'm cof wrth imi droi at gyffesu.
Bûm hwyrfrydig i weddïo ac yn araf i dystio.
Bûm ddig yn wyneb beirniadaeth.
Bûm yn groendenau ac yn ddiamynedd,
    hyd yn oed ynglŷn â phethau dibwys.
Bûm yn hunangar gan adael i eiriau a theimladau
    fynd allan o reolaeth.
Bûm gwerylgar ac yn araf i gymodi.
Bûm yn gwasgaru ofn trwy fy ofnau,
    a digalondid trwy fy nigalondid.
Bûm yn cyfrif pechodau pobl eraill
    yn waeth na'm heiddo fy hun,
    heb lawn ystyried fy methiannau fy hun,
    a heb wybod am eu ffordd galed hwy.
Ti, o flaen yr hwn y mae pob calon yn agored a noeth,
    maddau imi, a dysg imi wneud yn well.

Leslie Weatherhead, 1893–1976

104 TROI'N ÔL AT Y TAD

Mewn edifeirwch a gwyleidd-dra trown yn ôl at Dduw ein Tad;
    cyffeswn inni fod yn anufudd ac afradlon, ac ymbiliwn am ei
    faddeuant gan ddweud:

Ein Tad, yr ydym wedi pechu yn erbyn y nef ac yn dy erbyn di.
Nid ydym yn haeddu ein galw'n blant i ti.
Dychwelwn atat mewn edifeirwch.
Trugarha wrthym a derbyn ni'n ôl
    fel rhai a fuom feirw, ond a ddaethom yn fyw drachefn;
    fel rhai a fuom ar goll, ond a gafwyd hyd inni;
    trwy Iesu Grist ein Harglwydd,
    a ddaeth i'n ceisio a'n cadw i fywyd tragwyddol.

Seiliedig ar Luc 15:18–24

105 MEDDWL, GAIR A GWEITHRED

O Dduw ein Tad,
cyffeswn ger dy fron ein bod wedi pechu'n ddirfawr,
ar feddwl, gair a gweithred,
yn erbyn dy ewyllys a'th Air sanctaidd.
    Trugarha wrthym, O Arglwydd,
maddau i ni ein holl bechodau,
gwared ni rhag pob drwg,
cadarnha a chryfha ni ym mhob daioni,
a thywys ni i fywyd tragwyddol.

Adfer ni eto, O Dduw ein hiachawdwriaeth:
    A rho heibio dy ddicter atom.
Dangos i ni dy ffyddlondeb, O Arglwydd:
    A rho dy waredigaeth i ni.
Dduw, brysia i'n gwared:
    Arglwydd, prysura i'n cynorthwyo.
Gogoniant i'r Tad, ac i'r Mab ac i'r Ysbryd Glân,
    fel yr oedd yn y dechrau,
    y mae yr awr hon ac y bydd yn wastad.
Molwch yr Arglwydd:
    Molwch enw yr Arglwydd.

Patterns for Worship

106 GWEDDI ENW IESU

O Arglwydd Iesu Grist, Fab Duw, Waredwr:
    trugarha wrthyf fi, bechadur.

O'r traddodiad Uniongred Dwyreiniol

107 FEL Y RHODIAF YN DY FFYRDD
O Dduw trugarog,
maddau i mi yr hyn a fûm,
helpa fi i wella'r hyn ydwyf,
a rheola'r hyn a fyddaf,
fel y rhodiaf yn dy ffyrdd
a byw i'th wasanaethu
holl ddyddiau fy mywyd.

The Book of Common Order

108 MEDDIANNA DY ORSEDD
O Arglwydd, tyrd yn fuan a theyrnasa ar dy orsedd,
oblegid y mae pethau eraill oddi mewn inni
yn ceisio meddiannu dy orsedd di:
balchder, cybydd-dod, aflendid a segurdod
a gais fod yn frenhinoedd arnom;
y mae enllib a dicter a chas yn ceisio teyrnasu arnom.
    Ceisiwn eu gwrthwynebu trwy floeddio,
'Nid oes gennym ond Crist yn frenin arnom!'
    O Frenin Tangnefedd, tyrd a theyrnasa ynom,
canys ni fynnwn frenin arall ond tydi.

Bernard Sant, 1091–1153

109 AETHOM AR GYFEILIORN
Hollalluog Dduw a thrugarocaf Dad,
nyni a aethom ar gyfeiliorn allan o'th ffyrdd di fel defaid ar grwydr.
Ni a ddilynasom ormod ar amcanion a chwantau ein calonnau
ein hunain.
Torasom dy sanctaidd gyfreithiau.
Gadawsom heb eu gwneuthur y pethau y dylasem eu gwneuthur,
a gwnaethom y pethau ni ddylasem eu gwneuthur;
ac nid oes iechyd ynom.
Eithr tydi, O Arglwydd, cymer drugaredd arnom,
ddrwgweithredwyr truain.
Arbed y rhai sy'n cyffesu eu beiau, O Dduw;
adfer y sawl sydd yn edifeiriol,
yn ôl dy addewidion a hysbyswyd i ddyn yng Nghrist Iesu, ein
Harglwydd.
A chaniatâ inni, drugarocaf Dad, er ei fwyn ef,
ras i fyw yn gyfiawn, yn sobr ac yn dduwiol,
er gogoniant dy enw sanctaidd.

Y Gyffes Gyffredinol

110   Y PETHAU SY'N LLADD PERTHYNAS
      Arglwydd, rhoddwr pob llawnder a llawenydd,
      maddau i ni am fethu gweld ac adnabod
      arwyddion o'th gariad ar waith yn creu
      cyfeillgarwch a pherthynas rhyngom a'n gilydd.

        Maddau i ni am adael i brofiadau diflas bywyd
      suro'n hysbryd a'n gwneud yn flin a diamynedd.

        Maddau i ni bopeth sy'n lladd cytgord a chymod:
      siom mewn pobl,
      digalondid mewn methiant,
      eiddigedd o weld eraill yn llwyddo,
      rhagfarn sy'n codi muriau,
      ysbryd beirniadol sy'n gwenwyno cyd-fyw,
      a'r oerni mewnol sy'n diffodd gwres cariad
      ac yn distewi'r gân yn ein heneidiau.

        Arglwydd, maddau i ni,
      planna ynom amynedd tawel dy Ysbryd,
      cariad cyson a chadarn dy Fab, Iesu,
      a'th ras a'th dosturi diderfyn dy hun,
      i'n clymu'n un ynot ti.

Golygydd

111   NERTHOEDD DEMONAIDD TRAIS
      Cyffeswn, O Arglwydd,
      ein bod yn byw gyda nerthoedd demonaidd trais:
      ein bod yn tyfu'n gyfoethog yn ddyddiol drwy orthrymu'r tlawd;
      ein bod yn cysgu yn llieiniau gwynion hilyddiaeth;
      ein bod yn dweud, 'Heddwch! Heddwch!' ond heb wneud
      heddwch;
      ein bod yn treisio ein gwyddoniaeth a'n gwybodaeth yn achos rhyfel;
      ein bod yn gwneud y blaned hon yn beryglus i'n plant;
      ein bod wedi colli golwg ar ysbryd tangnefedd yn rhuthr ein
      bywydau blêr;
      ein bod yn byw mewn amserau drygionus.
      Felly, rydym yn rhannu yn y trais drwy ein trais ni ein hunain,
        drwy ein trais difrifol ein hunain.
      Troesom ein hwynebau oddi wrth wyneb Crist,
        a'r pethau a berthyn i heddwch.
      Arglwydd, trugarha wrthym:
      Grist, trugarha wrthym:
      Arglwydd, trugarha wrthym.

Llyfr Gwasanaeth Iona

112   RHO BARDWN IMI

Dduw trugarog, Tad tosturi,
er mwyn Crist rho bardwn imi,
am fy meiau oll a'm pechod
sydd mewn rhif yn fwy na'r tywod.

Drwg fy nhyb, a gwaeth fy ngweithred,
brwnt fy nhafod, maith fy hoced,
poeth fy natur, oer fy ngweddi,
Arglwydd, maddau'r cwbwl imi.

O rho ras a chymorth imi
O hyn allan dy addoli,
A'th was'naethu mewn sancteiddrwydd,
Pur uniondeb, ac onestrwydd.

Dysg fi i gadw dy orchmynion
A'u gwir garu â'm holl galon,
A'u cymeryd yn lle rheol,
I fyw wrthynt yn wastadol.

Arglwydd, ffrwyna fi rhag pechu
Byth yn d'erbyn mwy ond hynny,
A rho bŵer imi'n wastod
Gael y trecha'n erbyn pechod.

Rhys Prichard, 1579–1644

113   RHAG TWYLL CYFOETH

O Dad cyfiawn, yr hwn a wyddost y cwbl amdanom,
    achub ni rhag twyll cyfoeth o bob math:
    cyfoeth arian, cyfoeth dawn, cyfoeth dysg.
Nid yw perchenogi golud pennaf daear
    yn ddigon o iawn am wrthod Gwaredwr enaid.
Na ad inni lechu mewn rhyw brudd-der afiach,
    ond tywys ni i wir edifeirwch.
Dyro ras i ni godi ein golygon uwchlaw aur a blodau daear,
    a choeg waddol amser,
    a hoelia'n meddwl wrth groes ein Harglwydd Iesu Grist.
Cymer ni fel yr ydym,
    plyg ein hewyllys anhydyn,
    rhyddha ein gafael ar bob bydol feddiant,
    a gwna ni yn gyfrannog o'r dduwiol anian,
    yn ddeiliaid a chenhadon y deyrnas newydd.

H. Elvet Lewis, 1860–1953

114   Y GOEDEN A'R ADERYN
O Dduw yn y nefoedd,
   helpaist ti fy mywyd i dyfu fel coeden.
Ond bellach mae rhywbeth wedi digwydd.
Daeth Satan fel aderyn a dwyn i mewn
   un brigyn ar ôl y llall o'i ddewis ei hun.
Cyn i mi wybod, fe adeiladodd dŷ a byw ynddo.
Heno, fy Nhad, rwy'n taflu allan yr aderyn a'r nyth!

Cristion o Nigeria

115   ADNODDAU NERTH
Arglwydd Iesu,
lle mae dy Eglwys yn gyfoethog ymysg y tlawd,
yn ofnus yng nghanol anghyfiawnder,
yn llwfr ymhlith y sawl sy'n cael eu gormesu,
tosturia wrthym a maddau i ni,
a gweddïwn y byddi di'n rhoi i ni
hyder newydd yn dy deyrnas,
gobaith newydd yn dy fwriad,
ffydd newydd yn dy rym,
ac ymddiriedaeth newydd yn dy agosrwydd.
   Yna, tro ein cyfoeth, ein hofn,
a hyd yn oed ein llwfrdra
yn adnoddau nerth
i wasanaethu dy bobl yn dy enw.

Donald Hilton

116   FY AMHARODRWYDD
Dduw Sanctaidd,
cyffesaf fy mod mor dueddol i bechu i'th erbyn,
ac mor amharod i ufuddhau i ti;
mor gaeth i bethau'r byd,
mor esgeulus o bethau ysbrydol,
mor eiddgar i geisio fy lles fy hun,
mor amharod i wasanaethu eraill,
mor barod i weld bai, mor flin o gael fy meio,
mor ddiymadferth hebot ti,
ac eto mor amharod i ddibynnu arnat.
O galon dosturiol Duw,
   edrych yn drugarog arnaf,
   a rho i mi eto dy faddeuant.

Golygydd

117 PYDEWAU NI DDALIANT DDŴR

O Arglwydd Dduw, trugarog a graslon, deuwn o'th flaen mewn edifeirwch gan gyffesu ein pechodau. Cyffeswn inni dy adael di, ffynnon y dyfroedd byw, a chloddio i ni ein hunain bydewau, ie, pydewau wedi eu torri, na ddaliant ddŵr. Torasom orchmynion dy gyfraith sanctaidd, gan bechu yn dy erbyn mewn meddwl, gair a gweithred. O dan faich ein pechod a'n heuogrwydd, nid oes i ni ond erfyn am dy drugaredd. Cuddia dy wyneb oddi wrth ein pechodau a dilea ein holl anwireddau oddi ger dy fron. Crea galon lân ynom, O Dduw, ac adnewydda ysbryd uniawn o'n mewn.

Llyfr Gwasanaeth, Eglwys Bresbyteraidd Cymru, 1958

118 DILEA EIN CAMWEDDAU

O Arglwydd, dilea ein camweddau gynt,
    iachâ'r drygau a gyfyd o'n hesgeulustod a'n hanwybodaeth,
    a gwna i ni gywiro'n camgymeriadau a'n beiau.
Dyrchafa ein calonnau i gariad newydd,
    i ynni a defosiwn newydd,
    fel y cawn ein rhyddhau o ofid a chywilydd
    ein hanffyddlondeb gynt,
    a mynd rhagom i'th wasanaethu di a'n gilydd;
    yn enw Iesu Grist ein Harglwydd.

Bob Bore o Newydd, BBC, 1938

119 GWRANDO EIN CRI

Ynot, Arglwydd ein Duw, y gorfoleddwn yn awr, am dy wirionedd
    sy'n difa llygredd a phechod ein bywydau;
    edrych ar edifeirwch dy bobl, ac O Dduw –
        Gwrando ein cri.
Methasom lawer gwaith gadw dy orchymynion,
    a thristawn am ein hanufudd-dod, ond, O Dduw –
        Gwrando ein cri.
Cyfaddefwn ein bod wedi cael ein twyllo gan ddichellion teyrnas y
    tywyllwch, ac wedi cael ein llesteirio i ddewis rhwng drygioni a
    daioni, einioes ac angau, ac am hynny, O Dduw –
        Gwrando ein cri.
Dysg i ni beidio â digalonni a throi yn glustfyddar i'th alwad.
Cryfha ein hewyllys, fel y gorchfygom ein temtasiynau, a chofleidio
    cyfiawnder a gwirionedd. Am hynny, O Dduw –
        Gwrando ein cri.

Llyfr Gwasanaeth Ieuenctid, 1967

120 EIRIOLYDD WY'
Eiriolydd wy', mwy na maint,
Erfai Dduw, rho faddeuant.

Maddau'r balchder camweddus,
Maddau'r holl bechodau rhus.

Maddau im drin godineb,
Ennyd awr yn anad neb.

Maddau y geiriau gŵyrion,
Maddau y swynau a'r sôn.

Maddau fy ngham, ddrwg amwyll,
A'm taer ddychmygion, a'm twyll.

Maddau, Mab Mair, ddiwair wen,
A fegais o genfigen.

Maddau a wneuthum, bûm bŵl,
A maddau fy ngham feddwl.

Archaf, er dy bum archoll,
Maddau fy meiau im oll.

Siôn Cent, *c.* 1400–30/45

121 NI BUOM YN STIWARDIAID DA
Greawdwr dwyfol,
  diolchwn iti am hyfrydwch pur
  yr holl greaduriaid hardd a wnaethost
  a'u gosod yma i rannu'r blaned hon â ni;
  am bopeth sy'n nofio yn nyfnder y môr,
  am bopeth sy'n hedfan yn uchelderau'r nefoedd,
  am bopeth sy'n crwydro meysydd a gwastadeddau.
Cyffeswn na fuom yn stiwardiaid da.
Rydym wedi hela, abwydo, maglu, arteithio a lladd anifeiliaid
  dirifedi, gwyllt a dof.
Buom yn achos tranc rhywogaethau cyfan trwy ein trachwant a'n
  hecsploitio hunanol ar anifeiliaid.
Buom yn achos tristwch yn y nef a galar ar y ddaear trwy
  gamddefnyddio adar, bwystfilod a physgod.
Maddau inni a symbyla ni i fod yn well stiwardiaid.
Yn nhywod yr anialwch mae dŵr bywyd mor werthfawr, mor
  hanfodol.

64

Mewn pentrefi pellennig wedi eu llyffetheirio gan dlodi mae reis
    bywyd mor werthfawr, mor hanfodol.
Ar ffermydd truenus y gwledydd llai datblygedig mae gwrtaith
    mor werthfawr, mor hanfodol.
Ac eto, caiff dŵr ei arllwys yn hael ar lawntiau byd hamdden;
    caiff reis ei daflu i finiau sbwriel gwestai moethus; caiff
    gwrtaith ei wasgaru'n ddibrin ar gyrsiau golff llewyrchus.
Dduw'r tlawd,
    heria'r Sacheus ym mhob un ohonom,
    symbyla ni i roi o'n digonedd,
    i rannu'r pethau da a ymddiriedwyd inni,
    fel y bo'r anialwch yn blodeuo fel rhosyn
    a'r pentrefi'n atsain â chaneuon dathlu.

John Johansen-Berg, addas. Glyn Tudwal Jones

122   TRETHAIS DY AMYNEDD

Yn rhy hir, O Dad, y trethais dy amynedd di;
    yn rhy fynych y bradychais yr ymddiriedaeth gysegredig
    a roddaist ataf i'w chadw.
Er hynny, parod wyt ti i mi ddod atat
    mewn gostyngeiddrwydd calon, fel y gwnaf yn awr,
    gan ddeisyf arnat foddi fy nghamweddau
    ym môr dy gariad anfeidrol dy hun.
Fy methiant i fyw yn ôl fy safonau fy hun:
Fy hunan-dwyll yn wyneb temtasiwn:
Fy newis o'r gwaeth er gwybod y gwell:
    O Arglwydd, maddau.
Fy methiant i gymhwyso ataf fy hun y safonau o ymddygiad a
    hawliaf gan eraill:
Fy nallineb i ddioddefiadau eraill,
    a'm harafwch i ddysgu drwy'r rhai a ddaw i'm rhan i:
Fy nifaterwch ynghylch drygau nad ydynt yn cyffwrdd â mi, a'm
    gorymateb i'r rhai sydd:
    O Arglwydd, maddau.
Fy arafwch i ganfod y da yn fy nghyd-ddyn a'r drwg ynof fy
    hun:
Fy nghaledwch calon tuag at ffaeleddau fy nghymydog, a'm
    parodrwydd i esgusodi fy hun:
Fy amharodrwydd i dderbyn dy fod yn fy ngalw i wneud pethau
    bychain, a'm brawd i wneud pethau mawr;
    O Arglwydd, maddau.

John Baillie, 1886–1960, cyf. Trebor Lloyd Evans

123 YMDDIHEURO AM EIN CAMGYMERIADAU

O Dduw ein Tad, deuwn o'th flaen
   i ymddiheuro am ein camgymeriadau.
Am waith esgeulus,
   am waith anorffenedig,
   am waith heb ei ddechrau:
      Maddau i ni, O Dduw.
Am bobl a glwyfwyd gennym,
   am y bobl a siomwyd gennym,
   am y bobl a esgeuluswyd gennym pan oedd
   ein hangen ni arnynt:
      Maddau i ni, O Dduw.
Am gyfeillion a fradychwyd gennym,
   am anwyliaid a ddiystyrwyd gennym,
   am addewidion a dorrwyd gennym,
   am addunedau a anghofiwyd gennym:
      Maddau i ni, O Dduw.
Am i ni fod yn anufudd i ti,
   am i ni dy dristáu di,
   am ein methiant i garu fel y ceraist ti ni:
      Maddau i ni, O Dduw.

William Barclay, 1907–78, addas. Olaf Davies

124 CRWYDRASOM FEL DEFAID

O Dduw trugarog, cyffeswn ger dy fron i ni oll grwydro fel defaid.
Troesom bawb i'w ffordd ei hun.
Maddau, Arglwydd, yr adegau hynny y daeth rhywbeth i bylu ein
   deall a gwanhau llais ein cydwybod, gan ein gwneud yn llai
   sensitif i ddaioni a chariad a harddwch. Cyffeswn i'n
   meddyliau grwydro oddi wrthyt:
      Maddau i ni grwydro, O Arglwydd.
Cyffeswn ger dy fron ein bod ni'n ddiarwybod, ac weithiau yn
   gwbl ymwybodol, wedi clwyfo rhywun â'n geiriau anystyriol.
Cyffeswn i'n hunanoldeb ni wneud bywyd rhywun arall yn fwy
   anodd. Os bu inni fod yn anniolchgar ac yn brin ein clod i
   eraill, neu os buom yn galed a dideimlad tuag at eraill, dyro
   dy faddeuant inni. Oherwydd fe wyddom mai felly y mae ein
   geiriau yn medru crwydro ymhell oddi wrth burdeb dihafal
   dy eiriau di:
      Maddau i ni grwydro, O Arglwydd.

O Dduw ein Tad, diolchwn am yr holl fendithion a gawsom.

Diolch am harddwch y byd a hyfrydwch natur, ac am y
prydferthwch a grëwyd gan ddychymyg a dwylo dyn. Am
lyfrau da a barddoniaeth aruchel, a miwsig a all ddweud yr
hyn na all geiriau ei ddweud.

Diolchwn i ti am fedr yr adeiladydd a gweledigaeth yr artist.

Ond wrth edrych ar wychder y pethau gorau y gall dyn eu creu,
cyfaddefwn mor wael a di-fudd yw ein gweithredoedd
cyffredin ni. A sylweddolwn gymaint y mae'n gweithredoedd
wedi crwydro oddi wrth y gwaith a osodaist ti ar ein cyfer:
Maddau i ni grwydro, O Arglwydd.

Diolch am bobl gywir a theyrngar, am y rhai sy'n ein caru a'n
parchu ni. Diolchwn am y gras a welwn ym mywydau ein
cyd-ddynion ac am gael sylweddoli weithiau fod cynifer o
gyfeillion caredig gennym yn barod i faddau inni ein
crwydradau. Maddau i ni pan weli di ein hagwedd yn ddi-ras
a difaddeuant, gan i ni yn aml grwydro oddi wrth y gras a'r
gwirionedd sydd yng Nghrist:
Maddau i ni grwydro, O Arglwydd.

Ond er gwaetha'r crwydro, cofiwn yn ddwys i ti roi ar y
Gwaredwr ein hanwiredd ni i gyd. Diolchwn am Iesu Grist;
am iddo ddatguddio dy gariad tuag atom, a dangos i ni'r
ffordd yn ôl o'r crwydro i gyfeiriad y gorlan:
Maddau i ni grwydro, O Arglwydd.

Derbyn ni, wedi maddau ein pechodau,
yn enw ac yn haeddiant Iesu Grist ein Harglwydd.

Seiliedig ar Eseia 53:1–12, o

Rhagor o Weddïau yn y Gynulleidfa

125 GWNA Â MI YN ÔL DY EWYLLYS

O Dduw trugarog,
maddau i mi fy holl bechodau i'th erbyn
ac yn erbyn fy nghyd-ddynion.

Ymddiriedaf yn dy ras
a chyflwynaf fy mywyd yn llwyr i'th ddwylo.

Gwna â mi yn ôl dy ewyllys ac yn ôl yr hyn sydd orau i mi.

Os byddaf byw neu farw, byddaf gyda thi,
a thithau, fy Nuw, gyda mi.

Arglwydd, disgwyliaf am dy iachawdwriaeth ac am dy deyrnas.

Dietrich Bonhoeffer, 1906–45

126 ARGLWYDD, ADFER
     Maddau i mi, Arglwydd, am f'ynfydrwydd –
        yn llefaru wrth bawb ac yn ymddiddori ym mhopeth
        ond yr unig berthynas sydd i barhau:
        ti a mi, Tad a'i blentyn.
     Nertha fi yn awr i doddi'r dieithrwch,
        i agor drws fy nghalon,
        i wrando a deall ac ymateb –
        gwrando'r geiriau diddarfod eu cysur,
        a deall yr iaith nad yw'n edwino.
     Yma'n awr – a neb ond ni ein dau –
        gad imi deimlo rhin dy faddeuant
        yn agor ffordd i'm calon gyndyn;
        a minnau mwy yn codi 'mhen
        ac yn edrych i fyw dy lygaid di –
        cael teimlo eto yn fyw ac yn fab,
        yn blentyn ar ei aelwyd,
        a sioncrwydd newydd yn fy nhraed,
        a'm calon eto'n llawn –
        yn llawn llawenydd heintus
        y sawl y maddeuwyd ei bechod.
     Cadw fi rhag cilio eto,
        rhag colli haul dy wên,
        a cholli nabod arnat ti.

                                        John Morris, Aberdaron, 1921–77

127 EDIFEIRWCH JWDAS
     O Dduw, beth ydw i wedi'i wneud?
     Beth ydw i wedi'i wneud? –
        y gŵr a elwais yn gyfaill imi,
        a ddygwyd gerbron Caiaffas,
        a brofwyd gan y Cyngor,
        a gondemniwyd i'r farwolaeth greulonaf,
        a'r cwbl o'm hachos i.
     Rwyf wedi ceisio fy argyhoeddi fy hun
        nad myfi oedd ar fai, ond yr offeiriaid,
        Herod,
        Pilat,
        pawb ond fi.
     Nhw, wedi'r cyfan, oedd y bobl a ewyllysiodd ei farwolaeth;
        nhw oedd y rhai a gyhoeddodd y ddedfryd,
        felly pam fy nghyhuddo i?

                                        68

Ceisiais fy argyhoeddi fy hun fod fy rhan i
    yn y gweithgareddau'n amherthnasol.
Pe bawn i heb ei fradychu, byddai rhywun arall wedi gwneud;
    dim ond mater o amser ydoedd;
    felly, pam fy nghondemnio i?
Ceisiais fy argyhoeddi fy hun nad oedd gennyf unrhyw ddewis –
    fod rhaid iddo wynebu'r gwirionedd;
    fod rhaid iddo weld rheswm.
Roedd fy nghymhellion yn ddilys,
    felly pam fy marnu i?
Ceisiais fy argyhoeddi fy hun mai dyna oedd ei ddymuniad –
    fy mod wedi fy nefnyddio hyd yn oed
    fel offeryn yng nghynllun mawr Duw,
    fel pyped diymadferth heb unrhyw reolaeth ar y sefyllfa –
    felly pam fy meio i?
Ond mi rydw i'n beio fy hun, dyna'r drafferth.
Nid wyf yn poeni am eraill;
    rwy'n poeni amdanaf fy hun,
    oherwydd gwn, er gwaethaf fy esgusion,
    nad oes modd imi osgoi fy nghyfrifoldeb:
    y mae yno ger fy mron, bob eiliad, bob munud,
    yn ddwfn yn fy nghalon –
    yr amheuaeth,
    yr ofn,
    y trachwant,
    yr hunanoldeb a'i hanfonodd i'r groes gyda chusan.
O Dduw, beth ydw i wedi'i wneud?
Beth ydw i wedi'i wneud?
O Dduw, maddau i mi, maddau i mi;
    oherwydd ni allaf faddau i mi fy hun.

Nick Fawcett, addas. Olaf Davies

128 SANCTEIDDIA A DAROSTWNG NI

O Arglwydd, lladd yn llwyr y pechod sy'n barod i'n hamgylchu;
rho ffrwyn ar ein chwantau annuwiol; atal y meddwl drygionus;
pura'r tymer; rheola'r ysbryd a chywira'r tafod; gogwydda ein
hewyllys a'n haddoliad atat ti, a sancteiddia a darostwng ni.

Gosod dy orsedd yn ein calon, a diorsedda yr holl eilunod a'r
holl bethau daearol y rhoddwn gymaint bris arnynt.

Teyrnasa yno yn llawnder dy ras ac yng nghysuron dy
bresenoldeb, hyd oni theyrnaswn gyda thi mewn gogoniant.

Richard S. Brooke, 1835–93, cyf. Lewis Valentine

129 FY YSBRYD YN HESB
Arglwydd, y mae fy ysbryd yn hesb o'm mewn
oblegid ei fod yn anghofio ymborthi arnat ti.

Sant Ioan y Groes, 1542–91

130 ESGEULUSO POBL ERAILL
O Dad, diolch i ti dy fod bob amser gyda ni er gwaetha'r ffaith
ein bod yn crwydro oddi wrthyt mewn gwahanol ffyrdd. Mae
rwtîn bywyd yn mynd yn drech na ni, ac fe fyddwn yn dy
esgeuluso; mae blinder corff a phrysurdeb bywyd yn amharu
ar y munudau tawel, lle dylem dy geisio di yn dy gadernid.
Wrth geisio hapusrwydd fe anghofiwn am y llawenydd sy'n dod o
fod yn dy bresenoldeb di.
Cyffeswn ein bod yn anghofio amdanat ti yn y mannau lle down
wyneb yn wyneb â phobl eraill, ac y mae hynny'n amharu ar
ein perthynas â nhw.
Fe fyddwn yn anghofio mai dy blant di ydyn nhw, ac fe fyddwn
yn ddigon parod i'w beirniadu heb eu hadnabod yn iawn, heb
sôn am eu deall. Helpa ni, Arglwydd, i hoffi pobl eraill, i
ddeall ffaeleddau eraill ac i ddysgu caru eraill, am eu bod, fel
ni, yn blant i ti.

Meurwyn Williams, 1940–98

131 Y BRENIN TLAWD
O Iesu, tlawd a distadl, dirmygedig a di-nod,
trugarha wrthyf a gwared fi rhag bod â chywilydd i'th ganlyn di.
O Iesu, a gasawyd, a enllibiwyd ac ac a erlidiwyd,
trugarha wrthyf, a gwna fi'n fodlon bod fel fy Meistr.
O Iesu, a wisgwyd mewn cerydd a gwarth,
trugarha wrthyf, a gwared fi rhag ceisio fy ngogoniant fy hun.
O Iesu, a goronwyd â drain ac a ddirmygwyd;
O Iesu, sy'n cario baich ein pechod ni;
O Iesu, sy'n dwyn sen ac ysgelerder,
sy'n cael ei ergydio a'i fychanu;
sy'n hongian ar y pren melltigedig,
yn plygu pen, yn marw:
trugarha wrthyf, a gwna fy enaid yn fwy tebyg
i'th Ysbryd sanctaidd, gogoneddus, dioddefus di.

John Wesley, 1703–91

132 ADDEWIDION TRUGAREDD
Gras a thangnefedd i chwi
oddi wrth Dduw ein Tad a'r Arglwydd Iesu Grist:
yr hwn a roes ei hun dros ein pechodau ni.

Yr ydych chwi a fu unwaith ymhell,
wedi eich dwyn yn agos trwy farw aberthol Crist:
ef yw ein heddwch ni, cymododd ni â Duw,
mewn un corff, trwy'r groes.

Prawf Duw o'r cariad sydd ganddo tuag atom yw hyn:
bod Crist wedi marw drosom
pan oeddem yn dal yn bechaduriaid.

Mewn distawrwydd cofiwn yn edifeiriol am ein beiau
a'n pechodau yn erbyn Duw ac yn erbyn ein gilydd . . .
[Distawrwydd.]

Arglwydd daionus,
cyffeswn i ni dy siomi,
i ni fyw yn hunanol ac anystyriol,
gan fynnu dilyn ein ffordd ein hunain
ac anghofio anghenion pobl eraill
a gofynion dy gariad di.
Ymbiliwn am dy faddeuant
i'n rhyddhau o'n beiau,
ac am nerth dy Ysbryd i fyw yn ôl dy orchmynion;
trwy Iesu Grist ein Harglwydd.

Golygydd

DIOLCH

Diolchwch i'r Arglwydd! Galwch ar ei enw,
gwnewch yn hysbys ei weithredoedd ymysg y bobloedd.
(1 CRONICL 16: 8)

Rhowch i Dduw offrymau diolch,
a thalwch eich addunedau i'r Goruchaf.
(SALM 50:14)

⁖

133 ER EIN MWYN NI
Arglwydd Iesu,
    diolchwn am y breintiau a ddaw i ni
    o'th fywyd a'th angau drud.
Daethost yn dlawd,
    er mwyn i ni gael ein gwneud yn gyfoethog.
Cefaist dy gyhoeddi ar y ddaear gan broffwydi syml,
    er mwyn i ni gael ein cyhoeddi yn y nefoedd
    gan angylion y gogoniant.
Cefaist dy eni i deyrnas Herod,
    er mwyn i ni gael ein geni o'r newydd i deyrnas Dduw.
Yr oeddet heb le i roi dy ben i lawr,
    er mwyn i ni gael meddiannu'r lle a baratoaist ar ein cyfer.
Yfaist o gwpan ein gofidiau a'n trallodion,
    er mwyn i ni gael yfed o gwpan dy lawnder a'th lawenydd di.
Gwisgaist goron o ddrain,
    er mwyn i ni gael gwisgo coron gogoniant.
Cefaist dy ddyrchafu ar groes,
    er mwyn i ni gael ein dyrchafu i'th orsedd di.
Atgyfodaist ac esgynnaist,
    er mwyn i ni, yn awr ac yn y diwedd,
    gael ein huno â thi ym mhresenoldeb y Tad.
Am y cyfan a wnaethost er ein mwyn,
    offrymwn i ti ein diolch a'n clod.

Worship Now, addas

134 DIOLCH CYFFREDINOL
Hollalluog Dduw, Dad trugarog,
 ffynhonnell pob sancteiddrwydd a gras,
 diolchwn i ti am dy ddaioni a'th gariad diderfyn
 tuag atom ni a'r greadigaeth gyfan.
Diolchwn i ti am ein creu a'n cynnal
 a'n hamgylchynu â'th fendithion;
 ond o'th holl roddion,
 diolchwn fwyaf am i ti yn dy gariad,
 sydd tu hwnt i'n gallu i'w fynegi,
 roi dy Fab, ein Harglwydd Iesu Grist,
 i adfer ac iacháu dynolryw.
Molwn di, Dad,
 am holl sianelau dy ras,
 ac am y gobaith o rannu dy ogoniant.
Goleua ein calonnau a'n meddyliau
 a dangos i ni fawredd dy gariad,
 fel y byddwn yn ddidwyll yn ein diolchgarwch;
 nid yn unig â mawl ein gwefusau
 ond gydag offrymiad ein bywydau,
 yn ymroddedig ac yn gyfiawn yn dy wasanaeth.
Gofynnwn hyn i gyd trwy Iesu Grist ein Harglwydd,
 gyda thi a'r Ysbryd Glân,
 un Duw yn awr a thros byth.
 Aleliwia.

Y Llyfr Gweddi Cyffredin

135 DIOLCH AM YR EGLWYS
Mawl fyddo i ti, ein Tad,
 am yr Eglwys ar y ddaear a'r Eglwys yn y nef.
Diolch i ti am ei chymdeithas, ei chân,
 ei gweddi a'i chenhadaeth.
Cynorthwya ni i ddod i mewn i'w phyrth â diolch
 ac i'w chynteddau â mawl.
Gwna ni'n aelodau byw ohoni
 ac yn weithwyr ymroddedig yn ei holl waith.
Cyfarwydda ni i orseddu ysbryd cymod a chydweithrediad
 ym mhob cylch o'i bywyd a'i hymdrech,
 fel y byddo Iesu Grist yn Arglwydd,
 er gogoniant Duw Dad.

R. J. Jones, 1882–1975

136 DIOLCH AM GYFEILLGARWCH A RHYDDID
Arglwydd,
    mewn byd lle mae cymaint yn unig,
    diolchwn i ti am bob cyfeillgarwch;
    mewn byd lle mae cymaint yn garcharorion,
    diolchwn i ti am ein rhyddid;
    mewn byd lle mae cymaint yn newynu,
    diolchwn i ti am luniaeth.
Gweddïwn y byddi di
    yn ymestyn ein cydymdeimlad,
    yn dyfnhau ein tosturi
    ac yn rhoi i ni galonnau diolchgar.

Terry Waite

137 AGOR FY NGHALON
O Grist Iesu, Arglwydd daionus, agor fy nghalon a'm gwefusau i
ogoneddu dy enw sanctaidd di, yr hwn sydd fendigedig goruwch
pob enw. Pura fy enaid o feddyliau drwg a diffaith, fel y myfyria
fy meddwl arnat, fel y bendithiaf di â'm geiriau, ac fel y
gogoneddaf di yn fy mywyd yn barhaus. A gan i ti yn dy ddaioni
fy nghreu yn unig i'th foliannu ac i ogoneddu dy enw sanctaidd,
caniatâ i mi, yng ngolwg dy ddwyfol fawredd, dy wasanaethu di
yn ffyddlon yma, a llawenychu gyda thi yn dragwyddol ar ôl hyn;
yr hwn wyt yn byw ac yn teyrnasu, gyda'r Tad a'r Ysbryd Glân,
yn un Duw, yn oes oesoedd.

Allwydd Paradwys i'r Cymry, 1670

138 BENDIGEDIG FO DUW
Bendigwn Dduw yn ei gariad
    am ei holl roddion i ni ei blant:
    am ein creadigaeth a'n cynhaliaeth,
    am ein breintiau a'n bendithion,
    am ein ceraint a'n cyfeillion:
    Bendigedig fo Duw.
Am Grist ein Gwaredwr,
    am newyddion da'r Efengyl,
    am ddyfodiad teyrnas Dduw:
    Bendigedig fo Duw.
Am aberth y groes,
    am faddeuant pechodau,
    am gymod â Duw:
    Bendigedig fo Duw.

Am rym yr Atgyfodiad,
 am rodd yr Ysbryd Glân,
 am gymdeithas y saint:
 Bendigedig fo Duw.
Am foddion gras,
 am oleuni'r Gair,
 am obaith gogoniant:
 Bendigedig fo Duw.
Mewn llawenydd a gofid,
 mewn bywyd ac angau,
 yn awr a hyd byth:
 Bendigedig fo Duw.

Llyfr Gwasanaeth Cuddesdon, addas.

139 GORWELION
Diolchwn, Arglwydd,
 am i ti roi i'n bywyd orwelion tragwyddol.
Cod ni uwchlaw ffiniau amser
 a chyfyngiadau'r materol,
 i rannu yn dy fywyd anfeidrol,
 a chyda holl gwmpeini'r nef, sy'n trigo gyda thi
 yng ngogoniant dy deyrnas nefol,
 i'th foliannu a'th glodfori di dros byth,
 y Duw tragwyddol.

anad.

140 SAINT YR OESAU
Diolch i ti, Arglwydd, am saint yr oesau:
 am y rhai fu'n cadw lamp y ffydd yn olau
 mewn cyfnodau tywyll;
 am yr eneidiau mawr hynny a gafodd weledigaeth o
 wirionedd mawr
 a gwroldeb i'w gyhoeddi;
 am y dyrfa fawr o eneidiau tawel a ffyddlon
 a fu'n puro a sancteiddio'r byd â'u presenoldeb,
 ac am y rhai y cawsom ni'r fraint o'u hadnabod a'u caru,
 sydd bellach wedi ymadael â'r byd hwn
 ac wedi etifeddu'r gogoniant nefol.
Derbyn ein diolch yn enw Iesu Grist,
 ein Gwaredwr a'n Cyfryngwr,
 i'r hwn y bo'r gogoniant a'r gallu yn oes oesoedd.

Frank Colquhoun, *Parish Prayers*

75

141 Y GADWYN O GARIAD
Am fod y gadwyn o gariad yn dyner iawn amdanom,
    am fod cyfaill a châr yn agos:
    Dyneraf Dad, diolch, O diolch i ti.
Am ryddid i grwydro'th gaeau di,
    am lygad i ganfod fod gwynfyd gerllaw:
    Dyneraf Dad, diolch, O diolch i ti.
Rydyn ni'n chwalu dolennau'r gadwyn;
    rydyn ni'n anghofio mai ti sy'n clymu'r dolennau ynghyd:
    Y digyfnewid Dduw, maddau, O maddau i ni.
Rydyn ni'n hunanol a balch,
    yn ddauwynebog ac oriog iawn;
    rydyn ni'n tynnu'n groes o hyd ac o hyd,
    heb weld mai'n brawd sydd wrth ein hymyl:
    Y digyfnewid Dduw, maddau, O maddau i ni.
I deimlo'r gadwyn o gariad yn dyner amdanom,
    i agosáu'n ostyngedig at ein brawd:
    Arweinydd anffaeledig, arwain, O arwain ni.
I feddu gwaith a chyfreidiau a bwyd bob dydd,
    i brofi'r tangnefedd sy'n wynfyd yn wir:
    Arweinydd anffaeledig, arwain, O arwain ni.

Llyfr Gwasanaeth Ieuenctid, 1967

142 DDYDD AR ÔL DYDD
Diolch i ti, O Arglwydd Iesu Grist,
    am yr holl ddoniau a roddaist i mi,
    am yr holl boenau a'r sarhad a ddygaist drosof.
O drugarocaf Waredwr, Gyfaill a Brawd,
    bydded i mi dy adnabod yn gliriach,
    dy garu'n anwylach,
    a'th ddilyn yn agosach,
    ddydd ar ôl dydd.

Sant Richard o Chichester, 1197–1253

143 DIOLCH AM GYFEILLION
Mawl a fyddo i ti, ein Duw da, am ein cyfeillion.
Gyda hwy y buom yn chwarae, yn gweithio ac yn addoli.
Hwy a ddefnyddiaist i'n diddanu mewn blinder,
    i'n cynghori mewn anhawster,
    i'n cryfhau mewn gwendid,
    ac i gydlawenhau â ni yn nydd llwyddiant.
Daeth dy lais di atom yn eu lleferydd hwy.

Y mae eu cwmni'n felysach na'r mêl,
   a'u ffyddlondeb yn werthfawrocach nag aur coeth.
Bendithiwn dy gariad mawr am fod Iesu,
   cyfaill publicanod a phechaduriaid, yn gyfaill i bawb.
O Arglwydd ein Duw,
   gogoneddwn di am y cyfeillion sydd o'n cwmpas ni,
   am eu hanogaeth, eu ffyddlondeb,
   eu hymddiriedaeth, a'u cymorth.
Dyro i ni dy ras yn helaeth
   fel y gallom ninnau eu caru a'u gwasanaethu hwythau
   heb eu clwyfo mewn na gair na gweithred.

R. J. Jones, 1882–1975

144   DIOLCH AM BOBL

Arglwydd, rwyt ti wedi'n gosod ni
   i fyw yn dy fyd yng nghwmni pobl eraill.
Diolchwn ninnau am bawb
   y mae'n bywyd yn well o fod wedi eu hadnabod –
   pobl yr ydym wedi dibynnu cymaint arnynt;
   pobl yr ydym wedi dysgu cymaint ganddynt;
   pobl y mae eu cwmni yn hyfryd ac yn ysbrydiaeth i ni.
Diolch am ein cyfeillion –
   am bob 'enaid hoff cytûn' yn ein bywyd;
   am y rhai y rhannwn bob math o ddiddordebau â nhw;
   y rhai y medrwn ni chwerthin gyda nhw,
   a dadlau ac anghytuno heb ddigio.
Diolch yn arbennig am y rhai
   sy'n deyrngar inni drwy bopeth,
   sydd gyda ni pan fo'u hangen,
   sy'n medru gwrando arnom ar funudau dwys,
   ac sy'n ein dioddef ni pan fo hynny'n dreth.
Uwchlaw popeth
   gwna ni'n ddiolchgar am gael Iesu Grist yn gyfaill –
   un y medrwn ni fod yn sicr ohono
   bob amser ac ym mhob amgylchiad.
Gwyddom fod terfynau i'n cyfeillgarwch ni,
   ond nid oes ffiniau i'w gariad ef.
Diolch am freichiau sy'n agored i dderbyn pawb,
   ac am un â'i fwriad i wneud gelynion yn gyfeillion.
Helpa ninnau i ddangos mai ni yw ei gyfeillion ef
   trwy ufuddhau i'w alwad i garu ein gilydd.

John Rice Rowlands

145 AM GYMORTH AR Y DAITH

Arglwydd, yr wyt ti wrth law bob amser i'n helpu;
    diolch i ti am dy agosrwydd ac am dy gwmni.
Pan rodiwn ni lwybrau bywyd yn ddifeddwl ac anystyriol,
    yr wyt ti bob amser wrth law.
Pan deimlwn anawsterau bywyd yn cau amdanom,
    yr wyt ti yn noddfa ac yn nerth i ni.
Pan ymddengys y ffordd o'n blaenau yn ddiderfyn
    a'r nen yn fygythiol,
    yr wyt ti yn gydymaith â ni ar ein taith.
Pan yw'n calonnau'n drist, ein heneidiau'n llwfr, a phan nad oes
    miwsig yn ein bywyd, yr wyt ti yn adnewyddu ein gobaith.
Pan yw'n beichiau yn dolurio'n hysgwyddau,
    yr wyt ti yn rhannu'r llwyth â ni.
Cadw ni bob amser mewn cywair â'th Ysbryd
a rho i ni'r llawenydd o'th brofi di yn agos atom yn wastad.

Bob Bore o Newydd, BBC, 1938

146 TRUGAREDD A THOSTURI

Clodforwn di, ein Tad, am iti egluro dy hollalluog nerth drwy
ddangos trugaredd a thosturi. Gweithredaist dy drugaredd yng
Nghrist Iesu ein Harglwydd, ac ynddo ef gwnaethost yn eglur dy
dosturi tuag atom. Diolchwn i ti am drugaredd sy'n drech na
chaledwch ein calon, ac am dosturi sy'n gryfach na holl gasineb
dynion. A ninnau wedi clywed y newyddion da, wrthyt ti yn unig
y disgwyl ein henaid, canys ynot ti y mae ein gobaith.

Addolwn ac Ymgrymwn, BBC, 1955

147 AM YR ARGLWYDD IESU GRIST

O Dduw, ein Tad sanctaidd,
    clodforwn di am dy holl ddaioni,
    ac uwchlaw popeth am dy rodd anhraethol
    yn Iesu Grist, dy unig-anedig Fab.
Diolch am iddo, ac yntau'n gyfoethog,
    ddod yn dlawd drosom ni;
    am ei eni ym mhreseb Bethlehem
    a'i ufudd-dod yn Nasareth;
    ac am iddo, yn ei fedydd,
    ei uniaethu ei hun â ni bechaduriaid.
Diolch am iddo gyhoeddi'r newydd da
    fod dy deyrnas di wedi dod yn agos;
    am symlrwydd a dyfnder ei ddysgeidiaeth
    a'i weithredoedd grasol;

am iddo ddioddef a marw drosom ar y groes
i'n cymodi â thi ac â'n gilydd.
Diolch am ei gyfodi ar y trydydd dydd
a'i ddyrchafu i'th ddeheulaw
lle mae'n eiriol trosom.
Rhoddaist iddo'r enw sydd goruwch pob enw,
fel y cyffesai pob tafod fod Iesu Grist yn Arglwydd.
Am dy gariad anhraethol yn Iesu Grist ein Gwaredwr,
diolchwn i ti.

Llyfr Gwasanaeth yr Annibynwyr Cymraeg, 1998

148 EIN HOFFRWM I DDUW
Beth a ddygwn i'th olud di, O Dduw, ond ein tlodi?
Beth a ddygwn i'th brydferthwch di, ond ein trueni?
Beth a ddygwn i'th berffeithrwydd di, ond ein doluriau?
Ond yr wyt ti, a ddygaist ein tlodi, ein trueni a'n doluriau
yn dy gnawd dy hun, yn ein croesawu,
ym mha le bynnag yr ydym,
a pha beth bynnag a offrymwn i ti.

Janet Morley

149 DIOLCH AM Y GAIR
O Dduw,
a roddaist i ni'r Beibl i ddangos i ni
dy ofal mawr drosom a'th gariad tuag atom;
amdano ac am bob bendith a gawsom trwyddo:
Rhoddwn, O Dad, ddiolch i ti.
Am ei salmau a'i broffwydi;
am ei efengylau a'i epistolau,
am i ti roi i ni drwyddo ddatguddiad ohonot dy hun
yn dy Fab Iesu Grist:
Rhoddwn, O Dad, ddiolch i ti.
Am y dynion dysgedig hynny
a garodd eu hiaith a'u cenedl gymaint
nes rhoi i ni'r Beibl yn Gymraeg;
am rieni ac athrawon ysgol Sul ac eraill
a ddysgodd i ni ei ddarllen a'i ddeall:
Rhoddwn, O Dad, ddiolch i ti.
Trwy wybodaeth o'r Gair gad i ni dy adnabod yn well,
a chyda'i gymorth, ein cysegru ein hunain yn llwyrach
i'th wasanaethu di a'th ogoneddu yn ein holl fywyd.

Llyfr o Wasanaethau Crefyddol ar Gyfer Ieuenctid Cymru, 1942

150 EFENGYL Y DEYRNAS
   Arglwydd Iesu Grist,
   ti yw ein Gwaredwr,
   yn ein caru er gwaethaf ein hannheilyngdod,
   yn maddau i ni ein beiau
   ac yn ein cymodi â Duw ac â'n gilydd:
       Diolchwn i ti am Efengyl dy ras.
   Arglwydd Iesu Grist,
   ti yw ein Hathro,
   yn ein hyfforddi yn dy ffyrdd,
   yn dangos i ni gariad y Tad
   ac yn ein dysgu i garu'n gilydd yn dy enw:
       Diolchwn i ti am Efengyl dy gariad.
   Arglwydd Iesu Grist,
   ti yw ein Cyfaill,
   yn gwmni ac yn gydymaith i ni,
   yn ein cysuro yn ein gofidiau,
   ac wrth law o hyd i wrando'n cri:
       Diolchwn i ti am Efengyl dy hedd.
   Arglwydd Iesu Grist,
   ti yw ein Brenin,
   yn teyrnasu ar orsedd ein calonnau,
   yn plannu ynom egwyddorion teyrnas Dduw,
   ac yn teilyngu ein hufudd-dod a'n clod:
       Diolchwn i ti am Efengyl y deyrnas.
   Arglwydd Iesu Grist,
   ti yw ein Gobaith,
   ynot ti yr ydym yn fwy na choncwerwyr,
   ynot ti y cawn lawnder bywyd yn y byd,
   ac yn y byd a ddaw fywyd tragwyddol:
       Diolchwn i ti am Efengyl
       yr atgyfodiad a'r bywyd.

Worship Now, Book II, addas.

151 SALM I'R CYMWYNASWYR
   Molwn di, O Dduw, am y cymwynaswyr:
   y rhai sy'n taenu eu gofal fel gwlith,
   yn gwasgaru caredigrwydd fel cawodydd bywiol.
       O ffynhonnau eu tosturi fe dardd olew a gwin
   yn falm i ysbryd briwedig.
       O ganrif i ganrif bu ôl eu dwylo ar fywydau brau,
   yn rhannu ymgeledd, yn estyn cymorth.

Eu cydymdeimlad a draidd i gilfachau gofid,
gan hulio byrddau cysur yng ngŵydd galar.

Dyma'r rhai a ddangosodd ddiogelwch y sarn
lle na welid ond corstir;
hwy a fu'n tywys i greigle gadarn
lle roedd berw dyfroedd yn ddychryn.

Dirgel yn aml yw eu gweithredoedd,
wedi eu cyflawni o ymroddiad calon hael,
heb un cymhelliad ond ymateb i drueni,
heb un sbardun ond cariad cywir.

Mawrygwn dy enw, O Dduw,
am yr holl ddaioni sy'n deillio o barodrwydd y dwylo tyner.

I ti y rhoddwn fawl am yr angylion
sydd heddiw, fel erioed, yn tramwyo llwybrau daear.

Dyro, O Arglwydd, yn ein calonnau ninnau –
os mynnwn ddilyn ôl troed y Gwas –
y goleuni i ganfod angen,
a'r cariad a'n gwna yn gymwynaswyr i'n cyd-fforddolion.

Myfanwy Bennett Jones

152   EIN LLE YM MYD DUW
Diolch i ti, O Dduw, am y cread, ein cartref mawr:
    am ei gyfoeth ac am ei ehangder,
    am y bywyd amryfal sy'n heigio arno ac ynddo,
    ac am i ninnau fod yn rhan o'r bywyd hwnnw.
Diolch i ti am awyr las a gwyntoedd hyfryd,
    am gymylau crwydrol a sêr gwibiog.
Diolch i ti am y môr hallt,
    ac am y dyfroedd gloywon rhedegog;
    ac ni fedrwn beidio dy ganmol
    am y mynyddoedd tragwyddol
    a'r coed a'r glaswellt dan ein traed.
Diolch i ti am y synnwyr a roddaist i ni
    i weld ysblander y bore
    ac arogleuo anadl y gwanwyn.
Dyro i ni galon ar agor led y pen
    i fwynhau yr holl lawenydd a thegwch,
    fel na ad i ofnau du a nwydau annuwiol
    staenio'n heneidiau,
    fel na allom weld hyd yn oed y llwyn drain
    yn fflam dan ogoniant Duw.

Walter Rauschenbusch, 1861–1918, cyf. Lewis Valentine

153 DIOLCH AM DEULU'R FFYDD
      Molwn dy enw, O Dduw, am i ti weithredu
          drwy dy Eglwys a thrwy gymdeithas dy bobl
          ym mhob oes a chenhedlaeth.
      Diolchwn i ti am ein galw ninnau i fod yn ddilynwyr i Iesu Grist,
          yn un cymundeb ysbrydol, yn gorff Crist,
          ac yn deulu'r ffydd.
      Diolchwn am bopeth a gyflawnaist drwy dy Eglwys
          ac am y grasusau a'r gwirioneddau a ddaeth i bobl drwyddi.
      Diolchwn am y rhai o bob cyfnod o'i hanes
          a weithiodd drwyddi i dystio i'r gwirionedd
          ac i estyn y deyrnas:
          apostolion a merthyron, saint a diwygwyr,
          cenhadon ac athrawon.
      Diolchwn am ddylanwad dy Eglwys arnom:
          am y rhai a fu'n esiampl i ni,
          am y rhai a'n dysgodd i werthfawrogi awyrgylch dy dŷ
          ac a'n harweiniodd i adnabod dy gariad yn Iesu Grist.
      Yng ngrym dy Ysbryd Glân ymwêl â'th Eglwys,
          a gwna hi'n gymdeithas gref,
          yn dyst ffyddlon ac yn deulu Duw,
          a phâr i ninnau dy wasanaethu drwyddi
          holl ddyddiau ein hoes.

                                        Addolwn ac Ymgrymwn, BBC, 1955

154 Y DUW CROESAWGAR
      Dduw mawr Cariad,
      clodforwn ac addolwn di
      fel y Duw sy'n croesawu i'th deulu
      bob math o berson,
      hyd yn oed os nad ydym ni'n eu croesawu.
          Diolchwn dy fod yn dyrchafu ac yn parchu pob un o'th blant,
      hyd yn oed os na fedrwn ni weld y tu hwnt
      i'n rhagfarn a'n hofn
      at eu gwir werth.
          Dduw mawr Bywyd,
      diolchwn dy fod ti, drwy Iesu,
      wedi dangos cariad sy'n cyrraedd cyrion bywyd
      ac sy'n croesawu yno
      y gwrthodedig, y dieithryn a'r un a gollodd ei ffordd –
      pob un yr ydym ni'n ei wrthod
      ac yn amodi ein cysylltiad ag ef.

Diolch dy fod ti'n cynnig lle iddynt
ynghanol y deyrnas.

Dduw mawr y Golau,
diolchwn fod d'Ysbryd yn hebryngwr goleuni,
gwraidd y gwir,
ac yn ei belydrau
mae llygaid y deillion yn agor,
tywyllwch anobaith yn cael ei wasgaru,
a gwawr dy fyd newydd di yn cael ei ddatguddio.

Ein Duw,
cynigiwn i ti ein profiadau o fyw ar y dibyn,
ein hofn o syrthio dros ymyl y dibyn,
a'n dymuniad i ddod â'r cyrion i'r canol.

Gofynnwn i ti am ddewrder
i wynebu ansefydlogrwydd y dibyn
a'r gras i fachu ar y cyfleoedd yma.

Aled Lewis Evans

155   BENDITHION Y CYSEGR

Diolchwn, Arglwydd, am fendithion cyson dy dŷ,
    bendithion nas ceir yn unman arall:
    am y troeon y daethom yma yn ddigon trist
    ac yr aethom oddi yma wedi derbyn ysbrydiaeth a chysur;
    am y troeon y daethom yma yn wan ein ffydd
    ac yr aethom oddi yma wedi ein nerthu a'n gwneud
    yn gryfion;
    am y troeon y daethom i'th dŷ yn bur ansicr ohonom
    ein hunain,
    ac yr aethom oddi yma gyda sicrwydd mawr amdanat ti;
    am yr awr dawel yn dy dŷ pan beidiodd ein siarad
    ac y troesom atat i wrando arnat ti yn llefaru wrthym ni;
    am bob pregeth a gaed a phob gweddi a offrymwyd;
    am yr emyn a'n cododd i wastad uchel ein profiadau gorau;
    am gael bod wrth Fwrdd y Cymun heb fradwr yn ein plith;
    am y fraint o gael derbyn y plant i blith y praidd
    y mae marc y Bugail Da arnynt;
    am y bartneriaeth y'n gelwir ni iddi o fewn cymdeithas
    pobl Dduw.
Dyma'r adegau y daw inni wir gymundeb â thi,
    a ninnau yn gyfryw bobl ag yr wyt ti, ein Tad,
    yn eu ceisio i'th addoli.

Huw Llewelyn Williams, 1906–79, addas.

156 DIOLCH AM EIN CREU
       Am y Gair a'r Grym, yn creu, yn llunio ac yn adfer:
       rhown ddiolch i ti, O Dduw.

       Diolch i ti am ein creu fel yr ydym,
       am i ti blannu ynom ddoniau creadigol
       a rhoi i ni fywyd a llawenydd.

       Diolch i ti am ein creu ar dy ddelw dy hun,
       am i ti drwy dy Air adfer ynom y ddelw
       a faluriwyd gan ein pechod ni.

       Diolch i ti am ein creu i adnabod y da a'r drwg,
       am y ddawn i ddewis rhyngddynt
       a'r bendithion a ddaw o ddilyn y da.

       Diolch i ti am ein creu i fod mewn perthynas â thi,
       am i ti ddatguddio dy hun inni
       ac i ninnau gael dy adnabod a'th garu.

       Diolch i ti am ein creu yn deulu dynol,
       am i ti'n galw i garu a gofalu am ein gilydd
       ac i fyw mewn undod a chymod ar y ddaear.

       Am y Gair a'r Grym,
       yn ail-greu, yn ail-lunio ac yn ailadfer,
       rhown ddiolch i ti, O Dduw.

                                                          Golygydd

157 LLYGAID
       Diolch i ti, O Dduw, am fy llygaid
          sy'n ffenestri ar y byd oddi allan.
       Trwyddynt hwy caf weld goleuni a phrydferthwch.
       Trwyddynt hwy caf weld wynebau hapus,
          trwyddynt gwelaf fy nghyfeillion a'm rhai annwyl.
       Ond trwy fy llygaid hefyd y gwelaf dristwch a galar ac angen;
          gwelaf y pechod a'r hagrwch sy yn ein byd.
       Gweddïaf, O Dad, am i'm llygaid fod yn glir ac yn bur;
          cadw hwy rhag craffu ar yr aflan neu'r llygredig a rhag iddynt
          fwynhau gweld rhywun yn anghysurus neu mewn eisiau.
       Cadw hwy rhag bod yn oer ac yn feirniadol;
          gofynnaf i ti symud ymaith o'm llygaid bob balchder ac
          anlladrwydd.
       Gofynnaf am i'm hedrychiad fod yn llawn tosturi tuag at yr
          anghenus,
          yn un o gysur i'r rhai mewn adfyd, ac yn gefnogaeth i'r ifanc.
       Pâr i'm hedrychiad ddwyn tangnefedd ac nid ofn,
          llawenydd ac nid tristwch.

84

Cynorthwya fi, O Dad nefol, i ddefnyddio fy llygaid
    i chwilio amdanat yn y byd:
    i chwilio amdanat yn y plentyn bach,
    yn yr hen wraig yn ei chornel,
    yn y cardotyn gwael,
    yn y gŵr busnes bydol,
    yn y milwr caled,
    ac yn y llances anystywallt.
Ti roddodd y llygaid hyn i mi;
    helpa fi i'w defnyddio yn dy wasanaeth di.
Byddaf yn eu cau heno;
    gofynnaf am gael eu hagor yn y bore
    fel y delo'r goleuni yn ôl i'm bywyd.
Diolch i ti, Arglwydd, am gael byw;
    diolch i ti am fy nghorff,
    a diolch i ti am fy llygaid.
Cymer hwy yn awr, O Dad nefol, yn enw Iesu Grist.

Cynnal Oedfa

158 Y DUW DIGYFNEWID
Ein Tad, graslon a sanctaidd,
canmolwn di dy fod yn ddigyfnewid
yn dy hanfod ac yn dy ffyrdd.
    Nid oes ynot ddiffyg cysondeb;
o dragwyddoldeb i dragwyddoldeb yr un ydwyt.
    A ninnau ynghanol newid parhaus ac ansicrwydd mawr,
trown atat er mwyn meddiannu'r pethau a bery byth.
    Ond diolch i ti am anfon dy Fab i'n byd
i fyw o dan yr un amodau â ni,
i wynebu'r un temtasiynau â ni,
i ddioddef yr un poenau â ni,
i ymdeimlo â'r un siomedigaethau â ni.
    Diolchwn fod ei fywyd a'i farwolaeth
yn un patrwm cyfan,
yn wisg ddiwnïad.
    Gorfoleddwn yn ei atgyfodiad a'i esgyniad,
ac am iddo gyflawni ei addewid
y byddai'n anfon ei Ysbryd arnom.
    Trwy yr Ysbryd Glân y mae gyda ni bob amser
hyd ddiwedd y byd. Halelwia!

Glyndwr Williams

159 Y DEYRNAS YN DOD YN NES
Arglwydd,
diolchwn mai Duw Cyfiawnder wyt ti.
Pan yw'r tlawd a'r gwan,
dan lwyth cyni a gorthrwm,
yn codi ar eu traed ac yn ymsythu yn yr haul;
pan yw plant newynog yn cael bwyd i'w fwyta
a dŵr glân i'w yfed:
Diolchwn fod cyfiawnder yn ennill tir
a'th deyrnas di yn dod yn nes.

Diolchwn mai Duw Tangnefedd wyt ti.
Pan yw hen elynion yn blino ar ryfela,
ac yn estyn dwylo tuag at ei gilydd
mewn goddefgarwch a chymod;
pan yw gwên a chymwynas a gair caredig
yn ymlid dyrnau, bwledi a bomiau:
Diolchwn fod tangnefedd yn ennill tir
a'th deyrnas di yn dod yn nes.

Diolchwn mai Duw Cariad wyt ti.
Pan yw'r rhai sy'n ymgiprys am gyfoeth a grym
yn ystyried anghenion eu cyd-ddynion,
ac yn gweithio i greu cymunedau cymdogol;
pan yw teuluoedd yn ddedwydd,
a phlant bach a hen bobl yn byw mewn diogelwch:
Diolchwn fod cariad yn ennill tir
a'th deyrnas di yn dod yn nes.

Diolchwn mai Duw Gobaith wyt ti.
Pan yw'r trallodus a'r trist
yn canfod goleuni yn eu tywyllwch
a hedd i dawelu eu hofnau;
pan yw diddanwch dy gwmni di
yn rhoi ystyr a chyfeiriad i daith bywyd:
Diolchwn fod gobaith yn ennill tir
a'th deyrnas di yn dod yn nes.

Arglwydd bywyd, diolchwn mai ynot ti
y dysgwn gyfrinach a gorfoledd byw:
Diolchwn am dy rym sy'n ein gwroli
a'th deyrnas sy'n mynd rhagddi yn y byd.

Trefn Gwasanaeth Cymorth Cristnogol, 2004

86

160 GWEDDI MAM

Rydw i'n cwyno, Arglwydd –
   mae'r plant 'ma mor swnllyd,
   yn rhuthro a rhompian drwy'r tŷ
   a phridd yr ardd ar eu sgidiau.
Rydw i'n cwyno, Arglwydd –
   mae'r tŷ yn costio cymaint:
   y dreth yn uchel
   a'r trydan a'r nwy yn ddrud.
Mae'n rhaid i mi gael cwyno
   am bris y bwyd, Arglwydd –
   am y sothach sydd yn y siopau,
   am fod y llaeth yn hwyr yn cyrraedd,
   a'r bachgen yn dod â'r papur newydd anghywir.
Rydw i wedi blino, Arglwydd:
   mae cymaint i'w wneud –
   y glanhau a'r golchi, y smwddio a'r siopa –
   gwaith, gwaith, gwaith,
   o fore gwyn tan nos.
Ond mae gan fy ffrind blentyn byddar,
   ac mae bachgen heb freichiau
   gan wraig yn y stryd nesa,
   ac fe welais blant mewn cartref y dydd o'r blaen
   heb allu symud bys na bawd –
   dydyn nhw ddim yn cwyno, neb ohonynt.
Mae gen i le i ddiolch, Arglwydd,
   fod gen i do uwch fy mhen,
   tra bo rhai'n swatio'r nosweithiau ar feinciau
   yn yr awyr agored.
Mae gen i le i ddiolch,
   wrth edrych ar gyrff Belsenaidd plantos Affrica,
   fod fy mhlant i yn iach;
   mae digon o fwyd yn y siopau
   ac mae gen i arian yn fy mhwrs.
O Arglwydd, mae'n rhaid i mi gael diolch i ti:
   diolch am gysur fy nghartref,
   am iechyd fy nheulu,
   am gariad fy mhriod a'm plant,
   am oriau a munudau ac eiliadau fy mywyd,
   ac am y byd a greaist ti
   y tu allan i furiau fy nghartref.

Rebecca Powell, 1935–93

161 AM BOPETH SY'N HWYLUSO MYND A DOD

Clodforwn di, O Dduw,
    am lygaid i weld ac am wasanaeth ein golwg inni;
    am glustiau i glywed, a'r holl drysorau a ddaw inni drwy
    ein clyw;
    am lais i lefaru, a holl hyfrydwch cyfarch a siarad;
    am ddwylo i weithio, i'w hagor i roi a'u plethu i weddïo;
    am draed i sefyll a cherdded a rhedeg a dawnsio a sangu.
Clodforwn di, O Dduw,
    am sbectol i warchod a chynnal golwg pan ballo'r llygaid;
    am bob darpariaeth i gynorthwyo deillion;
    am y meicrosgop i weld y bach yn fwy,
    a'r telesgop i weld y pell yn agos.
Clodforwn di, O Dduw,
    am gymorth clywed fel y gallo rhai trwm eu clyw wrando ar
    leisiau annwyl;
    am foddion clywed drwy ffôn a radio,
    ac am bob cynorthwy i fyddariaid;
    am bob ffordd i gadw llef a llais ar dâp a record,
    ac am bob help i rai mud.
Clodforwn di, O Dduw,
    am bob help i rai nad yw eu cyrff yn gryf na'u dwylo'n ystwyth;
    am bob offer i ysgafnhau caledwaith,
    am beiriannau mewn ffatri ac ar faes
    i gryfhau grym dwylo dyn.
Clodforwn di, O Dduw,
    am ffon i gloff, a chadair ac offer i helpu'r musgrell;
    am bob moddion cludo plentyn i ysgol
    a gweithiwr at ei waith,
    ac am bopeth sy'n hwyluso mynd a dod.
Clodforwn di, O Dduw,
    yr hwn wyt ardderchog yn dy waith.

Griffith Owen

162 MAWL I'R ARGLWYDD IÔR

Am ei ddaioni cyson,
ei ddoethineb a'i gariad:
    Molwn enw'r Arglwydd Iôr.
Am y cread mawr,
ei ryfeddodau lawer,
ei harddwch a'i holl amrywiaeth:
    Molwn enw'r Arglwydd Iôr.

Am ein gwlad ein hunain,
ei hiaith a'i diwylliant,
ei broydd hoff a'i bryniau hardd:
    Molwn enw'r Arglwydd Iôr.
Am bob arloeswr dewr,
a phob gweithiwr cydwybodol,
am bob un sy'n dyfeisio a chreu er mwyn eraill:
    Molwn enw'r Arglwydd Iôr.
Am yr Arglwydd Iesu Grist,
ei fywyd cyfoethog o ras,
ei ddysgeidiaeth ddoeth
a'i aberth drosom:
    Molwn enw'r Arglwydd Iôr.
Am yr Eglwys Gristnogol,
ei hanes a'i gwaddol,
ei gweddi a'i gwaith,
a'i gobaith mawr:
    Molwn enw'r Arglwydd Iôr.

W. Rhys Nicholas, 1914–96

163 GWELD DAIONI DUW

Hollalluog Dduw, Duw pob daioni a thrugaredd, yr hwn a
greaist bob peth, ac a welaist mai da oeddynt, arwain ninnau i
weld dy ddaioni a'th gariad yn dy holl ymwneud â'n bywydau ni.
Gwna ni'n ddiolchgar am y pethau y mae'n hawdd i ni eu
hadnabod yn fendithion, a dysg i ni pa fodd i ymostwng mewn
dioddefaint, adfyd a drygfyd, fel y delo'r pethau hyn hefyd yn
foddion gras i'n heneidiau, ac y gogoneddom dy enw di
drwyddynt, am ein bod yn adnabod dy gariad ym mhob peth.

Addolwn ac Ymgrymwn, BBC, 1955

164 AM GARTREF

Ein Tad, yr hwn wyt yn y nefoedd, rhoddwn ddiolch i ti am yr
holl fendithion a ddaeth i'n rhan yn ein cartrefi. Amgylchynwyd ni
yno ag ysbryd aberth a gofal. Bu cariad yno yn ein porthi, yn ein
gwisgo, yn ein hymgeleddu ac yn ein ceryddu. O'th ras cawsom rai
a fu'n dyner wrthym yn ein gwendid, yn ymddiried ynom yn nydd
ein methiant, ac yn maddau inni er amled ein beiau.

    Rho gymorth dy Ysbryd i ni, O Dad, fel y gallom ninnau
ddwyn llawenydd a chysur a nerth i gymdeithas ein haelwyd;
er gogoniant i Iesu Grist.

R. J. Jones, 1882–1975

165 AM BOB CYFEILLGARWCH
Diolchwn am bob cyfeillgarwch a fwynhawn
â thi ac â'n gilydd ynot ti;
am sgyrsiau dymunol,
am hwyl a chwerthin iach,
am gefnogaeth a chydymdeimlad,
am gael rhannu problemau,
am gael ymlacio yng nghwmni'n gilydd,
ac am gael darganfod ein hunain
o fewn cwmnïaeth â'n gilydd yn dy gariad di.

Golygydd

166 AM BOB DIDDANWCH
O Dduw ein Tad, diolchwn i ti
am bob diddanwch tymhorol ac ysbrydol:
am fwyd a dillad a holl gysuron cartref;
am ein cyrff a'r urddas a osodwyd arnynt yn yr
Ymgnawdoliad;
am iechyd ac am ein synhwyrau;
am ystwythder cymal a phob ynni;
am fedr llaw a llygad;
am bob mwynhad a gawn mewn bywyd ac am allu i fod
yn llawen;
am seibiant ac am oriau hamdden ac adloniant;
am gwmni diddan ac am oriau tawel wrthym ein hunain;
am y dydd a'i waith a'r mwynhad a gawn o'i wneud â'n
holl egni;
am y nos a chwsg a chyfle i orffwys wedi gwaith y dydd;
am y gorffennol a'i wersi;
am y presennol a'i gyfle,
ac am y dyfodol a'i ddirgelwch a'i her.
Am yr holl fendithion hyn,
mawrygwn di, O Dad.

Llyfr o Wasanaethau Crefyddol ar Gyfer Ieueunctid Cymru

167 RHYFEDDODAU'R CREAD
Plygwn ger dy fron, Arglwydd ein Duw,
i'th gydnabod fel crëwr a chynhaliwr pob peth:
eiddot ti'r bydysawd enfawr,
oherwydd tydi sydd wedi ei alw i fodolaeth trwy dy air nerthol;
tydi sydd wedi ei gynnal trwy ganrifoedd dirifedi.
Diolchwn i ti fod gwaith ein gwyddonwyr

yn ein cynorthwyo i sylweddoli
pa mor fawr a chymhleth yw'r bydysawd:
teithia'r sêr a'r planedau trwy'r gofod enfawr
ar hyd y llwybrau a ordeiniaist ti.
Ac nid llai rhyfeddodau'r bychanfyd
ym mhatrymau modrwyog yr atom a'r moleciwl.
Diolchwn i ti am y cread:
dysg ni ynghanol yr ysbeilio a'r difrodi sydd arno
i'w weld fel rhodd odidog a gyflwynaist inni.
A diolchwn i ti fod yr Arglwydd Iesu yntau
wedi cyfrannu at dy waith creadigol,
a'i fod yn ystod ei weinidogaeth ar y ddaear
wedi dangos fod grymusterau natur o dan ei law:
y fath gysur i ni yw gwybod fod y Gwaredwr
hefyd yn Arglwydd y cread,
a bod y dwylo a ddioddefodd yr hoelion dur
hefyd yn dal awenau'r cread.
Clod bythol i ti, O Dduw.

R. Tudur Jones, 1921–98, Gweddïo 1992

168   DIOLCHGARWCH AM Y CYNHAEAF: i

Ein Tad, awdur bywyd, cynhaliwr pob dim byw,
a'n harweinydd trwy Iesu, i fywyd llawn:
diolchwn i ti am gynnyrch y ddaear a'r môr,
llysiau y caeau a'r gerddi,
a ffrwythau'r coed a'r llwyni;
am yr haul a'r gwynt a'r glaw
a roes gynnydd ac aeddfedrwydd i'r had;
am yr amaethwr a'r garddwr
fu'n bartneriaid ffyddlon a diwyd i ti,
yn trin y tir ac yn hau,
yn cywain ac yn casglu i ysguboriau;
am y crefftwyr a'r gweithwyr fu'n gyfrifol
fod y cynhaeaf yn gynhaliaeth wrth law ar ein cyfer,
i'n cadw ni a'n teuluoedd yn fyw ac yn iach.
Ond, O Dad, rho i ni raslonrwydd Iesu Grist
i gofio am y rhai sydd mewn angen,
trwy weddïo, trwy rannu
a thrwy geisio trefn decach i'r gwan a'r tlawd.
'Rho i ni nerth i wneud ein rhan',
yn enw Iesu Grist.

John Owen

169   DIOLCHGARWCH AM Y CYNHAEAF: ii

O Dduw, ein Tad a'n Harglwydd,
diolchwn i ti am y cyfan a greaist
ac am y cyfan a gyfrennaist i ni dy blant.
    Yr wyt wedi llenwi ein bywyd â phrydferthwch a daioni
ac wedi'n hamgylchynu â phethau hardd a defnyddiol.
    Diolchwn i ti am dy *gread*:
am odidogrwydd y byd o'n cwmpas,
am ogoniant y bryniau a'r dyffrynnoedd,
yr afonydd a'r moroedd,
y meysydd a'r blodau:
yn ysblander a chyfoeth dy greadigaeth
gwelwn dystiolaeth i ryfeddod dy waith
yn ein cynnal, ein cadw a'n cyfoethogi.
    Diolchwn i ti am dy *ofal tadol*:
am gynhaliaeth a bendithion bywyd beunyddiol,
am iechyd a nerth,
am serchiadau a chyfeillgarwch:
yn holl fendithion bywyd yr wyt ti yn rhoi i ni lawenydd,
ac yn nhreialon bywyd yr wyt yn ein dysgu i bwyso arnat ti.
    Diolchwn i ti am dy *arweiniad*:
am dy ffyddlondeb i ni bob amser,
am i ti ein harwain a'n nerthu ar lwybrau bywyd,
am i ti fod yn oleuni i ni ym mhob tywyllwch
ac yn gynhaliaeth ym mhob argyfwng:
mewn hawddfyd ac adfyd buost wrth law bob amser
i'n tywys a'n hymgeleddu.
    Diolchwn i ti am *fendithion yr Efengyl*:
am dy gariad anfeidrol yn Iesu Grist,
am bob mesur o'th wirionedd a ddysgaist i ni,
am foddion gras a chymdeithas dy bobl,
am faddeuant pechodau ac am obaith gogoniant:
rhoddaist i ni'r bendithion dirifedi hyn
i wneud ein dyddiau yn hardd ac yn llawen.
    Cynorthwya ni i ymateb gyda diolchgarwch
sy'n ei fynegi ei hun, nid mewn geiriau yn unig
ond mewn ymgysegriad llwyrach i ti ac i waith y deyrnas.
    Cyflwynwn i ti y rhai sy'n ei chael hi'n anodd diolch,
a'r rhai sy'n amau dy ragluniaeth a'th ofal:
y rhai sydd mewn adfyd a thrallod,
mewn galar a thristwch,

mewn afiechyd a llesgedd,
mewn unigrwydd ac anobaith.

 Clyw ein hymbiliau ar eu rhan,
a gwna ninnau bob amser yn fwy diolchgar
am ein dedwyddwch, ein hiechyd,
a'th holl roddion di i ni.

 Cyflwynwn ein moliant a'n hymbiliau
yn enw ein Harglwydd a'n Gwaredwr, Iesu Grist.

Golygydd

170 DIOLCHGARWCH AM Y CYNHAEAF: iii
Clod i ti, y Duw nerthol, am holl ryfeddodau'r cread.

 Clod i ti am y tir a'r môr;
am ffrwythlonder pridd, amrywiaeth blodau,
eu lliwiau a'u persawr,
am gadernid coed
a golud bywyd y fforestydd.

 Eiddot ti ddirgelion y moleciwl ac ysblander cysawdau'r sêr.

 Diolch i ti am bopeth byw,
am anifeiliaid ac adar,
am ymlusgiaid a phryfetach
ac am amrywiaeth syfrdanol y rhywogaethau.

 Mawrygwn di am rythmau'r tywydd,
am heulwen a glaw, tes a rhew,
gwlith ac eira, y gwynt nerthol a'r awel dyner.

 Llenwaist ein clustiau â seiniau'r greadigaeth:
sisial ffrwd ar gerrig,
trymru'r môr ar draeth, trydar yr adar, clec y daran
ac amrywiol gynganeddion y gwynt.

 A thi a greodd ryfeddod corff ac ymennydd dyn.

 A chydnabyddwn ein bod wedi ein gosod gennyt ar y blaned hon,
nid i'w hanrheithio a'i difetha,
ond i ddwyn cyfrifoldeb drosti o dan dy lywodraeth di,
Arglwydd y cread.

 Dysg ein cenhedlaeth ni i fawrygu'r fraint honno
gan ddiogelu ffrwythlonder y ddaear,
a chydnabod mai dy drefn di yn unig
a sicrha degwch i blanhigion ac anifeiliaid ac i blant dynion.

 Greawdwr daionus, cynysgaedda ni â doethineb.

 Gofynnwn hyn yn enw Iesu Grist.

R. Tudur Jones, 1921–98, Gweddïo, 1992

171 DIOLCHGARWCH AM Y CYNHAEAF: iv
Am gynhaeaf y llafur – a daliad
    Y medelwr prysur,
    Am ramant y porthiant pur
    I reidiau pob creadur:
        Rhoddwn ni i ti, ein Tad,
        Heddiw ŵyl o addoli.

Am fwthyn ac am Fethel – am eiriau,
    Am orig fach dawel,
    Am wenau câr, am win cêl
    Y nos i galon isel:
        Rhoddwn ni i ti, ein Tad,
        Heddiw helaeth addoliad.

Am gytgan brwd i'w ganu – am luniau,
    Am lannerch i'w charu,
    Orig cellwair, a gallu
    Anghofio'n helynt lu:
        Rhoddwn ni i ti, ein Tad,
        Heddiw hwyliog addoliad.

Am degwch byw cymdogol – a thawel
    Gynorthwy brawdol,
    Mwynder rhai sy'n mynd ar ôl
    Hunllef dioddef dyddiol:
        Rhoddwn ni i ti, ein Tad,
        Heddiw wylaidd addoliad.

Am gyfaill, am a gofia – y di-log
    A'r di-lwydd eu gyrfa,
    Pryderon cymdogion da,
    Newyn y di-gynhaea:
        Rhoddwn ni i ti, ein Tad,
        Heddiw elw'n haddoliad.

Uwch diddanwch dy ddoniau – dyro in'
    Dy ras, Iôr ein tadau,
    Rho help i edifarhau
    A rhyddirio'r Rhodd orau:
        A faddeui di, O Dad,
        Eiddilwch ein haddoliad.

R. Ithel Williams, 1907–70

172 DIOLCHGARWCH AM Y CYNHAEAF: V

Sanctaidd a Thrugarog Dad, yr hwn a'n creaist ni ac a'n
cynheliaist hyd yr awr hon, cydnabyddwn yn ostyngedig ein
dibyniaeth arnat am fwyd a dillad a phob peth oll. Gwerthfawr
yw dy roddion rhad, a phob bore y deuant o'r newydd: mawr yw
dy ffyddlondeb. Nid yn ôl ein haeddiant y gwnaethost â ni, ac
nid yn ôl ein pechodau y telaist i ni. Yr wyt yn peri i'r haul godi
ar y drwg a'r da, ac yn glawio ar y cyfiawn a'r anghyfiawn. Ar dy
drugareddau yr ydym oll yn byw, a thydi yw testun ein cân. Tydi
a ordeiniaist bryd hau a medi, haf a gaeaf, gwynt a glaw, ac y mae
dy enw ar dy holl weithredoedd. Yr wyt yn cynnal ein calon â
bara, ac yn llawenychu ein henaid â digonedd. Teilwng wyt, O
Dduw, canys ti a greaist bob peth, ac a roddaist i ni Fara'r Bywyd
fel y cawn ymborthi arno dros ein holl ddyddiau, ac y caffom
fywyd tragwyddol ynddo ef.

R. J. Jones, 1882–1975

YMBIL

Ymrowch i weddi ac ymbil, gan weddïo bob amser yn yr Ysbryd.
(EFFESIAID 6:18)

Peidiwch â phryderu am ddim,
ond ym mhob peth gwneler eich deisyfiadau yn hysbys i Dduw
trwy weddi ac ymbil, ynghyd â diolchgarwch.
(PHILIPIAID 4:6)

⁓

173 DYFOD ATAT TI
Dyfod atat ti yw dyfod adref:
    daw'r aderyn i'w nyth a'r llafurwr i'w aelwyd gyda'r hwyr;
    pam na ddychwelwn ninnau gyda'r hwyr atat ti?
Y mae nyth i'r adain fwyaf llesg;
    y mae aelwyd i'r gweithiwr mwyaf blinderog
    yn dy dosturi ac yn dy wasanaeth di.
Y mae dy iau di yn orffwysfa a'th faich di yn fendith.
Ni cheisiwn esmwythâd er mwyn magu diogi,
    ond i fagu nerth i weithio'n well,
    wedi ein dysgu o'r newydd gennyt ti,
    yr addfwyn a'r gostyngedig o galon.
Wele ni, o ganol ein holl ofalon,
    a'n baich yn pwyso arnom yn drwm, yn troi atat:
    gad i ni yn awr glywed dy lais di yn ein gwahodd –
    Deuwch!

H. Elvet Lewis, 1860–1953

174 ADNODDAU NEFOL
O fy Nuw, dyro i mi heddiw a phob dydd
ddelfrydau mawrion i fyw iddynt,
egwyddorion mawrion i fyw wrthynt,
adnoddau mawrion i fyw arnynt;
er mwyn Iesu Grist ein Harglwydd.

T. Glyn Thomas, 1905–73

175 EIN GWASANAETH I GRIST

O Iesu Annwyl, Mab y Bendigedig, Ceidwad pechadur, derbyn
ein gwasanaeth amherffaith ac annheilwng, a gad i ni gael bod
am byth, yn rhywle, yn ceisio gwneud rhywbeth drosot.

   Bydd fyw yn dragywydd yn Waredwr i ni ac yn frenin arnom,
ac ar dy ben y bo'r goron yn oes oesoedd.

John Jones, Tal-y-sarn, 1796–1857

176 EIN GEIRIAU

Gosod wyliadwriaeth, Arglwydd, ar ein tafod,
fel na lefarwn y gair creulon nad yw'n wir;
neu, o fod yn wir, nad yw'n wir i gyd;
neu, o fod yn wir i gyd, nad yw'n garedig;
er mwyn cariad Iesu Grist ein Harglwydd.

E. Milner-White, 1884–1963

177 LLANW FY MYWYD

O Ysbryd Sanctaidd Duw,
tyrd i'm calon a llanw fi:
agoraf ffenestri f'enaid i ti gael dod i mewn;
ildiaf fy mywyd cyfan i ti;
tyrd, cymer feddiant ohonof,
a llanw fi â goleuni a gwirionedd.

   Cyflwynaf i ti yr un peth sydd eiddo i mi,
sef fy ngallu i gael fy llenwi gennyt:
ohonof fy hun nid wyf ond llestr gwag,
offeryn di-fudd, gwas annheilwng.

   Llanw fi er mwyn i mi gael byw bywyd yr Ysbryd:
bywyd ffydd a daioni,
bywyd prydferthwch a chariad,
bywyd doethineb a nerth.

   Ac arwain fi heddiw ym mhob peth:
arwain fi at y bobl hynny sydd angen fy help;
arwain fi i'r mannau hynny lle gallaf dy wasanaethu orau.

   Uwchlaw popeth, boed i Grist gael ei ffurfio ynof,
fel y gallaf ddiorseddu'r hunan yn fy nghalon
a'i osod ef yn frenin arnaf.

   Clyma fi wrtho trwy dy holl ffyrdd:
trwy feddyliau sanctaidd;
trwy rym dy Air,
trwy rin sacramentaidd,
fel y bydd ef ynof fi a minnau ynddo ef,
heddiw ac am byth.

W. J. Carey

178 AM GARIAD DUW

O Arglwydd, Duw pob daioni a gras, sy'n haeddu cariad mwy na
fedrwn ni ei ddeall na'i roi, llanw'n calonnau â'r fath gariad tuag
atat fel na bo dim yn rhy anodd inni ei wneud, na dim yn ormod
inni ei ddioddef wrth ufuddhau i'th ewyllys. Ac o'th garu fel
hyn, dyro inni fynd beunydd yn debycach i ti, ac ennill o'r
diwedd goron y bywyd a addawyd i bawb sy'n dy garu; trwy Iesu
Grist ein Harglwydd.

Llyfr Gwasanaeth yr Eglwys Fethodistaidd, 1985

179 AM DAWELWCH MEDDWL

O Arglwydd Dduw, ynot ti yr ydym yn byw, yn symud ac yn
bod; agor ein llygaid fel y gwelwn dy bresenoldeb tadol o'n
cwmpas. Dysg inni beidio â phryderu am ddim, ond ar ôl inni
gyflawni yr hyn a roddaist inni i'w wneud, helpa ni, O Dduw ein
Hiachawdwr, i adael y cyfan i'th ddoethineb di, gan wybod bod
popeth yn bosibl inni trwy dy Fab, ein Hiachawdwr Iesu Grist.

R. M. Benson, 1824–1915

180 AGOR IDDO

O Dduw ein Tad,
yr wyt ti yn ceisio lle yn ein calonnau
ac yn sefyll wrth y drws ac yn curo;
cynorthwya ni i glywed dy lais
ac i agor pob rhan o'n bywyd iti:
cymorth ni i agor ein llygaid
i weld gwaith dy ddwylo yn harddwch y byd o'n cwmpas
ac yn y gofal a'r cadw a fu arnom;
cymorth ni i agor ein clustiau
i wrando dy lais yn llefaru wrthym yn dy Air
ac yn nhawelwch ein gweddïau;
cymorth ni i agor ein meddyliau
i fyfyrio yn dy wirionedd
ac i dderbyn pob gwybodaeth a gweledigaeth newydd
yr wyt ti am eu cyfrannu inni;
cymorth ni i agor ein heneidiau
i oleuni dy bresenoldeb
ac i rin a llawenydd cymundeb â thi;
cymorth ni i agor ein calonnau
i ti gael dod i mewn i deyrnasu ynom
ac i'n gwneud yn eiddo llwyr i ti dy hun.

Golygydd

98

181 GRASUSAU'R CYMERIAD CRISTNOGOL
Arglwydd, ynot ti y mae holl drysorau
doethineb, gwirionedd a sancteiddrwydd yn trigo;
trwy gymdeithas gyson â thi,
caniatâ i wir rasusau'r cymeriad Cristnogol
gael eu ffurfio fwyfwy yn fy enaid:
gras y galon ddiolchgar ddirwgnach;
gras i fod yn wrol, mewn dioddefaint neu berygl;
gras i fod yn ddi–ofn wrth sefyll dros y gwir;
gras i fod yn wyliadwrus, rhag i mi syrthio i demtasiwn;
gras i ddisgyblu fy nghorff;
gras i fod yn gwbl eirwir;
gras i drin eraill fel y dymunaf i eraill fy nhrin i;
gras i fod yn hynaws, rhag imi ruthro i farnu;
gras i fod yn ddistaw, i'm cadw rhag siarad yn fyrbwyll;
gras i faddau i bawb a wnaeth gam â mi;
gras i fod yn dyner tuag at bawb sy'n wannach na mi;
gras i fod yn ddiysgog yn fy nymuniad
y bydd i ti gyflawni yr hyn y gweddïaf amdano'n awr.

John Baillie, 1886–1960, cyf.Trebor Lloyd Evans

182 WYNEBU'R DYDD HWN
O Arglwydd, pâr i mi wynebu popeth a ddaw i'm rhan
yn ystod y dydd hwn â thangnefedd ysbrydol.
Pâr i mi fy ildio fy hun yn llawen i'th ewyllys sanctaidd.
Yn ystod pob awr o'r dydd hwn, cynnal fi yn fy holl orchwylion.
Dysg i mi dderbyn gyda thawelwch enaid pa newyddion
bynnag a ddaw i'm rhan yn ystod y dydd, yn y gred sicr fod
dy ewyllys sanctaidd di ym mhob peth.
Yn fy holl eiriau a'm gweithredoedd,
arwain fy meddyliau, fy nheimladau a'm synhwyrau.
Ym mhob digwyddiad annisgwyl, pâr i mi beidio anghofio
fod popeth yn cael ei anfon gennyt ti.
Dysg i mi ymddwyn yn agored ac yn rhesymol tuag at
bawb y cyfarfyddaf â hwy,
fel na bydd neb yn cael ei frifo na'i chwerwi.
O Arglwydd, rho i mi nerth i ddwyn blinder y dydd hwn
ac unrhyw beth a all ddigwydd yn ystod y dydd.
Arwain fy ewyllys, a dysg fi i weddïo, i gredu,
i obeithio, i ddioddef,
i faddau ac i garu.

Boreol Weddi Henuriaid Optina

183   TROI AT YR ARGLWYDD
    O Dydi, yr hwn
    o gael ein troi oddi wrthyt yw cwympo,
    o gael ein troi atat yw cyfodi,
    ac o sefyll ynot yw parhau hyd y diwedd:
    rho i ni yn ein holl ddyletswyddau dy gymorth,
    yn ein holl beryglon dy nodded,
    ac yn ein holl drallodion dy hedd.

Awstin Sant, 354–430

184   CADW RHEOL CRIST
    O Arglwydd Dduw, yr hwn a wyddost fod gennym
    lawer o demtasiynau i'w gorchfygu,
    llawer o ddrygau i'w hosgoi,
    llawer o anawsterau i'w goresgyn,
    a chynifer cyfle i wneud daioni:
    trefna felly ein holl orchwylion,
    fel y byddwn ym mhob peth
    yn cadw rheol berffaith Crist
    ac yn ymroi yn gyntaf i'th wasanaethu di,
    yna eraill, a'n hunain yn olaf.

E. Milner-White, 1884–1963

185   ARGLWYDD FY NGHALON
    Arglwydd fy nghalon,
    rho i mi weledigaeth i'm hysbrydoli,
    er mwyn i mi, wrth weithio a gorffwys,
    feddwl yn wastad amdanat ti.
        Arglwydd fy nghalon,
    rho i mi oleuni i'm harwain,
    er mwyn i mi gerdded yn wastad yn dy ffyrdd di.
        Arglwydd fy nghalon,
    rho i mi ddoethineb i'm cyfarwyddo,
    er mwyn i mi, wrth feddwl a gweithredu,
    ddewis y da ac ymwrthod â'r drwg.
        Arglwydd fy nghalon,
    rho i mi wroldeb i'm nerthu,
    er mwyn i mi, ymysg cyfeillion a gelynion,
    dystio'n wastad i'th gyfiawnder di.
        Arglwydd fy nghalon,
    rho i mi ymddiriediaeth ynot,
    er mwyn i mi, mewn cyni a digonedd,
    ddibynnu'n wastad ar dy drugaredd di.

Arglwydd fy nghalon,
cadw fi rhag chwennych clod y byd,
er mwyn i mi yn wastad dy glodfori di.
   Arglwydd fy nghalon,
cadw fi rhag chwennych cyfoeth,
er mwyn i mi ddymuno'n wastad drysorau'r nef.
   Arglwydd fy nghalon,
cadw fi rhag meddyliau cyfeiliornus,
er mwyn i mi fyfyrio'n wastad yn dy Air.
   Arglwydd fy nghalon,
cadw fi rhag pleserau gwag,
er mwyn i mi'n wastad lawenhau ym mhrydferthwch dy gread.
   Arglwydd fy nghalon,
pa beth bynnag a ddaw i'm rhan,
rheola fy meddyliau a'm teimladau,
fy ngeiriau a'm gweithredoedd.

R.Van deWeyer, yn seiliedig ar weddi Geltaidd

186 OFFERYN TANGNEFEDD
Arglwydd, gwna fi'n offeryn dy dangnefedd:
   lle mae casineb, boed i mi hau cariad;
   lle mae niwed, pardwn;
   lle mae amheuaeth, ffydd;
   lle mae digalondid, gobaith;
   lle mae tywyllwch, goleuni;
   lle mae tristwch, llawenydd.
O Feistr dwyfol, caniatâ
   fy mod nid yn gymaint yn ceisio cysur
   ond yn ei roi;
   nid yn gymaint yn dymuno cael fy neall
   ond yn ceisio deall;
   nid yn gymaint yn dymuno cael fy ngharu
   ond yn rhoi cariad,
   oherwydd wrth roi y derbyniwn;
   wrth faddau y derbyniwn faddeuant,
   ac wrth farw y deffrown i fywyd tragwyddol.

Ffransis o Assisi, 1181–1226

187 NAC ANGHOFIA FI
Gwyddost, O Dduw, pa mor brysur y mae'n rhaid i mi fod y
dydd hwn; os anghofiaf di, nac anghofia di fyfi;
er mwyn Iesu Grist.

Yr Arglwydd Astley, 1579–1652, cyn Brwydr Edgehill

188   DUW O'M HAMGYLCH

Bydd oddi mewn, O Arglwydd, i'm puro,
bydd oddi fry i'm codi,
bydd oddi tanaf i'm cynnal,
bydd o'm blaen i'm harwain,
bydd o'm hôl i'm hatal,
bydd o'm hamgylch i'm hamddiffyn.

Padrig Sant, 5ed ganrif

189   IESU YN Y CANOL

Arglwydd Iesu,
diolch i ti am ddod i ganol ein bywyd a'n cyflwr
i fod yn geidwad ac yn gyfaill i ni.
    Pan deimlwn yn ofnus,
pan fydd ein pryderon yn troi'n hunllef i ni,
a phan weddïwn dros eraill
sydd yn nhywyllwch eu gofidiau:
    Iesu, bydd di yn y canol.
Pan ddaw afiechyd i'n blino,
pan fydd poen a llesgedd yn mynd yn drech na ni,
a phan weddïwn dros eraill
sy'n wael ac yn wan:
    Iesu, bydd di yn y canol.
Pan ddaw anghydfod
i chwalu'n perthynas â chyfeillion ac anwyliaid,
a phan geisiwn gyfryngu cymod
a goresgyn ffrae:
    Iesu, bydd di yn y canol.
Pan geisiwn weithio dros dy deyrnas yn y byd,
pan gawn ein digalonni gan fethiant a diffyg ymateb,
a phan weddïwn dros dy Eglwys
ym mhob cwr o'r ddaear:
    Iesu, bydd di yn y canol.
    Pan ddown ynghyd i addoli,
i ddathlu'n ffydd,
i offrymu mawl a diolch,
i wrando'r Gair a thorri bara,
i rannu cymdeithas â'n gilydd
ac i geisio dy gwmni di:
    Iesu, bydd di yn y canol,
    yn awr a phob amser.

Golygydd

102

190   IESU GRIST YN BOPETH
O Grist,
bydd di i mi yn ddechreuad, bydd i mi yn ddiwedd,
bydd i mi yn ffordd, bydd i mi yn oleuni,
bydd i mi yn nerth, bydd i mi yn orffwysfa,
bydd i mi yn feddwl, bydd i mi yn wirionedd,
bydd i mi yn feistr, bydd i mi yn gariad,
bydd i mi yn fywyd, yn Arglwydd,
yn bopeth.

E. Milner-White, 1884–1963

191   TYRED, ARGLWYDD IESU
Tyred, Arglwydd Iesu,
pâr i'r Gair tragwyddol gael ei glywed
ymysg yr holl leisiau dan y nefoedd,
fel y clywom ef ynom yn eglurach,
ac y dilynom ef yn ddiwyd,
yn ôl dy oleuni a'th nerth di,
ein gwreiddyn ynom.

Morgan Llwyd, 1619–59

192   AM GALON UFUDD
Arglwydd,
dyro i ni dy weision
tuag at ein Duw, galon o dân;
tuag at ein cyd-ddynion, galon o gariad;
tuag atom ein hunain, galon o ddur.

Awstin Sant, 354–430

193   AM DDIRNADAETH
Caniatâ i mi, O Arglwydd,
wybod yr hyn sy'n werth ei wybod,
caru yr hyn sy'n werth ei garu,
moli yr hyn sy'n rhyngu dy fodd di,
trysori yr hyn sy'n werthfawr yn dy olwg di,
casáu yr hyn sy'n atgas gennyt ti.
    Gwared fi rhag barnu yn ôl yr hyn a welaf,
na dedfrydu yn ôl yr hyn a glywaf,
ond i fedru dirnad yr hyn sydd yn rhagori,
ac uwchlaw pob dim, i chwilio am, a gwneud,
yr hyn sydd wrth dy fodd di;
trwy Iesu Grist ein Harglwydd.

Thomas à Kempis, 1380–1471

194   Y GRAS O GARIAD BRAWDOL

Dyro inni, O Arglwydd, dy garu â'n holl galon, a'n cymydog er
dy fwyn di, fel y preswylia ynom y gras o gariad brawdol, ac y
darfyddo ynom bob cenfigen, malais a chas.

Pâr i ni lawenhau yn llawenydd a hapusrwydd eraill,
cydymdeimlo â hwynt yn eu tristwch, a bwrw ymaith bob
meddwl cenfigennus a phob barn greulon, a'th ddilyn di, yr hwn
wyt dy hun yn wir a pherffaith gariad.

Bob Bore o Newydd, BBC, 1938

195   DEFFRO

Agorais fy llygaid a gwelais y dydd
   a'i oleuni glân yn golchi f'ystafell.
Arglwydd, ti biau'r haul,
   ti biau'r dydd,
   ti biau fy neffro.
O Arglwydd, y Wawr Ddifachlud,
   glanha fy meddwl,
   goleua fy ewyllys,
   gloywa fy mrwdfrydedd.
Cysgais drwy'r nos yn dawel yn dy dangnefedd.
Dihunais trwy dy ras.
Maddau mor fynych rwy'n dihuno'n groes,
   ac yn dechrau'r dydd dan gwmwl blin.
Arglwydd, gwna fi'n effro i'r cariad sy'n amgylchynu fy mywyd;
   gwna fi'n effro i anghenion fy nghymydog ac i gri dy blant;
   gwna fi'n effro i'th arweiniad di,
   beth bynnag a ddigwydd heddiw.
Agoraf fy llenni a gweld y byd –
   diolch am fedru gweld:
   y llefrith ar stepan y drws –
   mae rhywun yn gofalu;
   y llythyrau drwy'r post –
   mae rhywrai'n meddwl amdanaf;
   dysg im ateb pob llythyr â chwrteisi a doethineb.
Dydd newydd, cyfle newydd –
   diolch i ti, Arglwydd, amdano.
Beth sydd gan heddiw i'w gynnig, tybed?
Ti yn unig a ŵyr;
   digon i mi, Arglwydd, yw wynebu heddiw gyda thi,
   a bod yn effro.

J. Pinion Jones

196 POPETH A DDAW ODDI WRTH DDUW

O Arglwydd, na ad i mi o hyn allan ddymuno iechyd a bywyd,
ond i'w treulio i ti. Tydi yn unig a ŵyr beth sydd orau i mi;
gwna, felly, yr hyn sydd dda yn dy olwg. Dyro i mi, neu cymer
oddi arnaf; gwna fy ewyllys yn un â'th ewyllys di. Dyro i mi
fedru derbyn dy orchmynion gydag ymddiriedaeth sanctaidd ac
ufudd-dod gostyngedig. A dyro i mi fedru canmol popeth a ddaw
imi oddi wrthyt ti; trwy Iesu Grist ein Harglwydd.

Pascal, 1623–62

197 SEFYLL YN WROL YN Y FFYDD

O Dad nefol,
Tad pob doethineb a deall a gwir nerth,
er mwyn dy unig Fab, Iesu Grist, ein Gwaredwr,
edrych yn dosturiol ar ddyn truenus fel fi,
a rho dy Ysbryd Glân yn fy nghalon,
fel y deallaf, yng ngoleuni dy ddoethineb di,
nid yn unig sut i wynebu'r demtasiwn hon,
ond fel y gallaf ymladd yn hy er gogoniant dy enw.

Ac wedi derbyn amddiffyn dy ddeuheulaw,
sefyll ohonof yn wrol yn dy ffydd ac yn dy wirionedd,
ac aros felly hyd ddiwedd fy nyddiau;
trwy Iesu Grist ein Harglwydd.

Yr Esgob Ridley, 1500–55, ychydig ddyddiau cyn ei losgi wrth y stanc

198 DIGIO

Arglwydd Iesu,
cawn hi'n hawdd iawn i fod yn ddig.
Rydym yn ddig yn aml oherwydd rhai pethau sy'n ein brifo,
ac ambell dro teimlwn fod gennym yr hawl i dalu'r pwyth yn ôl.
Ond nid dyna dy ffordd di:
dysgaist ni i faddau heb gyfrif y troeon y troseddwyd yn ein
herbyn;
dangosaist trwy esiampl na ddylem bwdu ar amrantiad.
Roeddet ti'n ddig wrth weld pobl yn ymelwa ar draul eraill
gan honni eu bod yn gweithredu yn enw Duw,
neu pan oedd pobl yn chwarae ar ofnau a gwendidau eraill.
Ond roeddet ti'n gweddïo hyd yn oed dros droseddwyr.
Cadw ni mewn cytgord â'th ewyllys di
fel y llefarwn yn erbyn yr hyn sy'n groes
i ewyllys a phwrpas Duw.

Gweddïau i'r Eglwys a'r Gymuned, addas. Trefor Lewis

199 DEFNYDDIA FI, ARGLWYDD
Defnyddia fi, O Arglwydd,
   i ba amcanion ac ym mha ffordd bynnag y mynni.
Dyma fy nghalon dlawd, llestr gwag, llanw hi â'th ras.
Dyma fy enaid pechadurus ac anniddig, bywha ac adnewydda ef
   â'th gariad.
Cymer fy nghalon a gwna hi'n drigfa i ti.
Cymer fy nhafod i draethu ar led ogoniant dy enw.
Cymer fy serch a'm holl alluoedd i hyfforddi y neb a gredo ynot.
Na ad i sefydlogrwydd fy ffydd lesgáu,
   fel y gallwyf ddywedyd o'm calon bob amser:
'Y mae ar Iesu fy eisiau ac arnaf finnau ei eisiau yntau.'

D. L. Moody, 1837–99

200 GWNEUD DY EWYLLYS
Arglwydd, deled dy deyrnas i'n plith
   fel y gelli di, fel Brenin, reoli ein calonnau â'th Ysbryd nefol,
   a ninnau fel deiliaid ufudd yn cymryd ein rheoli gennyt.
Bydd di yn Dduw inni, a gad i ni fod yn bobl i ti.
Bydd di yn Dad a ninnau yn blant;
   ti yn Arglwydd a ninnau'n weision;
   ti yn gorchymyn a ninnau'n ufuddhau;
   ti yn gwahardd a ninnau'n ymgadw,
   fel y gwnawn dy ewyllys ar y ddaear
   fel y mae'r angylion yn ei wneud yn y nef,
   nid dros un peth ond ym mhob peth,
   nid dros dro ond yn dragywydd,
   nid yn ddiog ond yn awyddus,
   er gogoniant i'th enw ar y ddaear fel yn y nef.

Rhys Prichard, 1579–1644

201 AM GAEL FY SANCTEIDDIO'N GWBL OLL
O Dduw tragwyddol, sancteiddia fy nghorff a'm henaid, fy
meddyliau a'm bwriadau, fy ngeiriau a'm gweithredoedd, fel y
byddo pa bethau bynnag a feddyliaf, a lefaraf ac a wnaf, wedi eu
hamcanu er gogoniant i'th enw, ac y byddont, trwy dy fendith,
yn effeithiol a llwyddiannus yn dy waith. Na fydded i unrhyw
falchder neu hunan-gais, cybydd-dod neu ddial, bwriadau cas
neu ddychmygion isel lygru fy ysbryd, na halogi dim o'm geiriau
na'm gweithredoedd; eithr boed fy nghorff yn was i'm hysbryd, a
chorff ac ysbryd gyda'i gilydd yn weision i Iesu, fel y perffeithir
ynom dy ddelw ac y datguddir dy ogoniant.

Jeremy Taylor, 1613–67

202 Y CARWR SANCTAIDD

O Arglwydd Dduw,
ti Garwr Sanctaidd fy enaid,
pan ddoi di i mewn i'm henaid
y mae fy nghalon yn llawenhau yn fawr;
ti yw fy ngogoniant ac ymffrost fy nghalon;
ti yw 'ngobaith a'm lloches yn nydd fy nghyfyngder.

Rhyddha fi o afael pob nwyd annuwiol
ac iachâ fy nghalon o'i holl drachwantau,
ac wedi fy nglanhau oddi mewn,
byddaf yn gymwys i garu,
yn ddewr i ddioddef,
ac yn gadarn i ddyfalbarhau.

Nid oes dim yn felysach na chariad,
dim yn fwy dewr, dim yn llawnach na gwell
yn y nefoedd nac ar y ddaear;
oherwydd cariad o Dduw y mae,
ac ni all orffwys ond yn Nuw.

Dyro i mi dy garu yn fwy na mi fy hunan,
a'm caru fy hunan yn unig er dy fwyn di.

Thomas à Kempis, 1380–1471

203 MANTELL CRIST

Cymorth ni, O Dduw, yn ffydd dy sanctaidd Apostol, Paul,
i wisgo amdanom Grist ein Meistr, dy unig-anedig Fab:
i wisgo mantell ei haelioni –
yr hwn er ein mwyn ac er ein hiachawdwriaeth a ddaeth i
    lawr o'r nef;
mantell ei burdeb –
yr hwn a demtiwyd fel ninnau, eto heb bechod;
mantell ei ufudd-dod –
byd yr hwn oedd gwneud dy ewyllys di;
mantell ei ostyngeiddrwydd –
yr hwn oedd yn ein plith fel un yn gwasanaethu;
mantell ei ffydd a'i wroldeb –
yr hwn, a ninnau yn ein pechodau, a fu farw drosom;
mantell ei offeiriadaeth –
yr hwn a ddug ymaith bechodau llaweroedd
ac a garodd ei eiddo ei hun hyd y diwedd;
i wisgo amdanom fantell ei ddoethineb a'i rym trwy godi ei groes,
er mwyn i ni yn y diwedd dderbyn gwobr ei goron.

E. Milner-White, 1884–63

204 ATEBION DUW

Gofynnais am nerth fel y gallwn lwyddo;
    fe'm gwnaed yn wan fel y dysgwn ufuddhau yn ostyngedig.
Gofynnais am iechyd fel y gallwn gyflawni pethau mawr;
    rhoddwyd i mi lesgedd fel y gallwn gyflawni pethau gwell.
Gofynnais am olud fel y gallwn fod yn hapus;
    rhoddwyd i mi dlodi fel y gallwn fod yn ddoeth.
Gofynnais am allu fel y gallwn ennill canmoliaeth dynion;
    rhoddwyd i mi wendid fel y profwn yr angen am Dduw.
Gofynnais am bopeth fel y gallwn fwynhau bywyd;
    rhoddwyd i mi fywyd fel y gallwn fwynhau popeth.
Ni dderbyniais ddim y gofynnais amdano;
    ond derbyniais y cyfan y gobeithiwn amdano.
Er fy ngwaethaf, atebwyd fy ngweddïau dilafar:
    yr wyf, o blith dynion, y mwyaf breintiedig.

Milwr dienw yn Rhyfel Cartref America

205 AGOSRWYDD IESU

Bydded yr Arglwydd Iesu Grist
yn agos ataf i'm cynnal,
o'm mewn i'm hadfywio,
o'm hamgylch i'm hamddiffyn,
o'm blaen i'm harwain,
o'm hôl i'm cyfiawnhau,
uwchlaw i'm bendithio:
yr hwn sy'n byw a theyrnasu
gyda'r Tad a'r Ysbryd Glân,
yn un Duw yn oes oesoedd.

The Oxford Book of Prayer

206 O FEWN CYRRAEDD

Diolch i ti, Arglwydd,
dy fod o fewn cyrraedd bob awr o'r dydd a'r nos,
ar dywydd mawr ac ar dywydd braf.
    Ond y mae'n rhaid i mi gyffesu, Arglwydd,
mai gofyn am rywbeth gennyt y byddaf braidd bob tro;
mai 'dyro' yw bwrdwn fy sgwrs pan alwaf arnat.
    Anaml y galwaf arnat am fod dy sgwrs yn felys;
mae pob dydd mor llawn a minnau mor brysur
fel mai anaml y galwaf arnat ond i'th ddefnyddio.
    Maddau i mi, Arglwydd trugarog.

R. Gwilym Hughes, 1910–97

207 DILYN IESU

O Arglwydd Iesu,
yr wyf am fod gyda thi;
yr wyf yn ceisio dy ddilyn di,
ond gwn na allaf dy ddilyn
heb ymgysegru'n llwyr i'th achos gogoneddus.
    Teimlaf fod llawer o gymhellion
yn fy nal yn ôl,
ac arswydaf rhag edrych arnynt.
    Ond gwn dy fod ti, wrth gamu ymlaen,
yn disgwyl i mi dy ganlyn.
    O Arglwydd Iesu,
tyrd yn ôl i wenu arnaf,
i ddweud wrthyf am ymwroli a'th ddilyn.
    Tosturia wrthyf;
yr wyt ti'n fy adnabod yn well
nag yr wyf yn fy adnabod fy hun.
    Dyro i mi dy law.
    Dyro i mi dy law.

Pennar Davies, 1911–96

208 DROS EIN GWAITH

Arglwydd,
    rhannol ac amherffaith yw ein gwaith drosot ti.
Hoffem gyffwrdd â'r byd er daioni,
    ond y mae'n cyffyrddiad yn aml yn drwsgl a niweidiol.
Hoffem ofalu am dy greadigaeth,
    ond yr ydym mor aml yn ei llygru ac yn gwastraffu ei
    hadnoddau.
Hoffem wasanaethu rhai llai ffodus na ni,
    ond yr ydym yn amharod i rannu'n aberthol ag eraill.
Hoffem sefyll dros y gwir,
    ond mor aml yr ydym yn dawedog yn wyneb gormes a
    drygioni.
Hoffem rannu'n ffydd yn llawen a ffyddiog,
    ond y mae swildod a diffyg ymddiriedaeth ynot ti yn ein hatal.
Y mae dy angen di arnom, Arglwydd,
    i'n cynorthwyo, i'n calonogi
    ac i'n gwneud yr hyn yr wyt ti am i ni fod –
    cydweithwyr â thi
    a chyfryngau mwy effeithiol i'th deyrnas yn y byd.

Golygydd

209 GWYLEIDD-DRA IESU GRIST

Tyn ymaith o'n calonnau, O Arglwydd Dduw,
bob hunanhyder ac ymffrost,
pob meddwl uchelfrydig ac ofer,
pob awydd i'n hesgusodi'n hunain am ein pechodau,
neu i gymharu ein hunain yn drahaus ag eraill.

Pâr i ni, yn hytrach, gymryd fel ein Meistr a'n Brenin
yr un a ddewisodd gael ei goroni â drain
a marw mewn gwarth dros eraill
a throsom ni oll:
dy Fab, ein Gwaredwr, Iesu Grist.

Y Deon Charles John Vaughan, 1816–97

210 DEWRDER A DOETHINEB

Arglwydd, rho i ni'r serenedd
i dderbyn yn dawel y pethau na ellir eu newid,
y dewrder i newid y pethau y gellir eu newid,
a'r ddoethineb i fedru gwahaniaethu rhyngddynt

Reinhold Niebuhr, 1892–1971

211 GOLEUNI AC ARWEINIAD IESU

O Grist y Goleuni,
goleua ein tywyllwch â disgleirdeb dy sancteiddrwydd
a chymorth ni i rodio yn dy oleuni
holl ddyddiau ein bywyd.

O Grist y Ffordd,
arwain ni ar hyd ffordd cyfiawnder a chariad,
a chymorth ni i godi'r groes,
i ymwadu â'r hunan a'th ganlyn di.

O Grist y Gwirionedd,
dysg ni i adnabod Duw yn dad a'n cyd-ddyn fel brawd,
a nertha ni i ddwyn pobl i gymod â'i gilydd,
ac i ddymchwel pob anwiredd a gorthrwm.

O Grist y Bugail Da,
a roddaist dy fywyd drosom i'n rhyddhau oddi wrth ein pechodau,
casgla ni ynghyd i'th gorlan,
a phâr i ni fyw yn y rhyddid a enillaist i ni.

O Grist y Brenin,
teyrnasa yn ein calonnau,
deled dy deyrnas a gwneler dy ewyllys
ynom ni ac ar y ddaear, fel y mae yn y nef.

Golygydd

212 MEWN YSBYTY

O Arglwydd, tyner ac agos,
tyrd at erchwyn fy ngwely.
    Mae poen yn fy mlino,
rwy'n chwysu,
yn troi a throsi,
yn taflu i fyny;
O Iesu, tyrd ataf.
    Bu'r meddyg yma;
archwiliodd fy nghorff,
byseddodd y 'tynerwch',
a holi'r hanes;
gwnaeth ddyfarniad a sgrifennodd nodiadau.
    Bu'r radiograffydd yma,
a thynnodd luniau –
o'r chwith, o'r dde,
o'r tu blaen, o'r tu ôl.
    Bu'r technegwr yma, o'r labordy;
priciodd fy mys,
a phigodd wythïen
am sampl o'm gwaed.
    Bu'r fferyllydd yma;
cefais dabledi a moddion,
a chwistrelliad.
    Bu'r deietegydd yma,
a chaniatáu imi ddogn bach
o'r bwyd angenrheidiol.
    Bu'r nyrs yma,
yn trin y clwyf,
yn fy molchi a thaenu'r gwely,
a rhoi llymad i mi a thamaid,
ac ambell wên rhwng sgwrs.
    Bu'r gweinidog yma:
holodd fi a'm cysuro,
darllenodd a gweddïodd.
    Diolch i ti, Arglwydd,
am ddod mor agos
mewn poen a blinder.
    Cymorth fi i ddysgu
llawenhau mewn gorthrymderau:
'Canys bûm glaf, ac ymwelsoch â mi.'

P. Huw Lewis

213 AM DDEWRDER

Gofynnwn i ti, O Dduw ein Tad, am ddewrder:
dewrder i wynebu siomedigaeth heb chwerwi;
dewrder i ysgwyddo cyfrifoldeb yn llawen;
dewrder i ddal gafael ar yr hyn sydd dda
yn wyneb drygioni;
dewrder i arbrofi heb ofni gwneud camgymeriadau;
dewrder i godi pan syrthiwn, ac yna i ddal ymlaen;
dewrder i fod yn dystion da i Iesu Grist.
Clyw ein gweddi, yn ei enw ef.

Gweddïau i'r Eglwys a'r Gymuned, addas. Trefor Lewis

214 EIN GWENDID A'N HANGEN

Arglwydd, ein Duw a'n Tad,
yr wyt ti'n gwybod anghenion ein calonnau a'n heneidiau
cyn i ni ofyn dim gennyt,
ac y mae ein holl ddeisyfiadau yn hysbys i ti.

Deuwn atat yn wan, gan wybod dy fod yn medru'n nerthu;
deuwn yn drist, gan wybod dy fod yn barod i'n cysuro;
deuwn yn newynog, gan wybod dy fod yn cynnig ein porthi
â bara'r bywyd;
deuwn yn edifeiriol, gan wybod dy fod yn estyn i ni faddeuant;
deuwn yn enw Iesu Grist, gan wybod ei fod ef
wedi agor ffordd i ni i fynwes y Tad.

Amgylchyna ni â'th bresenoldeb
ac adnewydda ni â'th Ysbryd Glân.

Caryl Micklem, 1925–2001, addas.

215 MYND YN HŶN

Arglwydd, gwyddost yn well na mi fy mod yn mynd yn hŷn,
ac y byddaf ryw ddydd yn hen.

Cadw fi rhag bod yn siaradus, ac yn arbennig rhag syrthio i'r
fagl o feddwl bod rhaid i mi ddweud rhywbeth ar bopeth, ar bob
amgylchiad.

Rhyddha fi oddi wrth yr ysfa i geisio datrys problemau pawb.

Gwna fi yn feiddgar heb fod yn hollwybodus; yn gynorthwyol
heb fod yn ymwthgar.

Gan fod gennyf stôr anferth o ddoethineb, byddai'n biti
peidio â'i ddefnyddio, bob mymryn ohono; ond gwyddost,
Arglwydd, y bydd arnaf eisiau rhai ffrindiau at y diwedd!

Rhyddha fy meddwl rhag gormes y manylu diddiwedd; rho
rwyddineb imi ddod at y pwynt.

Selia fy ngwefusau ynghylch fy mhoenau a'm blinder fi fy hun; y maent hwy'n anaml, ond y mae fy hoffter o'u rhestru yn cynyddu gyda'r blynyddoedd.

Ni feiddiaf ofyn am fwy o ras i fwynhau gwrando ar gwynion eraill, ond helpa fi i'w goddef yn amyneddgar.

Ni feiddiaf ofyn, chwaith, am well cof, ond yn hytrach am fwy o ostyngeiddrwydd a llai o hunanhyder pan yw fy nghof innau'n anghytuno ag atgofion pobl eraill.

Dysg imi'r wers bwysig y gallaf fethu ambell dro.

Cadw fy ysbryd yn weddol felys.

Ni fynnaf fod yn sant – mae'n anodd byw gyda rhai ohonyn nhw – ond hen wraig sur yw un o gampweithiau'r diafol.

Rho i mi'r gallu i weld pethau da mewn mannau annisgwyl a doniau mewn pobl annhebygol.

A rho i mi, O Arglwydd, ras i ddweud hynny wrthynt.

Gweddi Lleian o'r 17eg ganrif

216   TRWY GYDOL ORIAU'R DYDD
Dragwyddol Dad fy enaid,
boed fy meddwl cyntaf heddiw amdanat ti,
a'm hawyddfryd cyntaf i'th addoli;
boed ymadroddion cyntaf fy ngenau am dy enw,
a'm gweithred gyntaf fo plygu ger dy fron mewn gweddi.
Caniatâ i'r munudau tawel hyn
droi'n oleuni a llawenydd a nerth
a fydd yn aros gyda mi drwy gydol oriau'r dydd,
i'm cadw'n lân fy meddwl;
i'm cadw'n gymedrol a gwir fy ngair;
i'm cadw'n ffyddlon a diwyd yn fy ngwaith;
i'm cadw'n wylaidd o ran fy syniad amdanaf fy hun;
i'm cadw'n anrhydeddus a hael yn fy ymwneud ag eraill;
i'm hatgoffa o'm tynged dragwyddol fel plentyn i ti.

John Baillie, 1886–1960, cyf. Trebor Lloyd Evans

217   GWASANAETH TEILWNG
Dysg ni, O Arglwydd, i gyflwyno i ti wasanaeth teilwng ohonot:
i roi heb gyfri'r gost;
i ymladd heb ystyried y clwyfau;
i lafurio heb geisio gorffwystra,
i weithio heb ddisgwyl unrhyw wobr,
ond yn unig wybod ein bod yn rhyngu dy fodd di.

Ignatius Loyola, 1491–1556

218 FFORDD YR EFENGYL

Diolch i ti, Arglwydd,
am bob gras a bendith a ddaw i ni
o gerdded ffordd yr Efengyl.

Diolch i ti fod y ffordd hon yn arwain
o dywyllwch i oleuni,
o dristwch i lawenydd,
o ganol byd i ganol nef.

Diolch i ti am y rhai a'n tywysodd i adnabod Iesu
ac a'n dysgodd mai ei ffordd ef
yw'r unig ffordd werth ei thramwyo.

Diolch i ti am bopeth a ddysgwn am y ffordd hon yn y Beibl,
yn nefosiwn yr oesau
ac yn esiampl y saint;
a diolch i ti am dy gwmni di ar ein taith.

Pan yw'r llwybr yn droellog,
yr hin yn anffafriol a'r teithio'n anodd,
yr wyt ti hefo ni i'n cynnal a'n calonogi;
a phan grwydrwn oddi ar dy lwybrau,
yr wyt ti yn ein harwain yn ôl atat dy hun.

Gweddïwn dros bawb sy'n cerdded ffordd yr Efengyl.

Gweddïwn dros blant a phobl ifanc
sy'n cychwyn ar y daith:
helpa hwy i ganfod llwybr y bywyd
a phlanna awydd ynddynt i'th ddilyn di.

Gweddïwn dros y rhai sydd wedi cyrraedd
carreg filltir bwysig ar y ffordd:
rhai yn cychwyn ar eu gyrfa;
rhai yn priodi ac yn sefydlu eu cartref eu hunain;
rhai yn mentro i gylch newydd neu i wlad ddieithr:
helpa hwy i lynu wrth y pethau gorau
ac i gadw eu ffydd yn fyw.

Gweddïwn dros yr aeddfed a'r profiadol
fu'n cerdded y ffordd hon ers blynyddoedd:
nertha hwy i barhau ar y daith
a chynnal hwy pan ddaw'r demtasiwn i gilio.

Gweddïwn dros yr hen
a'r rhai sy'n tramwyo milltiroedd olaf y daith;
bydd gyda hwy pan fydd eu nerth yn pallu,
a rho iddynt y sicrwydd dy fod gyda hwy
hyd y diwedd a thrwy'r diwedd
i gychwyn newydd yn dy gwmni a'th oleuni di.

Gweddïwn dros bawb sy'n cael y daith yn anodd:
rhai oherwydd afiechyd a gwendid corff,
rhai oherwydd pryder ac iselder ysbryd,
rhai oherwydd ansicrwydd ac amheuon:
estyn dy law i'w codi i fyny
a nertha eu camre ymlaen.

A phan ddaw diwedd y daith, O Arglwydd,
na foed i neb o'th blant fod ar goll,
ond tywys ni oll adref yn ddiogel
i'th bresenoldeb di dy hun.

Seiliedig ar weddi gan Caryl Micklem, 1925–2001

219 Y FFORDD, Y GWIRIONEDD A'R BYWYD
O Arglwydd Iesu Grist,
yr hwn a ddywedaist mai ti yw y ffordd, y gwirionedd a'r bywyd;
na ad inni grwydro unrhyw bryd oddi wrthyt ti,
yr hwn yw'r ffordd;
nac amau dy addewidion di,
yr hwn yw'r gwirionedd;
na gorffwys mewn dim heblaw ti dy hun,
yr hwn yw'r bywyd.

Dysg ni trwy dy Ysbryd Glân beth i'w gredu,
beth i'w wneud, ac ym mha le i gymryd ein gorffwys;
er mwyn dy enw glân.

Erasmus, 1466–1536

220 YNG NGHWMNI DUW
Arglwydd, yn dy gwmni di
rwy'n diosg fy sgidiau – fy nghynlluniau;
yn datod fy watsh – fy amserlen;
yn tynnu fy sbectol – fy syniadau;
yn rhoi lawr fy mhìn ysgrifennu – fy ngwaith;
yn rhoi heibio fy allweddi – fy niogelwch;
er mwyn bod yn dawel gyda thi,
yr unig wir Dduw.

Ac wedi bod yn dy gwmni
rhoddaf fy sgidiau amdanaf – i rodio yn dy ffyrdd di;
gwisgaf fy watsh – i fyw yn dy amser di;
estynnaf am fy sbectol – i edrych ar dy fyd di;
codaf fy mhìn ysgrifennu – i gofnodi dy feddyliau di;
defnyddiaf fy allweddi – i agor dy ddrysau di.

A Restless Hope, Llawlyfr Gweddi CWM, 1995

221 YMDDWYN YN DEILWNG
   Arglwydd sanctaidd,
   helpa ni yn ein llesgedd
   i ymddwyn fel y gweddai i Gristionogion:
   yn ostyngedig ac yn addfwyn,
   yn dosturiol ac yn drugarog,
   parod i wneud daioni y naill i'r llall,
   gan faddau yn ewyllysgar
   i'r rhai sydd wedi gwneud fwyaf yn ein herbyn,
   fel y mae Duw, er mwyn Crist, yn maddau i ninnau.
      Arglwydd sanctaidd,
   nid ydym yn deisyf arnat i'n gwrando ni a'n hateb
   yn ôl ein gweddïau a'n deisyfiadau cyfyng,
   anniben, anwybodus a phechadurus,
   ond o luosogrwydd dy drugareddau di
   a'th gariad rhydd a rhad yng Nghrist Iesu.

Vavasor Powell, 1617–70

222 AM GAEL RHANNU YM MUDDUGOLIAETH CRIST
   Arglwydd, gweddïwn am dy gymorth yn ein gwendidau, ac am
   dy nerth i orchfygu pob temtasiwn:
   Pan syrthiwn i afael drygioni a methu sefyll dros y da:
         Tyrd, Arglwydd, i'n nerthu.
   Pan ddewiswn ddweud celwydd yn hytrach na'r gwir:
         Tyrd, Arglwydd, i'n cywiro.
   Pan gollwn ein ffordd mewn bywyd a chrwydro oddi ar dy
   lwybrau:
         Tyrd, Arglwydd, i'n cyfarwyddo.
   Pan anghofiwn weddïo a phan esgeuluswn addoliad dy dŷ:
         Tyrd, Arglwydd, i fywhau'n heneidiau.
   Pan lithrwn i ddiogi corff, meddwl ac ysbryd:
         Tyrd, Arglwydd, i'n dihuno.
   Mewn poen, gofid a thristwch:
         Tyrd, Arglwydd, i'n gwroli.
   Mewn iechyd, llwyddiant a bodlonrwydd:
         Tyrd, Arglwydd, i'n rhybuddio.
   Mewn ofn, unigrwydd ac angau:
         Tyrd, Arglwydd, i'n harwain a'n cynnal.
   Arglwydd Iesu Grist, a orchfygaist ar y groes rym drygioni,
   rho i ni nerth i oresgyn ein gwendidau a'n pechodau,
   ac i rannu yn dy fuddugoliaeth di, yn awr a hyd byth.

Christopher Idle

223 LLESTR GWAG

Wele, Arglwydd, lestr gwag sydd ag angen ei lenwi:
O Arglwydd, llanw ef:
rwy'n wan fy ffydd, cryfha fi;
rwy'n oer mewn cariad, cynhesa fi a gwna
i'm cariad fynd allan at fy nghymydog.

Nid oes gennyf ffydd gref a chadarn;
ar brydiau rwy'n amau
ac yn methu ymddiried yn llwyr ynot.

O Arglwydd, cynorthwya fi.

Cryfha fy ffydd a'm hymddiriedaeth ynot ti:
rwyf fi'n dlawd, rwyt ti'n gyfoethog,
a daethost i drugarhau wrth dlodion;
rwyf fi'n bechadur, rwyt ti'n berffaith;
gyda mi y mae cyflawnder pechod;
ynot ti y mae cyfiawnder yn llawn.

Am hynny, arhosaf gyda thi,
oddi wrth yr hwn y medraf dderbyn,
ond i'r hwn na fedraf roi.

Martin Luther, 1483–1546

224 Y GOBAITH SY'N DYFALBARHAU

Diolch i ti, O Dduw, am y gobaith a ddaw i ni o ymddiried ynot:
y gobaith sy'n ein calonogi i ddal ati yng ngwaith y deyrnas, ac
yn ein cadw rhag ymollwng yn wyneb amgylchiadau anodd; y
gobaith sy'n ein hargyhoeddi fod y da yn drech na'r drwg, ac mai
dy deyrnas di fydd, yn y diwedd, yn ennill y dydd; y gobaith
sy'n ein gwroli i wynebu gofidiau bywyd, a thywyllwch angau,
am ein bod yn credu ein bod yn ddiogel ynot ti, pa beth bynnag
a ddaw.

George Appleton, 1902–93

225 CAEL DAL YN EI LAW

Fel y cuddia'r glaw y sêr;
fel y cuddia niwl yr hydref y bryniau;
fel y mae'r cymylau'n llen dros lesni'r wybren:
felly y mae profiadau tywyll fy oes
yn cuddio dy wyneb disglair oddi wrthyf.

Ond os caf ddal dy law yn y tywyllwch, digon yw,
am y gwn, er i mi faglu yn fy ngherddediad,
nad wyt ti byth yn syrthio.

O'r Gaeleg

226   AM LAWENYDD

     Arglwydd, dangos i ni gyfrinach gwir lawenydd:
     llawenydd mewn gwasanaeth, nid mewn hunan-les;
     llawenydd o roi yn hytrach na derbyn;
     llawenydd o rannu yn hytrach na chadw;
     llawenydd o geisio dy ewyllys di,
     nid ein hewyllys ein hunain;
     llawenydd o ddilyn a charu Iesu Grist,
     ein Harglwydd a'n Gwaredwr.

The Oxford Book of Prayer

227   MAE'R UN YN BWYSIG

     Dad nefol, mor fawr wyt ti!
     Mor fach wyf finnau!
     Gwyddost fel y mae arnom, ni'r rhai bach,
        y disgyblion cyffredin.
     Pan fo'r storm yn cynddeiriogi
        a'r tonnau'n curo arnom,
        mor ddiymadferth y teimlwn.
     Mae'n llong ni mor fechan
        a'th fôr di mor fawr!
     Daw adegau pan gawn ein llethu
        gan mor ddiymadferth ydym,
        yn enwedig pan fo pwerau tywyllwch a drygioni
        yn cau amdanom.
     Beth yw un yn erbyn llu?
     Beth a ddichon un dyn ei wneud?
     Dysgodd Iesu, serch hynny, fod yr un yn cyfrif.
     Soniodd am lawenydd yn y nef
        am un pechadur a edifarhao,
        ac aeth allan i chwilio am yr un ddafad
        nes dod o hyd iddi a'i hymgeleddu,
        a'i chludo ar ei ysgwydd yn ôl i'r gorlan.
     I Iesu Grist dy Fab y mae'n diolch yn ddyledus
        am ddangos inni fod yr un yn bwysig –
        yn ddigon pwysig iddo farw drosto.
     Arglwydd, cymer fi,
        y disgybl cyffredin, yn dy law,
        a defnyddia fi,
        yn dy briod ffordd dy hun,
        i fynegi dy dosturi a'th gariad yn y byd.

Maurice Loader

228 GWEDDI FOREOL AR DDYDD YR ARGLWYDD

O Arglwydd goruchaf, O Dduw tragwyddol, yr hwn sydd â'i holl
weithredoedd yn ogoneddus a'i feddyliau yn ddyfnion, ni
ddichon fod dim gwell na moliannu dy enw di a datgan dy
drugareddau yn y bore, ar y sanctaidd a'r bendigaid ddydd Saboth.

Megis y darfu i ti, o'th drugaredd, fy nghadw yn ddiogel hyd
ddechrau'r dydd bendigedig hwn, felly yr wyf yn atolwg i ti, ei
wneud yn ddydd cymod rhwng fy enaid pechadurus a'th
ddwyfol Fawrhydi. Rho i mi ras i'w wneud yn ddydd o
edifeirwch ger dy fron di, fel y byddo dy ddaioni yn ei selio yn
ddydd o faddeuant i mi, ac fel y gallaf gofio mai cadw yn
sanctaidd y dydd hwn yw'r gorchymyn a ysgrifennwyd gan dy
fys dy hun.

Caniatâ i mi y dydd hwn fyfyrio ar weithredoedd gogoneddus
ein creadigaeth a'n prynedigaeth, a dysgu'r modd i adnabod ac i
gadw y cwbl eraill o'th gyfreithiau a'th orchmynion sanctaidd.

Ac yn y man, byddaf ymhlith dy gynulleidfa sanctaidd, yn
ymddangos yn dy dŷ gerbron dy wyneb, i offrymu i ti fy moreol
aberth o foliant a diolch, ac i wrando beth a lefara yr Ysbryd ym
mhregethiad dy Air.

Dyro i mi ras i ymddwyn mewn gweddeidd-dra ac
anrhydedd, megis yn dy ŵydd di ac yng ngolwg dy angylion
sanctaidd, fel y gallaf, trwy dy ras, glywed yn fy nghalon
ddechreuad y Saboth tragwyddol, yr hwn mewn llawenydd a
gorfoledd y caf ei rannu gyda'th saint a'th angylion yn dy
deyrnas nefol yn dragywydd.

Yr holl bethau hyn yr wyf yn dra gostyngedig yn ymbil
amdanynt, er mwyn teilyngdod yr Arglwydd Iesu.

Lewis Bayly, *Yr Ymarfer o Dduwioldeb*, 1630, cyf. Rowland Vaughan

229 GWAITH Y DYDD

O Arglwydd, dysgaist ni i wneud ein gorau ymhob gwaith
ac i wneud popeth yn enw ein Harglwydd Iesu Grist
ac er dy ogoniant di:
rho dy fendith ar waith y dydd hwn
a rho i ni fod yn awyddus i ennill dy air da di
yn fwy na chanmoliaeth neb arall.
Ti biau pob gallu sydd gennym –
gallu ein corff a gallu ein meddwl;
gwna ni'n awyddus i'w defnyddio
yn dy wasanaeth ac er dy ogoniant.

D. Eirwyn Morgan, 1918–82

230 CYMORTH Y DRINDOD

Yn enw'r Tad,
Yn enw'r Mab,
Yn enw'r Ysbryd:
Tri yn un.
Dad, anwyla fi,
Fab, anwyla fi,
Ysbryd, anwyla fi:
Tri hollannwyl.
Dduw, sancteiddia fi,
Grist, sancteiddia fi,
Ysbryd, sancteiddia fi:
Tri hollsanctaidd.
O Dri, cymorth fy ngobaith,
O Dri, cymorth fy nghariad,
O Dri, cymorth fy llygad:
A'm glin rhag llithro,
A'm glin rhag llithro.

Carmina Gadelica III

231 WRTH GODI

Yn enw ein Harglwydd Iesu Grist a groeshoeliwyd, mi a godaf.
O Arglwydd, cyfarwydda fi, cadw a chadarnha fi ym mhob
gweithred dda, heddiw ac yn dragywydd; ac wedi'r pererindod
byr, gofidus hwn, dwg fi i'r gwynfyd a bery byth. *Amen.*

   Wrth wisgo amdanat:
O Iesu Sanctaidd, fel na weler cywilydd fy enaid pechadurus,
amwisga ef â gwisgoedd dy gyfiawnder, a chuddia ef â phob math
o rinweddau a grasol ddoniau. *Amen.*

   Wedi gwisgo amdanat:
O Iesu Daionus, cywir Briodfab f'enaid i, dyro i mi briod-wisg
dy ddwyfol gariad, trwy serch perffaith tuag atat. *Amen.*

   Wrth olchi dy lygaid:
O Ddisglair Oleuni di-baid, yr hwn wyt yn goleuo pob un sy'n
dod i'r byd hwn, goleua lygaid fy enaid, fel y gallwyf weld yn
berffaith, a chyflawni dy ewyllys fendigedig a rhyngu dy fodd.
Amen.

   Wrth olchi dy ddwylo:
O Arglwydd Dduw, yr hwn a'n ceraist ni gymaint, a golchi ein
heneidiau yn dy waed gwerthfawr, glanha, mi a atolygaf arnat, fy
nghalon a'm dwylo o holl frychau a budreddi pechod. *Amen.*

   Wrth olchi'r genau:

O Ddoethineb Ddwyfol, yr hwn wyt yn deillio o enau dy Dad
nefol, atolygaf arnat yn ostyngedig, glanha fy ngwefusau o bob
gair diffaith anfuddiol, fel nad agoraf fy ngenau fyth ond i'th
foliannu di ac er llesáu eraill. *Amen.*

    Y Fendith:

Duw'r Tad a'm bendithio;
Iesu Grist a'm hamddiffynno;
rhinwedd yr Ysbryd Glân a'm goleuo
ac a'm cyfarwyddo yr awr hon ac yn dragywydd.

John Hughes, Allwydd Paradwys i'r Cymry, 1670

232 YR UNIG WIR OLEUNI

Ti, O Arglwydd Iesu Grist, yw'r golau mwyaf o bob golau,
yr unig wir oleuni; y goleuni sy'n ffynhonnell golau'r dydd a'r haul:
ti oleuni, sy'n goleuo pob dyn a'r sydd yn dyfod i'r byd;
ti oleuni, na ddaw arno na nos na hwyrddydd,
ond sy'n para byth, yn ddisglair fel ar ganol dydd;
ti oleuni, heb yr hwn y mae pob peth yn dywyllwch dwfn,
a thrwy yr hwn y gwnaed pob peth yn oleuedig;
ti feddwl a doethineb y Tad nefol,
goleua fy neall, fel y byddaf wedi fy nallu i bob peth arall
ac yn gweld dim ond yr hyn sy'n perthyn i ti,
ac fel y byddwyf yn rhodio yn dy ffyrdd,
heb ddychmygu na hoffi unrhyw oleuni arall.

William Laud, 1573–1645

233 YNG NGOFAL DUW

Diolch i ti, O Dad, am gael bod yn dy ofal di. Ti wyddost mai
gwan iawn wyf fi, heb allu i ofalu amdanaf fy hun. Bychan yw
cylch fy nirnadaeth ac y mae'r tu allan i'r cylch hwnnw'n
dywyllwch i mi. Mae fy mywyd yn dibynnu ar gynifer o bethau:
ar barhad peiriant cywrain fy nghorff i weithio'n esmwyth; ar
barhad awyr a thywydd a daear a môr i ddal i ufuddhau i'w
ddeddfau; am barhad amgylchiadau ffafriol ym myd dynion.
Hwyrach hefyd fod bygythion anweledig o'r ddaear ac o'r gofod
yn anelu at fy mywyd. Ti yw'r unig un sy'n ddigon mawr i
ddelio â'r peryglon hyn i gyd, ac mae medru ymollwng a gadael
popeth yn dy law di yn gysur ac yn hyfrydwch imi. Dyro imi'r
sicrwydd nad oes ddrwg a all wneud mwy na chyffwrdd yn
arwynebol â'th blant di am fod ein bywyd wedi ei guddio'n rhy
ddwfn i'w niweidio – gyda Christ yn Nuw.

D. G. Merfyn Jones, 1916–98

234 GRAS I GYDYMDDWYN
    Arglwydd, rho i ni ras
i ddathlu hapusrwydd pobl eraill,
i fod yn falch o'u llwyddiant
ac i lawenhau pan brofant garedigrwydd annisgwyl.
    Arglwydd, rho i ni ras
i fod yn groesawgar tuag at bawb y cyfarfyddwn â hwy,
i gyfarch pawb mewn cyfeillgarwch,
ac i roi heibio pob drwgdeimlad a rhagfarn.
    Arglwydd, rho i ni ras
i ymddiheuro ac i dderbyn ymddiheuriad eraill,
i faddau bai, i estyn llaw i gymodi,
ac i anghofio siom ac annhegwch y gorffennol.
    Arglwydd, rho i ni ras
i beidio â chynddeiriogi pan gawn ein beirniadu ar gam,
i beidio â chwerwi pan fydd eraill yn cael eu canmol,
ac i gydnabod ein dyled i eraill am eu cymorth a'u cefnogaeth.
    Arglwydd, rho i ni ras
i gydymddwyn, i gydweithio ac i gyd-fyw,
yn dy gariad ac yn ôl dy ewyllys di.

Golygydd

235 CARIAD DUW A'N CARIAD NINNAU
Diolch i ti, O Dduw ein Tad,
    mai mewn cariad yr wyt ti wedi delio â ni erioed.
Yn dy gariad y creaist ddyn ar dy lun a'th ddelw dy hun
    a gwneud byd yn llawn cyfoeth ac amrywiaeth ar ei gyfer.
Yn dy gariad daethost yn agos iawn atom
    yn dy Fab, Iesu Grist,
    gan ddangos dy hun yn Dad tyner a graslon.
Yn ei dosturi ef,
    yn ymgeleddu'r gwan,
    yn cysuro'r anghenus
    ac yn iacháu'r cystuddiol,
    dysgodd i ni wir ystyr cariad.
Yn ei unigrwydd a'i ddioddefaint,
    yn ing ac angau'r groes,
    datguddiodd i ni ddyfnder a dirgelwch y cariad dwyfol.
Diolchwn mai yn y cariad hwn
    yr ydym yn byw, yn symud ac yn bod,
    a bod dy gariad di yn gorlifo
    i bob perthynas o gariad rhyngom a'n gilydd:

â'n hanwyliaid, ein cyfeillion, ein cymdogion
a'n cyd-ddynion ym mhob man.
Bendithia'n cyfeillion a gwna ni bob amser
   yn ffyddlon i'n gilydd,
   yn barod ein cymwynas,
   ac yn werthfawrogol o bob caredigrwydd.
Bendithia'n hanwyliaid a'n teuluoedd:
   gwna ni'n rasol ac amyneddgar
   ac yn ofalus bob amser o les ein gilydd.
Bendithia ni yn ein hymwneud â'n cyd-ddyn:
   yn arbennig cynorthwya ni
   i garu'r digyfaill,
   y gwrthodedig,
   a'r rhai nad yw'n hawdd i ni eu hoffi.
Dysg ni oll i garu fel y carodd Crist;
   i dyfu mewn gras,
   mewn tosturi ac mewn brawdgarwch,
   ac i adlewyrchu'n wastad
   ei gariad rhyfeddol a diderfyn ef.

Golygydd

236   AM GYMORTH I WELD YN EGLUR
Dy weld mewn drych a wnawn, Arglwydd;
dy weld yn rhannol, yn aneglur, yn amherffaith.
   Ynom y mae brwydr rhwng tywyllwch a goleuni,
ac ar adegau bydd y goleuni'n llosgi'n isel
a'r tywyllwch fel y fagddu:
   Arglwydd, dyro dy oleuni.
   Gweddïwn dros bawb sydd yng ngafael y tywyllwch:
tywyllwch ofn, ofergoeliaeth a gofid;
tywyllwch y bywyd hunanganolog;
tywyllwch methiant a chywilydd;
tywyllwch bywyd heb Dduw:
   Arglwydd, dyro dy oleuni.
   Symud ymaith bopeth sy'n dod rhyngom a thi;
ein hamheuon a'n hanawsterau,
ein hesgeulustod mewn gweddi,
ein diffyg ymroddiad i'n pererindod ysbrydol,
ac estyn i ni oleuni nefol i'n goleuo oddi mewn,
fel y gwelwn fwy a mwy o'th ogoniant
ac y rhodiwn beunydd yn dy ffyrdd.

anad.

123

237   DY ORSEDD YN EIN CALON
     O Arglwydd,
     lladd yn llwyr y pechod sy'n barod i'n hamgylchu;
     rho ffrwyn ar ein chwantau annuwiol;
     atal y meddwl drygionus;
     pura'r tymer,
     rheola'r ysbryd
     a chywira'r tafod;
     gogwydda ein hewyllys a'n haddoliad atat ti,
     a sancteiddia a darostwng ni.
        Gosod dy orsedd yn ein calon,
     a diorsedda yr holl eilunod
     y rhoddwn gymaint pris arnynt.
        Teyrnasa yno yn llawnder dy ras
     ac yng nghysuron dy bresenoldeb,
     hyd oni theyrnaswn gyda thi mewn gogoniant.

                                      Lewis Valentine, 1893–1986

238   DYSGU UFUDDHAU
     O Dduw, rho i mi'r ufudd-dod hwnnw
     a fydd yn prydferthu bywyd.
     Cynorthwya ni i ufuddhau
     – i ddeddfau dy Air,
     fel na fyddwn yn euog o dorri dy orchmynion;
     – i gydwybod,
     gan gadw mewn cof mai ti sy'n siarad â ni;
     – i'r uchaf y gwyddom amdano,
     gan na fyddo i ni wneud dim fydd yn llai na'r gorau;
     – i'n traddodiadau,
     fel na fyddo i ni ddibrisio'r etifeddiaeth a gawsom;
     – i Iesu,
     fel y cawn ein cyfrif yn gyfeillion iddo.

                    William Barclay, 1907–78, addas. Olaf Davies

239   CARIAD A CHYMORTH IESU
     Iesu'r Eiriolwr mawr, gwrando'n cri a'n cyffes.
     Iesu Bethlehem, derbyn ein carol a'n mawl.
     Iesu o Nasareth, bendithia'n cartrefi a'n teuluoedd.
     Iesu'r Meddyg da, iachâ ni.
     Iesu, Goleuni'r byd, llewyrch arnom yma, heddiw.
     Iesu, Ffynnon Jacob, rho inni'r dyfroedd byw.
     Iesu'r Bugail da, tywys ni i gorlan dy ofal grasol.

Iesu'r Wir Winwydden, gwna ni'n ganghennau ffrwythlon ynot ti.
Iesu Gethsemane, cadw ni rhag hepian a chysgu
pan ddylem fod yn effro er dy fwyn.
Iesu Pen Calfaria, maddau inni, am na wyddom beth a wnawn.
Iesu'r Atgyfodiad a'r Bywyd, anfon dy Ysbryd i'n bywhau a'n
sancteiddio i fywyd gwell er mawrhad i ti,
ac er gogoniant Duw Dad.

W. Rhys Nicholas, 1914–96

240 Y PETHAU UCHAF
Ein Tad nefol,
yn d'oleuni di y gwelwn oleuni:
ymbiliwn arnat roi inni oleuni
ar ystyr ac amcan ein bywyd.

Cynorthwya ni i weld pethau
fel yr wyt ti yn eu gweld
a'u prisio fel yr wyt ti yn eu prisio.
Ein tuedd ni yw gweld pwysigrwydd
mewn pethau dibwys,
a chyfri'n ddibwys y pethau
sydd o dragwyddol bwys yn dy olwg di.

Rhoddwn y lle isaf i'r pethau uchaf,
a'r lle uchaf i'r pethau a ddylai fod yn is.

Ac, O Dad, wedi inni weld, dysg ni i wneud;
ad-drefna di serchiadau'n calon,
a gweithredoedd ein dwylo,
a rhodiad ein traed,
fel y byddo'n bywyd i gyd
yn dy fynegi di a'th fawl.

Lewis Valentine, 1893–1986

EIRIOLAETH

Arnat ti y gweddïaf, Arglwydd; yn y bore fe glywi fy llais.
Yn y bore paratoaf ar dy gyfer, ac fe ddisgwyliaf.
(SALMAU 5:3)

Yn y lle cyntaf, felly, yr wyf yn annog bod ymbiliau, gweddïau,
deisyfiadau a diolchiadau yn cael eu hoffrymu dros bob dyn,
dros frenhinoedd a phawb sydd mewn awdurdod,
inni gael byw ein bywyd yn dawel a heddychlon,
yn llawn duwioldeb a gwedduster.
(1 TIMOTHEUS 2:1–2)

∽

241 COFIO ERAILL
Arglwydd,
achub ni rhag bod yn hunanol yn ein gweddïau a dysg ni i gofio
gweddïo dros eraill. Clyma ni mewn cariad wrth y rhai y
gweddïwn drostynt fel y teimlwn eu hanghenion hwy mor fyw ag
y teimlwn ein hanghenion ein hunain, ac yr eiriolwn drostynt
gyda sensitifrwydd, dealltwriaeth a dychymyg. Gofynnwn hyn yn
enw Iesu Grist.

Seiliedig ar eiriau o eiddo John Calfin

242 CYFFYRDDIAD IESU
    Arglwydd Dduw, diolchwn i ti am gyffwrdd â'n bywyd ni yn
dy Fab, Iesu Grist, ac am iddo ef fynd o amgylch gan wneud
daioni, gan fendithio plant bychain, iacháu cleifion, derbyn
pechaduriaid, a'u tywys i iawn gymdeithas â thi, ein Tad nefol.
    Diolchwn i ti am weinidogaeth ei fywyd pur o Fethlehem i
Galfaria, ac am Efengyl sy'n rhoi i ni oleuni gwybodaeth Duw
yn wyneb Iesu Grist.
    Dysg i ninnau ddilyn yn ôl ei droed yn llawen a ffyddiog, gan
ein cysegru'n hunain yng ngwasanaeth ei deyrnas yn y byd.

Llyfr Gwasanaeth, Eglwys Bresbyteraidd Cymru, 1958

243 RHAI MEWN ANGEN A GOFID

Arglwydd, dymunwn gyflwyno i'th ofal
bawb sydd mewn angen ac mewn gofid:
i'r rhai sydd yn dioddef,
Arglwydd, rho esmwythad;
i'r rhai sy'n flinedig,
Arglwydd, rho orffwys;
i'r rhai sy'n drist,
Arglwydd, rho ddiddanwch;
i'r rhai sy'n newynu,
Arglwydd, rho ymborth;
i'r rhai sydd mewn dryswch ac ansicrwydd,
Arglwydd, rho gyfarwyddyd;
i'r rhai sy'n dioddef gormes a chreulondeb,
Arglwydd, rho obaith am ryddid a gwell byd.
Gofynnwn hyn oll yn enw ac yn haeddiant
Iesu Grist, ein Harglwydd.

Golygydd

244 UN TEULU YN NUW

O Dduw hollalluog, Tad y ddynoliaeth gyfan, gweddïwn arnat i
droi atat dy hun galonnau'r holl bobl a'u llywodraethwyr, fel
trwy ddawn dy Ysbryd Glân y sefydlir heddwch ar sail
cyfiawnder, uniondeb a gwirionedd; trwy'r hwn a ddyrchafwyd
ar groes i ddwyn pawb ato ef ei hun, dy Fab, Iesu Grist ein
Harglwydd.

Evelyn Underhill, 1875–1941

245 CYMDEITHAS YR EGLWYS

Diolch i ti, O Dduw,
am hyfrydwch pob cwmnïaeth a chyfeillgarwch. Fe'n creaist
ni i geisio ac i fwynhau cyfathrach â'n gilydd.
Diolchwn i ti yn arbennig am Eglwys ein Harglwydd Iesu Grist;
am y cyfan y mae wedi ei olygu inni mewn gwynfyd a gwae.
Cadarnha ni yn dy waith, O Dad, ac agor lwybrau newydd o'n
blaen yn y dyddiau hyn fel y medrwn wybod sut i'th
wasanaethu yn well.
Gwna ni yn aelodau byw a chyfrifol o'th Eglwys;
gwna ni yn wir dystion dros dy gyfiawnder a'th oleuni di,
yn barod i wasanaethu'n hoes, a dwyn dy gariad a'th dosturi
dwyfol fawr at ein cyd-ddynion.

Glyn Tudwal Jones

246 CRIST YN ARGLWYDD
Arglwydd Iesu Grist,
cydnabyddwn dy arglwyddiaeth di
dros bob rhan o'n bywyd:
Fab Mair, cysegra di ein cartrefi;
Fab Dafydd, pura di ein gwleidyddiaeth;
Fab y Dyn, teyrnasa di dros y cenhedloedd;
Fab Duw, rho i ni fywyd tragwyddol;
Iesu'r Saer, sancteiddia di ein gwaith beunyddiol;
Iesu'r Gwaredwr, achub ni oddi wrthym ein hunain;
Iesu'r Croeshoeliedig, datguddia dy gariad i bawb sy'n dioddef;
Iesu, Rhoddwr bywyd, adnewydda dy Eglwys;
Iesu, Gair Duw, perffeithia dy greadigaeth,
ac arwain y byd i adnabod dy gariad,
oherwydd eiddot ti yw'r gallu a'r gogoniant,
yn oes oesoedd.

Worshipping Together II

247 SIANELAU DY RAS
Arglwydd, cymorth ni i gredu dy fod,
trwy ein hymbiliau ni, yn sianelu dy ras i eraill.
    Eiriolwn, Arglwydd,
dros y cleifion a'r cystuddiol
a'r sawl sydd heb obaith iachâd;
dros y rhai sy'n gweini ar eraill,
yn lleddfu poen ac yn iacháu afiechydon:
    Arglwydd, clyw ein gweddi.
Dros y galarus a'r unig
a'r rhai y mae eu hiraeth yn eu llethu;
dros yr amddifad a'r digyfaill
a'r rhai sydd heb neb i weddïo drostynt:
    Arglwydd, clyw ein gweddi.
Dros gartrefi a theuluoedd
a rwygwyd gan drais, anffyddlondeb neu gyni;
dros y rhai sydd ymhell oddi cartref
ac yn unig yn hwyr y dydd:
    Arglwydd, clyw ein gweddi.
Dros y tlawd a'r digartref
a'r rhai sydd heb neb i'w hymgeleddu;
dros ffoaduriaid a'r newynog
a phawb sy'n dioddef oherwydd trachwant eraill:
    Arglwydd, clyw ein gweddi.

Dros arweinwyr y gwledydd
a phawb a osodwyd mewn awdurdod dros eraill;
dros bawb sy'n llafurio dros gyfiawnder a rhyddid
a phawb sy'n gweithio dros heddwch rhwng cenhedloedd:
 Arglwydd, clyw ein gweddi.
Dros yr Eglwys ledled y ddaear
a chynulleidfaoedd dy bobl ym mhob man;
dros y rhai sy'n cyhoeddi Efengyl Crist
a'r rhai sy'n wynebu gwrthwynebiad ac erlid:
 Arglwydd, clyw ein gweddi.
I'th ddwylo di, Dduw Dad,
y cyflwynwn ein hunain, ein gilydd a'n gweddïau,
gan ofyn i ti ein defnyddio i gyflawni dy ewyllys
ac i estyn dy deyrnas.

Golygydd

248 HEDDWCH DUW YNOM
Hollalluog Dduw, noddfa'r truenus,
rho inni ynghanol helyntion a thrallod ein bywyd
fedru ffoi i gysur dy drugaredd a'th diriondeb;
ac o lechu ynddynt,
caniatâ fod drycinoedd bywyd yn mynd heibio
heb darfu ar heddwch Duw ynom.
 Pa beth bynnag sydd gan y bywyd hwn ar ein cyfer,
na ad i ddim ddwyn oddi arnom
y wybodaeth mai ein Tad wyt ti.
 Rho oleuni inni fel y caffom fywyd,
trwy ein Harglwydd Iesu Grist.

George Dawson, 1821–76

249 ARGLWYDD, DYSG NI
 Trwy weddïau Iesu,
Arglwydd, dysg i ni weddïo.
 Trwy haelioni Iesu,
Arglwydd, dysg i ni sut i roi.
 Trwy lafur Iesu,
Arglwydd, dysg i ni sut i weithio.
 Trwy gariad Iesu,
Arglwydd, dysg i ni sut i garu.
 Trwy groes Iesu,
Arglwydd, dysg i ni sut i fyw.

Frank Colquhoun, 1909–97

250 DROS Y CENHEDLOEDD UNEDIG

O Arglwydd ein Duw,
a wnaethost o un gwaed bob cenedl o ddynion
i breswylio ar wyneb y ddaear,
diolchwn i ti am eu cadw a'u cynnal o hyd
fel gwrthrychau dy nawdd a'th gariad.

 Erfyniwn arnat gysegru i'th ddibenion dy hun
Gyfundrefn y Cenhedloedd Unedig,
fel y bo i'w cynlluniau a'u penderfyniadau
hyrwyddo dy fwriadau sanctaidd,
a sicrhau heddwch ar y ddaear
yn seiliedig ar dy gyfiawnder di.

 Bwrw allan yr ofn sydd yn peryglu eu hundeb
a'r rhwystredigaeth sy'n meithrin digalondid,
â'th berffaith gariad a'r ffydd sy'n gorchfygu'r byd;
trwy'r hwn a eneiniaist yn Dywysog Tangnefedd
ac yn Arweinydd i'r bywyd helaethach,
Iesu Grist, ein Gwaredwr a'n Harglwydd.

R. R. Williams, 1887–1971

251 GWNEUTHURWYR HEDDWCH

Ein Tad, trown atat ti
i geisio'r heddwch yr wyt ti'n ei estyn i'r byd
trwy dy Fab, Iesu Grist:
yr heddwch na ŵyr y byd amdano.

 Ceisiwn dy bresenoldeb di
mewn byd lle mae hunan yn cael ei orseddu;
ceisiwn d'arweiniad di
mewn byd lle mae mympwy dyn yn cael lle mor amlwg;
ceisiwn dy nerth di
mewn byd lle mae ildio parhaus i nerthoedd tra gwahanol.

 Cyffeswn ein bod yn rhan
o'r byd hunanol, mympwyol a materol hwn,
a gofynnwn i ti faddau i ni,
fel unigolion ac fel Eglwys, am hynny.

 Parotach ydym i gychwyn rhyfel nag i greu heddwch;
i ledaenu anghydfod nag i weithredu cymod;
i orseddu casineb nag i gyd-fyw mewn cariad;
i oddef anghyfiawnder nag i sefyll yn enw cyfiawnder;
i gynnal rhwyg nag i hyrwyddo tangnefedd.

 Gweddïwn ar i Grist deyrnasu yn ein calonnau ac yn ein mysg,
ar aelwyd ac mewn cymdogaeth, ac ym mywyd y cenhedloedd,

fel na byddo trais o unrhyw fath yn ein tir,
ac fel y bydd person yn cael ei gydio wrth berson,
cenedl wrth genedl, hil wrth hil.
    Rho nerth inni i herio anghyfiawnder,
i goncro casineb ac i ddiddymu rhyfel;
y nerth a'n cymhwysa i fod yn wneuthurwyr
heddwch cyfiawn a chariadus;
er mwyn Iesu Grist, Tywysog ein tangnefedd.

John Owen, addas.

252   FFORDD NEWYDD HEDDWCH

Ein Tad, gweddïwn dros y rhai sy'n dioddef
gan ganlyniadau erchyll rhyfel, trais a chreulondeb o bob math:
y rhai a glwyfwyd a'r rhai a ysbeiliwyd,
y rhai a garcharwyd a'r rhai a ddarniwyd.
    Meddyliwn am garcharorion cydwybod ym mhobman,
a'r sawl sy'n dioddef oherwydd eu daliadau crefyddol,
moesol neu wleidyddol:
deisyfwn dy fendith ar yr ingol a'r unig.
    Gweddïwn dros blant sy'n tyfu mewn
amgylchedd a chefndir treisgar,
yn meddwl, yn siarad ac yn chwarae'n rhyfelgar,
am na welsant ac na chlywsant ddim amgenach.
    Rho iddynt her newydd,
ffyrdd newydd i brofi eu nerth,
ac ysbryd newydd i rannu pŵer, a mentro'n ddi-drais.
    Gweddïwn dros ddynion a gyflyrwyd o'u plentyndod
i gredu fod grym braich a dwrn yn beth dynol,
a thros y dynion a gred yn wahanol,
ac oherwydd hynny a ystyrir yn wan a llwfr.
    O Grist, y Cymodwr, gweddïwn
am batrymau meddwl newydd,
am amgyffrediad newydd o'r gwerthoedd Cristnogol,
am weledigaeth newydd o'r byd
fel un gymdeithas ac un gymdogaeth,
am ddulliau newydd o drin a thrafod gwrthdaro rhyngwladol,
am ymdrechion newydd i wneud cyfeillion
o'r bobl hynny sy'n wahanol i ni,
am barodrwydd newydd i faddau a chymodi,
a ffydd newydd y gall y tangnefedd sydd uwchlaw pob deall
ymestyn allan i gofleidio'r byd.

Rhagor o Weddïau yn y Gynulleidfa, addas.

253 CLYW FY LLAIS
Greawdwr natur a'r ddynoliaeth,
    gwirionedd a harddwch, arnat ti y gweddïaf.
Clyw fy llais, gan mai llais holl ddioddefwyr rhyfel a thrais
    rhwng unigolion a chenhedloedd ydyw.
Clyw fy llais, oherwydd llais yr holl blant sy'n dioddef ydyw,
    a'r rhai fydd yn dioddef tra bo dyn yn rhoi ei hyder mewn
    arfau rhyfel.
Clyw fy llais pan erfyniaf arnat roi yng nghalonnau dynion
    ddoethineb heddwch, nerth cyfiawnder a llawenydd
    brawdgarwch.
Clyw fy llais, oherwydd rwy'n llefaru dros laweroedd ym mhob
    gwlad ac ym mhob cyfnod o hanes nad oedd yn dymuno
    rhyfel, a'r rhai sy'n dymuno cerdded ffordd heddwch.
Clyw fy llais a rho arweiniad a nerth i mi, fel y gallaf ymateb yn
    wastad i gasineb gyda chariad;
    i anghyfiawnder gydag ymrwymiad sicr i iawnderau dynol;
    i angen gyda pharodrwydd i rannu;
    ac i ryfel gyda heddwch.
O Dduw, clyw fy llais,
    a rho i'r byd dy dangnefedd tragwyddol dy hun.

Y Pab Ioan Paul II, addas. Aled Lewis Evans

254 CANIATÂ I NI DDANGNEFEDD
Tydi, O Dduw, sy'n caru pob dyn
ac sy'n dwyn trefn allan o anhrefn,
caniatâ i ni dy dangnefedd:
tangnefedd â thi;
tangnefedd â ni ein hunain;
tangnefedd ag eraill;
tangnefedd wrth weithio ac wrth chwarae;
tangnefedd wrth gysgu ac wrth ddihuno;
tangnefedd na all y byd ar ei orau ei roi inni,
nac ar ei waethaf ei ddwyn oddi arnom ni;
tangnefedd na all geiriau dynol mo'i ddinistrio.

    Gostega'r cynnwrf sydd yn ein calonnau;
llefara heddwch wrth ein cydwybodau anheddychol;
cymoda'r rhai anghytûn ac una'r rhai rhanedig
ac achub ni o bob drwgdybiaeth, amheuaeth ac ofn,
fel y rhodiwn mewn tangnefedd a chytgord â'n gilydd;
er mwyn Iesu Grist ein Harglwydd.

Gweddïau yn y Gynulleidfa, addas.

255 NA I GASINEB

O Dduw, gofynnwn i ti ein cynnal
gydag amynedd, penderfyniad a grym
fel y gallwn ddweud:
Na i gasineb ac Ie i gariad,
Na i farwolaeth ac Ie i fywyd,
Na i dwyll ac Ie i wirionedd,
Na i orthrwm ac Ie i gyfiawnder,
Na i greulondeb ac Ie i drugaredd,
Na i drais ac Ie i heddwch,
Na, pa beth bynnag y gost,
ac Ie, pa beth bynnag y gost:
canys cariad, gwirionedd, cyfiawnder,
trugaredd a heddwch wyt ti, ein Duw.

Sabeel: Canolfan Diwinyddiaeth Ryddhad Palestina

256 CYFRIFOLDEB AM EIN GILYDD

O Dduw, Brenin Cyfiawnder, gweddïwn arnat i'n harwain yn
ffyrdd uniondeb a thangnefedd;
ysbrydola ni i ddymchwel pob gormes ac anghyfiawnder,
i sicrhau i bob dyn ei briod wobr,
ac oddi wrth bob dyn ei briod wasanaeth,
fel y bydd i bob un fyw i bawb,
ac i bawb ofalu am bob un;
yn enw Iesu Grist ein Harglwydd.

William Temple, 1881–1944

257 DROS Y TLAWD A'R ANGHENUS

Ymbiliwn arnat, Arglwydd, i'n cynorthwyo:
gwared y gorthrymedig,
tosturia wrth y di-nod,
dyrchafa y rhai a syrthiasant,
amlyga dy hun i'r anghenus,
iachâ y cleifion,
tywys yn ôl y rhai hynny o'th blant a aethant ar gyfeiliorn,
bwyda'r newynog,
cod y gweiniaid i fyny,
tyn ymaith gadwyni'r carcharorion,
a boed i bob cenedl ddod i wybod mai tydi
yn unig sydd Dduw, mai Iesu Grist yw dy blentyn,
a'n bod ninnau'n bobl i ti, a defaid dy borfa.

Sant Clement o Rufain, *c*. OC 100

258 GWEDDÏWN AR YR ARGLWYDD
Am y tangnefedd sydd oddi uchod,
ac am iachawdwriaeth pawb:
Gweddïwn ar yr Arglwydd.
Am heddwch yr holl fyd,
am les Eglwys sanctaidd Duw,
ac am undeb pawb:
Gweddïwn ar yr Arglwydd.
Dros weinidogion yr holl eglwysi
ar iddynt gyflawni eu gweinidogaeth
â chalon dda ac â chydwybod bur:
Gweddïwn ar yr Arglwydd.
Dros lywodraethwyr ein gwlad
a phawb mewn awdurdod:
Gweddïwn ar yr Arglwydd.
Dros y claf, y dioddefus, yr unig
a'r trist, a'r rhai sy'n marw:
Gweddïwn ar yr Arglwydd.
Dros y tlawd, y newynog, y digartref
a'r rhai a erlidir:
Gweddïwn ar yr Arglwydd.
Ar i ni, gyda'r holl weision a'i gwasanaethodd ef yma
ac sydd yn awr yn gorffwyso, gael mynd i mewn i
gyflawnder ei lawenydd diderfyn:
Gweddïwn ar yr Arglwydd.
Arglwydd, gwrando ein gweddi.

Gwasanaeth Cymun yr Eglwysi Cyfamodol

259 DROS DEULUOEDD A CHARTREFI
O Dduw ein Tad ni oll, a'n gelwaist i fod yn un teulu ynot ti,
erfyniwn arnat fendithio cartrefi ein gwlad. Amddiffyn hwy rhag
pob drwg, sancteiddia hwy â'th bresenoldeb, a gwna hwy'n
gysegrleoedd purdeb a thangnefedd. Bendithia bawb sydd yn
annwyl gennym, pa le bynnag y bônt, a chadw hwy'n ddiogel yng
nghysgod dy gariad; trwy Iesu Grist ein Harglwydd.

anad.

260 FFOADURIAID
O Dad, rwyt ti'n gofalu am dy holl blant.
    Gwyddom fod gweld rhai o'th blant yn dioddef ac yn marw o
ddiffyg cysgod a bwyd, tra bo eraill â mwy na digon, yn peri
gofid i ti.

Gweddïwn ar ran y digartref, yn enwedig y rhai a orfodwyd i ddianc o'u mamwlad – pob un ohonynt yn ysglyfaeth i ryfel, clefyd, trychineb naturiol neu anobaith.

Arglwydd, yn wyneb yr holl angen, teimlwn mor ddiymadferth.

Ni ddônt i'r drws: gwelwn hwynt ar y newyddion neu mewn rhaglen ddogfen ar y teledu; gwelwn hwynt yn wythnosol, ac yr ydym wedi'n caledu.

Meddalha ein calonnau, Arglwydd, fel y gweithiom tuag at fyd heb newyn, heb hunanelw, anwybodaeth na thrais.

Deisyfwn ar i'th gariad amgylchynu pob ffoadur heddiw.

Trwy gonsýrn dy bobl a gwaith asiantaethau dyngarol a llywodraethau, deisyfwn ar i'w problemau gael eu goresgyn ac i ffordd newydd o fyw agor allan iddynt.

Gweddïau i'r Eglwys a'r Gymuned, addas. Trefor Lewis

261 YR ADDEWID O FYD NEWYDD
Deuwn atat yn awr, ein Duw, gan gredu mai ti sy'n llywodraethu'r byd a'r nef ei hun, a bod dy allu a'th ddoethineb yn anfeidrol. Er i ni fethu â deall dy ffyrdd, cymorth ni i gredu mai Duw byw ydwyt, yn gweithio allan dy fwriadau mawr yn y byd, ac na fetha'r bwriadau hynny. Cryfha ein ffydd ni ynot, ac yn wyneb pob siom cadw'n fyw yn ein calonnau y gobaith am y byd newydd a addewaist ti i ddynion, fel yr adwaener dy ffordd ar y ddaear, a'th iachawdwriaeth ymhlith yr holl genhedloedd.

Llawlyfr Defosiwn i Blant a Phobl Ieuainc

262 YR HYN Y GALLWN EI WNEUD
Arglwydd, yr wyt ti wedi rhoi cymaint i ni:
bywyd, mewn byd lle mae llawer yn marw'n ieuanc;
iechyd, mewn byd lle mae llawer nad ydynt byth yn holliach;
bwyd, mewn byd lle mae llawer yn newynu;
addysg, mewn byd lle mae cynifer heb gyfle i ddysgu;
diogelwch, mewn byd lle mae llawer mewn ofn.
    Ni allwn dy dalu'n ôl,
ond dangos i ni yr hyn y gallwn ei wneud dros eraill.

    Helpa ni i gofio dy blant mewn gwledydd eraill,
yn arbennig y rhai sydd mewn newyn ac afiechyd,
sy'n ddigartref ac yn ofnus,
sy'n wrthodedig heb fod ar neb eu heisiau.

    Boed i ni fod iddynt yn sianelau dy gariad
fel cyd-aelodau o'th deulu di.

Rhaglen Teulu Duw, Cyngor Eglwysi Cymru, 1985

263 Y CENHEDLOEDD

O Dduw, a wnaethost o un natur bob cenedl o ddynion i drigo ar wyneb y ddaear, ac a anfonaist dy fendigaid Fab Iesu Grist i bregethu tangnefedd i'r rhai sydd ymhell, ac i'r rhai sydd yn agos: pâr i holl genhedloedd y ddaear dy geisio a'th gael, a phrysura, O Arglwydd, i gyflawni dy addewid i dywallt o'th Ysbryd ar bob cnawd; trwy Iesu Grist ein Harglwydd.

Yr Esgob George Cotton, Calcutta, 1813–66

264 DUW YR ENFYS

Dduw yr Enfys, gosodaist dy fwa yn y ffurfafen
yn arwydd o'th addewid i'th greadigaeth y bydd dy ras
yn dal i ddisgleirio er gwaethaf drygioni'r byd.

Yn y *coch* gwelir gwaed:
gwaed miliynau a aberthwyd ar allor ein trachwant;
gwna ni bob amser yn ddiolchgar
am waed Crist a dywalltwyd trosom.

Yn yr *oren* gwelwn liw y ffrwythau:
bwyd i fwydo'r miliynau sy'n newynu yn y byd;
gwna ni'n fwy parod i hybu masnach deg
er mwyn y difreintiedig.

Mae'r *melyn* yn ein hatgoffa o'r gwanwyn:
o fywyd newydd, cynhesrwydd a gobaith;
helpa ni i ymroi i greu byd llawn gobaith i bawb.

Mae'r *gwyrdd* yn arwydd o eiddigedd:
eiddigedd sy'n dinistrio perthynas
ac yn gosod cymydog yn erbyn cymydog:
cymorth ni i barchu a gwerthfawrogi doniau pobl eraill.

Mae'r *glas* yn arwydd o heddwch:
o bawb sy'n ymdrechu i greu cymod
rhwng cenhedloedd y ddaear.

Mae *indigo* yn dywyll:
yn arwyddo tywyllwch ein casineb a'n hunanoldeb;
cymorth ni i orchfygu'r tywyllwch sydd ynom
trwy ffydd ynot ti.

Mae *fioled* yn flodeuyn bregus:
yn arwyddo breuder bywyd;
cymorth ni i ymddiried ynot ti
er mwyn i ni gryfhau.

Dduw yr Enfys,
disgleiria arnom â'th oleuni llachar.

Pont Cariad: Llawlyfr Gweddi CWM, 2002–03

265 CYFFESU BYWYD

Molwn Di, Ysbryd Glân,
ein Heiriolwr a'n Diddanydd.

Cynorthwya ni i gyffesu bywyd ynghanol marwolaeth;
cynnal ni wrth i ni wynebu grym distryw,
ac annog ni i droi ein cleddyfau yn sychau
a'n gwaywffyn yn bladuriau;
fel bo bleiddiaid a defaid yn byw ynghyd mewn tangnefedd,
bywyd yn cael ei ddathlu,
a'r greadigaeth yn cael ei hadfer fel trigle i'r byw.

Ysbryd Glân, fe'th folwn di.
Cymorth ni i gyffesu bywyd ynghanol marwolaeth.

Teulu Duw yn Addoli

266 Y GYMDEITHAS GYFIAWN

Rhoddwn ddiolch am ein cyfreithiau hynafol
a'n traddodiad o gyfraith a threfn:
gweddïwn dros aelodau'r Cynulliad Cenedlaethol
a fydd yn llunio ac yn ail-lunio ein cyfreithiau.

Arglwydd, yn dy drugaredd:
Gwrando ein gweddi.

Gweddïwn am wyleidd-dra i gydnabod
nad yw pob aelod o'r gymdeithas yn cael bywyd teg,
a bod llawer wedi eu hamddifadu o'u cyfran hwy o bethau da y tir.

Arglwydd, yn dy drugaredd:
Gwrando ein gweddi.

Gweddïwn dros y rhai sy'n gweithio'n ddyddiol
am gyfiawnder yn ein llysoedd barn ac o fewn cymdeithas;
dros farnwyr ac ynadon a'r holl drefn gyfreithiol;
dros yr heddlu a'r rhai sy'n gweithio gyda charcharorion
a chyn-garcharorion;
a thros y rhai sy'n gofalu am bobl ifanc sydd wedi troseddu.

Arglwydd, yn dy drugaredd:
Gwrando ein gweddi.

Dros y rhai sydd â grym a dylanwad yn y gymdeithas
y tu hwnt i lywodraeth etholedig,
sy'n rheoli ein harian a'n marchnadoedd,
iddynt feddu parch tuag at y tlawd a'r gwan,
yn y wlad hon ac mewn gwledydd eraill:

Arglwydd, yn dy drugaredd:
Gwrando ein gweddi.

Alan Luff

267 DROS Y GOFIDUS

O Arglwydd, bydd yn dyner wrth bawb sydd mewn helbul,
cystudd a thrueni; cysura y rhai gofidus, cynnal y gweiniaid,
adfer y cleifion, a chyflawna raid yr anghenus. Bydded dy fendith
ar bob cymdeithas ddaionus ac ar bob gwaith da; er mwyn Iesu
Grist ein Harglwydd.

Emrys ap Iwan, 1848–1906

268 Y TRUGAROGION

Diolchwn i ti, ein Duw, am y bobl yn ein byd
  sy'n eu hymestyn eu hunain mewn tosturi
  i olchi briwiau'r drylliedig, rhwymo eu clwyfau,
  a'u cludo i lety lle cânt gymorth ac ymgeledd.
I'r Samariaid hynny sy'n barod heddiw
  i wrando ar drueiniaid ar fin dod i ben eu tennyn
  a chynnig braich o help iddynt yn eu dryswch:
    O Dduw, rho dy arweiniad a'th nerth.
I'r swyddogion sy'n gwasanaethu mewn swyddi a mudiadau
  sy'n cynnig arweiniad a chymorth
  i bobl a ddaliwyd yng nghrafangau cyffuriau o bob math,
  gan wneud hynny heb ddisgwyl clod na sylw cyhoeddus:
    O Dduw, rho dy arweiniad a'th nerth.
I'r holl rwydwaith o weithwyr sydd gan Gymorth Cristnogol
  a'r mudiadau eraill sy'n cydweithio
  i leddfu ychydig ar y newyn sy'n ein byd,
  heb ystyried lliw, cred nac enw,
  dim ond y drasiedi fod dyn mewn angen:
    O Dduw, rho dy arweiniad a'th nerth.
I'r cenhadon hynny yng Nghymru a thrwy'r byd
  sy'n sylweddoli mai trueni mwyaf dyn
  yw ei wrthryfel ffôl yn erbyn Duw a'i ddeddfau
  ac mai ei unig obaith yw tosturi Duw tuag ato yn Iesu Grist:
    O Dduw, rho dy arweiniad a'th nerth.
I ni sy'n cael ein cyffroi gan dy dosturi tuag atom yn Iesu Grist i
  fod yn gymdogion i'r rhai a syrthiodd yn ysglyfaeth i fethiant
  mewn byd sy'n gwthio'r gwan a'r anffodus allan i wersylloedd
  cardbord:
    O Dduw, rho dy arweiniad a'th nerth.
I'r holl drugarogion hyn
  a'r sawl sy'n disgwyl yn eu gwae am law'r tosturiol:
    O Dduw, rho dy arweiniad a'th nerth.

Rhagor o Weddïau yn y Gynulleidfa, addas.

269 YSTYR GWIR GARIAD

O Dduw, ein Creawdwr a'n Tad,
diolch am holl adnoddau cyfoethog y byd:
am gyfoeth y ddaear a'r môr,
am sgiliau meddwl a llaw,
am ymroddiad y rhai sy'n rhoi
eu hamser a'u talentau er lles eraill,
ac am weithwyr sefydliadau cymorth
sy'n gwasanaethu yn dy enw.

    Gweddïwn dros y rhai sydd wedi blino
â'r ymdrech ddidostur i gadw'n fyw;
dros y rhai na all fyth edrych ymlaen
at bryd da o fwyd na gwely cyfforddus,
a thros y rhai sy'n brin o angenrheidiau bywyd.

    Dysg i ni ystyr gwir gariad,
cymorth ni i ddileu popeth sy'n rhwystr
i eraill rhag cael bywyd llawn,
a gwna ni'n agored i ddylanwad Iesu,
fel y gwasanaethwn hyd at aberth,
ac felly ddod â gobaith i'r rhai mewn anobaith.

Gweddïau i'r Eglwys a'r Gymuned, addas. Trefor Lewis

270 Y RHAI Y MAE BYWYD YN ANODD IDDYNT

O Dduw ein Tad nefol,
o gofio mor fawr yw ein breintiau ni,
cofiwn ger dy fron am y rhai sy'n wynebu
anghenion a phroblemau dyrys:
y rhai y mae eu bywyd yn llawn pryderon
am nad ydynt yn dy adnabod di fel Duw cariad;
y rhai y mae eu bywyd yn ddiystyr
am eu bod yn byw i arian a phethau materol yn unig;
y rhai y mae eu bywyd yn drist a thrallodus
am eu bod wedi eu dal ynghanol rhyfel,
gormes neu drychineb;
y rhai y mae eu bywyd yn unig
oherwydd iddynt golli rhywun annwyl drwy farwolaeth;
y rhai y mae eu bywyd yn anodd
oherwydd afiechyd, tlodi, diweithdra neu anhapusrwydd teuluol.

    O'u cofio o'th flaen,
gweddïwn ar iddynt dy deimlo di yn agos
a chanfod cysur a nerth yn dy gwmni.

Golygydd

271 Y RHAI DAN FEICHIAU BYWYD
Dysg ni, O Arglwydd,
i fod yn gydweithwyr â thi, mewn ffydd, gweddi a gwaith, i
gynorthwyo'r rhai sy'n flinderog a llwythog dan feichiau
bywyd a'i boen.
Diolch i ti am roi yng nghalonnau pobl yr awydd i weini
cymorth a thrugaredd, trwy ysbytai ac ym mhob modd arall, i
rai sy'n dioddef mewn corff a meddwl ac amgylchiadau.
Bendithia feddygon a gweinyddesau, ac ysbrydola hwynt â'th
gariad a'th diriondeb dy hun.
Trwy bob ymdrech, unigol a chymdeithasol, i rwymo archollion
y rhai a syrthiodd ar ffordd bywyd, amlyger a gogonedder dy
gymwynasgarwch di, ein Tad sanctaidd a thrugarog, i ni yng
Nghrist Iesu ein Harglwydd.

Llyfr yr Addoliad Teuluaidd

272 AR DDYDD O DRALLOD
Arglwydd,
clyw gri ein gofid, ateb ein gwaedd
a dyro glust i ochenaid ein calon friw.
Cofia, y dydd hwn, deulu'r poen a'r pla:
nid yn unig yr hen a'r methedig
ond hefyd y rhai a drawyd ym mlodau eu dyddiau.
Cofia'r unig a'r diymgeledd,
y plant bach sy'n dioddef,
y weddw a'r amddifad,
y digartref a'r crwydryn,
y claf mewn ysbyty a gartref,
a phlant yr heldrin a'r frwydr:
O Dad, cofia hwynt oll,
a dyro iddynt o'th nerth a'th nawdd.
Yn arbennig, y dydd hwn, O Arglwydd,
cofia'r rhai a gollodd eu hanwyliaid,
teulu galar a thristwch a hiraeth;
bydd yn eu hymyl yn yr awr dywyll:
pan fo'r llais cyfarwydd wedi distewi,
dywed di air o gysur;
pan fo'r cwmni un yn brin,
llanw di'r gadair wag;
pan fo hir y disgwyl am sŵn troed,
cerdda di i mewn i'w calon:
O Dduw tosturiol a thrugarog.

Pan ddaw'r nos a'r unigrwydd,
  a'r hiraeth yn gyllell yn ein calon:
  dyro dy ddewrder inni bryd hynny;
  dyro dy nerth pan ballo ein nerth ni;
  dyro dy wên i ddifa ein chwerwder,
  dyro i ni urddas mewn galar,
  ac ysbryd Iesu Grist o'n mewn
  i'n cynnal yn ein trallod blin.

Gweddïau yn y Gynulleidfa, addas.

273 CENHEDLOEDD Y DDAEAR

O Dduw ein Tad nefol, gweddïwn dros holl genhedloedd y
ddaear, ar i ti eu dwyn i heddwch, undod a chyfiawnder.

Cynorthwya'r cenhedloedd cyfoethog, mewn
gostyngeiddrwydd ac edifeirwch am eu hanffyddlondeb yn y
gorffennol, i gymhwyso dysgeidiaeth Crist yn fwy gonest atynt
eu hunain ac i weithredu egwyddorion ei gariad yn eu
hymwneud â'r gwledydd tlawd.

Nertha ni oll i symud o'n bywyd yr hyn sy'n anghyfiawn, fel y
gallwn ddwyn beichiau ein gilydd mewn brawdgarwch, ac
adeiladu gwir ddinas Duw yn y byd; trwy Iesu Grist ein
Harglwydd.

anad.

274 DYRO DY OLEUNI

Lle mae anwybodaeth, hunangariad ac ansensitifrwydd
wedi chwalu bywyd y gymuned:
  Dyro dy oleuni, O Dduw cariad.
Lle mae anghyfiawnder a gorthrwm
wedi llethu ysbryd dy bobl:
  Dyro dy oleuni, O Dduw rhyddid.
Lle mae newyn a thlodi, salwch a marwolaeth
wedi gwneud bywyd yn faich annioddefol:
  Dyro dy oleuni, O Dduw gras.
Lle mae drwgdybiaeth a chasineb, gwrthdaro a rhyfel
wedi herio dy ddaioni:
  Dyro dy oleuni, O Dduw heddwch.
Dduw tragwyddol, dilea ddallineb cenhedloedd a phobloedd
fel y cânt gerdded yng ngoleuni cariad;
dilea anwybodaeth a styfnigrwydd yr holl bobloedd
fel y cânt ddrachtio o ffynnon dy ddaioni di.

Worshipping Ecumenically

275   Y RHAI SY'N LLEDAENU GAIR DUW

Arglwydd, bendithia a llwydda waith y rhai sy'n ymroi i ledaenu
dy Air mewn print ac ar lafar drwy'r byd:

    cyfieithwyr sy'n trosi'r Beibl i amryw ieithoedd;
    cymdeithasau'r Beibl sy'n dosbarthu'r Ysgrythurau i bedwar
    ban byd;
    esbonwyr sy'n dehongli cefndir a neges y Beibl;
    pregethwyr a chenhadon sy'n cyhoeddi'r Gair;
    darlledwyr sy'n lledaenu'r Gair trwy gyfrwng radio a theledu;
    athrawon sy'n hyfforddi plant a phobl ifanc yn yr Ysgrythur,
    a'th Eglwys drwy'r byd sy'n tystio i genadwri dy Air yn ei
    haddoliad a'i bywyd.

Trwy dy fendith di ar eu holl ymdrechion boed i'r had a heuir
    ddwyn ffrwyth ac i'r cynhaeaf fod yn doreithiog;
    er gogoniant i'th enw.

Golygydd

276   EIN STIWARDIAETH O FYD DUW

Arglwydd yr holl daear, yr hwn a greaist bob peth yn deg ac yn
brydferth: y blodau, y glaswellt a'r coed, aruthredd y
mynyddoedd ac ehangder y moroedd a'r awyr, creaduriaid ac
adar, a phob peth byw: gwna ni'n gyfrifol yn ein stiwardiaeth
o'th fyd, gan barchu popeth hardd ac ymdrechu i gadw ein
hamgylchfyd heb ei amharu. A dyro i bawb sydd mewn
awdurdod ddoethineb i atal y rhai a gais, yn ddifeddwl neu o
drachwant, hagru neu ddifetha gwaith dy ddwylo; gofynnwn hyn
er mwyn cenedlaethau'r dyfodol ac er gogoniant i'th enw.

Bob Bore o Newydd, BBC, 1938

277   Y BYD FEL Y GALLAI FOD

Dyro i ni, O Dduw, weledigaeth o'n byd
yn hardd fel y gallai fod:

    byd o gyfiawnder, lle nid anrheithia neb ei gymydog;
    byd o lawnder, lle ni lygra drygioni na thlodi mwy;
    byd o frawdgarwch, lle y sefydlir llwyddiant ar sail gwasanaeth,
    ac yr anrhydeddir teilyngdod yn unig;
    byd o heddwch, lle ni orffwys trefn ar rym arfau,
    ond ar gariad pawb at Dduw ac at ei gilydd.

    Clyw ni, O Arglwydd, a chymorth ni i gysegru'n hamser,
ein nerth a'n meddwl, i brysuro'r dydd o harddwch
a chyfiawnder sydd i ddod.

Walter Rauschenbusch, 1861–1918

278   POEN Y BYD A LLYGREDD Y BLANED

    Dduw cariadlon,
plygaf o'th flaen mewn gweddi dawel
ar ran pobl sydd wedi dioddef gormod o boen,
ar ran y rhai sy'n gorfod dwyn beichiau trwm,
ar ran rhai sy'n gyfarwydd â dyrchrynfeydd gormes,
ar ran rhai a fu trwy dân erledigaeth,
ar ran y rhai gafodd eu gyrru o'u cartrefi:
rho iddynt gysur yn dy bresenoldeb
a bydded i ddydd rhyddid wawrio'n fuan arnynt.

    Cymorth ni, Arglwydd da, i waredu'n planed o lygredd:
rydym wedi llenwi'n cartrefi a'n hysgyfaint â mwg;
rydym wedi maeddu'r afonydd a'r moroedd
â chemegau a sbwriel;
a llenwi'r awyr â nwyon,
gan adael i simneiau chwydu allan haint a marwolaeth;
rydym wedi llenwi'r blaned ag ymbelydredd
ac wedi peryglu'n hiliogaeth;
rydym wedi tywyllu'r gwir
ynghylch peryglon y fath weithgareddau
i ni'n hunain a'r cenedlaethau a ddaw.

    Cymorth ni, Arglwydd da, i edifarhau
ac i ryddhau'n planed o lygredd.

John Johansen-Berg, addas. Glyn Tudwal Jones

279   TRWY EIN HYMDRECHION NI

Arglwydd, bydded i ni geisio deall dy ewyllys di,
    a thrwy hynny fod yn gymorth i ddod â heddwch
    a chreu tangnefedd yn ein dyddiau.
Cadw ni rhag bod yn rhy brysur i fod yn garedig;
    rho ysbryd tynerwch a brawdgarwch yn ein calon.
Yr ydym wedi gofyn yn ein gweddïau lawer tro ar i ti wneud y
    ddaear fel y nef: rho i ni sylweddoli mai trwy ein
    hymdrechion ni i gyflawni dy ewyllys y gwelwn y patrwm
    nefol ar y ddaear.
Trwom ni bydded digonedd yn lle newyn, goleuni yn lle
    tywyllwch, heddwch yn lle helynt, a glendid a moes ar yr
    orsedd yn lle aflendid a phydredd.
Yr ydym yn cyfaddef ger dy fron y gwyddom y gall hyn fod, ond
    i ni agor ein bywydau i ti.
Maddau inni am ein bod mor gyndyn i wneud hynny.

Emyr Owen

280   PLANT MEWN ANGEN

Rydw i'n ffodus:
rydw i'n gallu gweld;
rydw i'n gallu clywed;
rydw i'n gallu defnyddio fy nwylo;
rydw i'n gallu rhedeg;
rydw i'n berchen ar gorff iach:
Arglwydd, diolch am y cyfan.

    Mae rhai plant yn ddall;
mae rhai plant yn fyddar;
mae rhai plant yn methu â dal pensil neu frws paent;
mae rhai plant yn treulio'u bywyd mewn cadair olwyn;
mae rhai plant yn treulio amser hir mewn ysbytai:
Arglwydd, cofia hwy'n drugarog.

    Rydw i'n ffodus:
rydw i'n byw mewn cartref cysurus;
rydw i'n gwisgo dillad cynnes;
rydw i'n cael digon o fwyd;
rydw i'n byw mewn gwlad heddychlon:
Arglwydd, diolch am y cyfan.

    Mae plant yn cael eu gorfodi i fyw ar y stryd
mewn rhai gwledydd;
mae plant ifanc yn cael eu gorfodi i weithio'n galed
mewn rhai gwledydd;
mae plant yn newynu am fod y cynhaeaf wedi methu
mewn rhai gwledydd;
mae plant yn cael eu gorfodi i ffoi o'u cartrefi
am fod rhyfeloedd mewn rhai gwledydd:
Arglwydd, cofia hwy'n drugarog.

    Cyflwynwn hwy oll i sylw dy Fab, Iesu Grist,
cyfaill plant bob gwlad.

Ellen Wyn Jones

281   POBLOEDD Y BYD

Derbyn, O Arglwydd, ein heiriolaeth ar ran dy fyd, a thrugarha
    wrth bawb sydd mewn angen am ddiddanwch a chymorth dy
    gariad.
Pobl anghenus y byd: y newynog, y tlodion, y caethion a'r
    gorthrymedig sydd heb wybod am gariad Duw a heb brofi
    cariad cyd-ddyn.
Pobl anhapus y byd: y galarus, yr unig, yr amddifad a'r
    diymgeledd a'r rhai sydd heb neb i'w caru.

Pobl anghyfrifol y byd: y rhai sy'n gorthrymu eraill, sy'n malio dim
am adfyd eu cyd-ddynion ac sydd heb barch at Dduw na dyn.

Pobl addfwyn y byd: y rhai sy'n tystio mewn gair a gweithred i
ffordd dra rhagorol cariad Crist.

Arglwydd, dysg ni oll i edrych ar y byd a'i breswylwyr yng
ngoleuni dy gariad di ac i fynegi dy gariad yn ein holl
ymwneud â'n gilydd.

Gwna ni'n eofn ac yn ddewr wrth weithredu dy gariad, heb ofni
pwerau'r byd na dirmyg a gwawd dynion.

Golygydd

282 Y RHAI SY'N GAETH I GYFFURIAU

Rhyddha, Arglwydd,
> y rhai hynny sy'n gaeth i bowdr a nodwydd,
> oddi wrth gyffuriau a'u holl effeithiau marwol.

Rhyddha, Arglwydd,
> y rhai hynny sydd wedi eu caethiwo
> i'r hyn sy'n diraddio,
> oddi wrth y chwant sy'n tanseilio.

Tro hwy oddi wrth eu dibyniaeth ar gyffuriau
> i ymddiried yn y Duw byw.

Tro hwy oddi wrth heroin ac opiwm
> at ffrwyth yr Ysbryd.

Newidia galonnau a meddyliau
> y rhai sy'n delio mewn marwolaeth;
> gwthwyr y cyffuriau a'r gwerthwyr
> sy'n ymelwa ar drueni eraill.

Rhyddha'r bobl, Arglwydd;
> boed i'r tywyllwch a'i ormes fynd heibio,
> ac arwain ni oll i brydferthwch dy oleuni
> a'th fywyd di.

John Johansen-Berg, addas. Glyn Tudwal Jones

283 EI ORCHYMYN EF

O Dduw, ein Tad nefol, a amlygaist dy gariad drwy anfon dy
unig-anedig Fab i'r byd, fel y byddo pawb fyw drwyddo: tywallt
dy Ysbryd ar dy Eglwys, fel y cyflawno hi ei orchymyn ef i
bregethu'r Efengyl i bob creadur. Anfon allan, ni a atolygwn,
lafurwyr i'th gynhaeaf; amddiffyn hwynt mewn peryglon a
themtasiynau, a phrysured y dydd pan waredir pob dyn, drwy dy
un Mab, Iesu Grist ein Harglwydd.

Addolwn ac Ymgrymwn, BBC, 1955

284   YMHLITH TLODION
Diolch i ti, O Dad,
am wasanaeth dy Eglwys i dlodion y ddaear:
am y cymorth i filiynau o bobl mewn trybini neu galedi,
neu yn eu hymdrech am well bywyd;
am ynni a gweledigaeth Cristnogion dros y môr
sy'n cymryd yr hyn a roddwn
ac yn ei ddefnyddio'n gyfiawn ac mewn cariad;
am ynni a gweledigaeth pawb
sy'n gweithio'n ddyfal i ddatblygu'r byd,
trwy roi, trwy weddïo, trwy ymdrechu i sicrhau heddwch
trwy ddealltwriaeth a newidiadau cyfiawn.

Gweddïau i'r Eglwys a'r Gymuned, addas. Trefor Lewis

285   BRWYDRO O BLAID Y TLAWD
Dad yr holl bobl, gweddïwn dros y tlawd:
pobl ddigartref sy'n chwilio am gysgod;
pobl ddi-waith sy'n chwilio am swydd;
pobl newynog sy'n chwilio am fwyd;
y mamau sy'n wylo dros eu plant,
a'r ffoaduriaid sy'n ffoi mewn dychryn.

Cyffeswn fod eu tlodi yn sarhad arnom oll
oherwydd y maent hwy ar waelod
rhestr blaenoriaethau ein byd;
ni fedrant wneud penderfyniadau ynglŷn â'u dyfodol;
dioddefant am iddynt gael eu hanwybyddu;
dioddefant oherwydd trachwant eraill.

Deffro ynom ddicter ac ysbryd tosturi;
dangos i ni sut i frwydro o blaid y tlawd,
i weld diwedd ar anghyfiawnder,
i weld gwawrio byd newydd, un byd,
lle bydd dy bobl di i gyd
yn meddiannu'r anghenion syml, sylfaenol,
ar gyfer bywyd llawn a chyflawn.

John Reardon

286   DROS ARWEINWYR IEUENCTID
Iesu,
pan ddechreuaist dy weinidogaeth ar y ddaear gelwaist gylch o
ddynion ifanc i fod yn ddisgyblion i ti a'u dysgu i bregethu
dy Efengyl:
gofynnwn am dy arweiniad a'th gynhaliaeth i weithwyr ieuenctid.

Caniatâ eu bod yn ferched ac yn ddynion llawn ffydd, yn teimlo
   i'r byw dros y bobl ifanc sydd dan eu gofal.
Mewn byd sydd mor llawn dylanwadau drwg a pheryglon,
   caniatâ eu bod yn ddylanwad er daioni.
Trwy eu geiriau a'u gweithredoedd bydded iddynt ddysgu'r ifanc
   i fod yn onest ac yn gywir er mwyn iddynt hwy eu hunain
   fod o wasanaeth i eraill.
Rho iddynt ddychymyg creadigol wrth iddynt rannu'r newydd da
   am dy gariad, fel yr arweiniont yn dyner
   lawer o'r ifanc at ffydd fyw.

John Johansen-Berg, addas. Glyn Tudwal Jones

287 GWEINIDOGAETH CYMOD

O Arglwydd, a roddaist i ni weinidogaeth y cymod, erfyniwn
   arnat i iacháu'r rhaniadau sy'n gwahanu pobl oddi wrth ei
   gilydd yn dy fyd.
Gweddïwn am gymod rhwng cenhedloedd a'i gilydd; gwared ein
   byd oddi wrth gasineb, drwgdybiaeth a gorthrwm; dysg y
   cenhedloedd i ymwrthod â rhyfel ac i geisio heddwch a
   brawdgarwch.
Gweddïwn am gymod rhwng hiliau a'i gilydd; gwna ni oll yn fwy
   goddefgar tuag at rai sy'n wahanol i ni, a dysg bobloedd o bob
   cenedl, llwyth ac iaith i ddeall a pharchu arferion ei gilydd.
Gweddïwn am gymod rhwng cenedlaethau a'i gilydd; dyro i hen
   ac ifanc oddefgarwch ac ystwythder meddwl, i dderbyn
   gwerthoedd ei gilydd ac i ddysgu oddi wrth safbwyntiau ei
   gilydd.
Gweddïwn am gymod rhwng eglwysi a'i gilydd: maddau'r beiau
   a'r rhagfarnau sy'n gwahanu Cristnogion; cynorthwya ni i
   fawrygu cyfraniad gwahanol draddodiadau ac adfer undod dy
   Eglwys mewn cariad a thangnefedd.
Una ni, mewn ffydd a brawdgarwch, yn un teulu yn y nef ac ar y
   ddaear, yng Nghrist Iesu ein Harglwydd.

Caryl Micklem, 1925–2001, addas.

288 EIN BYWYD GARTREF

O Arglwydd Iesu, yr hwn a gysegraist fywyd y teulu trwy dy
enedigaeth ym Methlehem a'th fagwraeth yn Nasareth,
bendithia ni yn holl ddyletswyddau ein bywyd gartref, a chaniatâ
inni dy gydnabod yn Amddiffynnydd ein cartrefi ac Arglwydd
ein teuluoedd; ac i ti y bo'r gogoniant yn oes oesoedd.

Addolwn ac Ymgrymwn, BBC, 1955

289   Y RHAI MEWN PROFEDIGAETH

Clyw ein gweddi ar ran y rhai sydd mewn galar y dydd hwn.

O Arglwydd, cynnal y rhai y daeth profedigaeth i'w rhan, boed hynny'n annisgwyl neu wedi hir baratoi ar gyfer awr boenus yr ymwahanu. Gysurwr y weddw, a chyfaill yr amddifad, sych ddagrau dy blant, gwasgar eu hofnau, cynnal eu hysbryd drylliedig a rho iddynt ffydd ddiollwng yn dy ragluniaeth fawr, trwy Iesu Grist ein Harglwydd.

Llyfr Gwasanaeth yr Annibynwyr Cymraeg, 1998

290   PLANT AG ANGHENION ARBENNIG

Arglwydd Iesu,
mae dy gariad tuag atom yn ddwfn a rhyfeddol;
cynigiaist dy hun yn aberth ar ein rhan ni i gyd,
yn offrwm pêr.

    Cynorthwya ni i fyw bywyd o gariad,
gan fod yn barod i roi fel y rhoddaist ti
a'n hoffrymu'n hunain yn llawen i Dduw ein Tad.

    Iesu, dan chwerthin,
tynnaist y plant o'th amgylch
gyda hudoliaeth clown neu bibydd brith.

    Roedd dy gariad tuag at y plant yn amlwg
trwy gydol dy weinidogaeth.

    Gweddïwn dros blant a chanddynt anghenion arbennig,
gartref neu o fewn sefydliad.

    Boed iddynt adnabod dy bresenoldeb a'th gariad
gan ymateb i'th chwerthin â'u gwenau.

    Ysbrydola a chynnal bawb sy'n gofalu amdanynt – eu rhieni,
perthnasau, cyfeillion a gweithwyr meddygol – fel y byddo'u
cariad hwy'n fynegiant o'th gariad di.

    Felly, boed i'r plant ganfod llawenydd yn dy bresenoldeb ac
yng nghwmni'r rhai o'u hamgylch,
a goresgyn eu hanawsterau
trwy lawnder y bywyd a ddaw oddi wrthyt ti.

John Johansen-Berg, addas. Glyn Tudwal Jones

291   ADDOLIAD A BYWYD YR EGLWYS

Diolch i ti, O Arglwydd ein Duw, am ein bod yn cael ymuno
    yn addoliad dy Eglwys drwy'r holl fyd.
Diolch i ti am y gymdeithas ryfedd hon sydd trwy bethau
    materol yn llefaru wrthym am bethau ysbrydol,
      a thrwy bethau gweledig yn datguddio'r pethau anweledig.

Diolch i ti am y gymdeithas sy'n fagwrfa saint ac yn gartref i
blant afradlon.
Diolch i ti am y gymdeithas sy'n gosod ger ein bron ddelfrydau
aruchel ac sydd yn estyn ymgeledd i'r rhai sy'n syrthio.
Diolch i ti am y gymdeithas sy'n galw arnom i godi ein croes,
ac yn rhoi i ni fywyd helaethach.
Diolch i ti am y gymdeithas sy'n cyhoeddi fod y Gair
tragwyddol wedi dod yn gnawd,
fod Mab Duw wedi ei roi ei hun yn iawn,
a bod yr Ysbryd Glân yn preswylio yn ein plith.
Gweddïwn, Arglwydd, dros dy Eglwys, a thros bob cangen ohoni
yn ein gwlad a ledled y byd.
Boed i'r rhai sy'n dy addoli gael eu hadnewyddu mewn meddwl
ac ysbryd, a'u galluogi i wasanaethu pobl er dy ogoniant.
Rhyddha dy bobl o bob caethiwed i draddodiad, a gwna hwy'n
barod i ymateb i bob arweiniad newydd o eiddo d'Ysbryd.
Una dy bobl yn y gwirionedd, a bwrw i lawr bob canolfur
gwahaniaeth yn dy Eglwys.
Cyfarwydda'r rhai sy'n addysgu'r plant fel y delont hwy i garu'r
Arglwydd Iesu Grist, a boed i'r ieuainc glywed yn yr Eglwys
her y Meistr i ymgysegru i waith dy deyrnas.
Gwna ni oll, O Arglwydd, yn ffyddlon yn y pethau bychain,
yn hyderus mewn pethau mawrion,
ac ymhob peth yn ddiolchgar.
Er gogoniant i ti, trwy Iesu Grist ein Harglwydd.

Cynnal Oedfa

292   DISGWYL WRTH DDUW
Gweddïwn, O Dduw,
dros bawb sydd mewn angen a phob un sy'n disgwyl –
am waith, pan nad oes gwaith i'w gael;
am gyfle i brofi eu gallu a'u gwerth;
am newid yn y gyfundrefn wleidyddol;
am ryddhad o garchar;
am iachâd oddi wrth afiechyd;
am farwolaeth rhywun annwyl sy'n ddifrifol wael;
am adnewyddiad yn yr Eglwys;
am gariad, am gwmni ac am gefnogaeth.
Arglwydd, yn eu holl anghenion,
dysg hwy i ddisgwyl wrthyt ti ac i'th ganfod
yn gymorth hawdd dy gael yn eu cyfyngderau.

A Restless Hope, Llawlyfr Gweddi CWM, 1995

293   PONTIO'R PELLTEROEDD
Arglwydd y cyfandiroedd a'r ynysoedd,
ti a'n creaist ni yn llwythau, yn hiliau ac yn genhedloedd,
ac amgylchynaist ni â môr dy gariad:
diolchwn am Efengyl sy'n pontio'r pellter rhyngom ac yn ein
clymu ynghyd yn un teulu ynot ti.
    Rho i ni ystwythder, hyblygrwydd a menter i estyn ein dwylo
a'n calonnau dros y moroedd, i rannu cariad Crist â'n brodyr a'n
chwiorydd ym mhedwar ban y byd.

Gweddïo, 1995

294   DROS YR EGLWYS LÂN GATHOLIG
Rasusol Dad,
ni a erfyniwn arnat yn ostyngedig
dros dy Eglwys Lân Gatholig.
    Llanw hi â phob gwirionedd;
yn ei holl wirionedd llanw hi â phob tangnefedd;
lle mae'n llygredig, glanha hi;
lle mae mewn camwedd, cyfarwydda hi;
lle mae'n ofergoelus, cywira hi;
lle mae unrhyw beth o'i le, diwygia hi;
lle y mae mewn eisiau, cyflawna hi;
lle y gwahanwyd hi a'i rhannu, cyfanna ei rhwygiadau,
    O sanct Israel,
er mwyn Iesu Grist, ein Harglwydd a'n Gwaredwr.

William Laud, 1573–1645

295   Y DEYRNAS
'Deled dy deyrnas.'
    Mor aml y dywedais y geiriau
    gan gredu 'mod i'n eu gweddïo!
'Deled dy deyrnas?'
    Ie, iawn;
    ond gofyn am fyd heb broblemau a wneuthum lawer tro;
    byd lle mae popeth yn hyfryd a theg a melys;
    byd o gynghanedd . . . persain.
Ond dyw pethau ddim fel'na, Arglwydd:
    mae rhyfeloedd, a sôn am ryfeloedd;
    mae poen a thrachwant a chasineb;
    mae plant yn marw ar domennydd sbwriel y byd.
Yn dy nerth a'th allu di,
    oni allai pethau fod yn wahanol?

Mae arnaf ofn:
    mae pob owns o'm diwinyddiaeth
    a phob modfedd o athrawiaeth
    yn fy ngadael yn oer,
    a'm cwestiynau bach mawr
    heb eu hateb.
Ac eto, os mai felly y mae,
    efallai, yn dy gariad a'th ddoethineb a'th drefn,
    mai felly y mae i fod.
Helpa fi i lynu mewn ffydd pan na ddeallaf;
    i gerdded mewn gobaith drwy'r niwl;
    i chwilio amdanat yn y nos.
Pan na ddeallaf,
    helpa fi i dderbyn.

W. J. Byron Evans, 1938–2000

296 DROS GYFATHREBWYR

Arglwydd ein Duw,
a gyhoeddaist dy Air tragwyddol drwy enau proffwydi ac
    athrawon, goleua a chyfarwydda'r rhai sydd heddiw yn
    dylanwadu ar eraill drwy eu geiriau, llafar ac ysgrifenedig.
Bendithia ddarlledwyr a newyddiadurwyr sy'n cyfathrebu â
    miloedd drwy gyfrwng radio, teledu a'r wasg, fel y bydd eu
    geiriau'n cyfleu'r gwirionedd ac yn meithrin barn deg.
Bendithia athrawon sy'n hyfforddi plant a phobl ifanc, fel y bydd
    y rhai sy'n cael eu dysgu ganddynt yn cael eu harwain i
    lwybrau deall a doethineb.
Bendithia weinidogion y Gair a phawb sydd wedi eu galw i
    gyhoeddi'r Efengyl, fel yr estynnir dy deyrnas drwy eu
    pregethu a'u tystiolaeth.
Cynorthwya hwy a ninnau i borthi'n meddyliau yn dy wirionedd
    a'n heneidiau yn dy gariad, er mwyn i ni 'ddweud yn dda
    mewn gair amdanat'.

Gweddïo, 1987

297 CALON GREF A THYNER

Arglwydd, rho i mi
galon gref i ddwyn fy meichiau fy hun,
calon dyner i ddwyn beichiau eraill,
a chalon grediniol i fwrw fy holl feichiau arnat ti,
oherwydd y mae dy ofal di drosom oll.

Yr Esgob Lesslie Newbigin, 1909–98

298 AM ADFYWIAD

Hiraethwn, O Arglwydd,
   am i ti ymweld â'th Eglwys yn dy ras a'th rym i'w hadfywio.
Er gwaethaf ein hannheilyngdod mawr,
   tyrd yn dy Ysbryd nerthol i'n bywhau;
   dryllia gadwyni ein difrawder;
   anadla ar esgyrn sychion ein crefydd farwaidd;
   chwythed dy wyntoedd nerthol drwy ein gwlad a thrwy
   dy Eglwys;
   tyn ni bob un i blygu wrth dy droed,
   i ymroi i waith dy deyrnas,
   ac i ddathlu buddugoliaeth dy deyrnas dragwyddol;
   trwy Iesu Grist ein Harglwydd.

anad.

299 GWAITH CENHADOL YR EGLWYS

Hollalluog Dduw, sy'n ewyllysio i bob dyn fod yn gadwedig a
dod i ganfod dy wirionedd, anfon, ni a erfyniwn arnat, weithwyr
i'th gynhaeaf, a chaniatâ iddynt bregethu dy air mor ffyddlon fel
y daw'r holl genhedloedd i'th adnabod di, yr unig wir Dduw, a'r
hwn a anfonaist, dy Fab Iesu Grist ein Harglwydd.

Y Llyfr Gweddi Gyffredin

300 EIDDOT TI YW'R DEYRNAS

Eiddot ti yw'r deyrnas, Arglwydd,
nid eiddom ni:
dy rodd rasol ydyw i'r praidd bychan,
i'r addfwyn a'r gostyngedig o galon;
ni pherthyn iddi rwysg a rhodres y byd;
marchoga ei Thywysog ar gefn ebol asyn,
ac ni fyn ymddyrchafu'n falch.
   O Arglwydd, deled dy deyrnas
i fyd y trais a'r dinistr a'r hunanoldeb dall;
deled ei chymod gwynfydedig
i uno cenhedloedd daear
ac i wneud dynion yn llariaidd.
   Eiddot ti yw'r gallu, Arglwydd,
nid eiddom ni:
ni allwn ni, â braich o gnawd, achub a gwaredu;
megis y disgyblion wrth odre'r mynydd,
ni allwn ni fwrw allan yr ysbryd aflan:
methu yw ein hanes ni, a chyffeswn ein gwendid.

O Geidwad Hollalluog, a Gwaredwr yr hollfyd,
achub heddiw yn dy rymuster a'th nerth,
fel y delo plant dynion ym mhob man o dan gysgod y groes.
 Eiddot ti yw'r gogoniant, Arglwydd,
nid eiddom ni:
y mae trysor yr Efengyl mewn llestr brau,
ac eiddot ti, Arglwydd, yw'r clod a'r anrhydedd;
derbyn ein mawrhad,
a dod ogoniant i'th enw dy hun,
yn awr ac yn oes oesoedd.

Desmond Davies

301 YN UN Â PHOBL DDUW
Arglwydd, fel y bu Eglwys y Gwas Dioddefus
 yn cyfrif cost ffydd yn ein gwlad;
 fel y bu ysbeilio a dinistrio a difa
 ar y da a'r cysegredig,
 tyrd atom i ganol ein crefydda cyfforddus
 a'n bywydau braf,
 a gwna ni'n un mewn gweddi a chymdeithas,
 dagrau a dioddefaint, â'th bobl yn y byd:
 y rhai sy'n tystio i'th Fab, ble mae hynny'n ennyn dicter;
 y rhai sy'n barod i sefyll, yn wyneb pob bygythiad;
 y rhai sy'n tystio i ffordd tangnefedd, yng nghanol rhyfela;
 y rhai sy'n adeiladu pontydd cymod a goddefgarwch,
 ble mae rhagfarnau a hen gasineb;
 y rhai sy'n parhau yn ffyddlon i ti,
 heb gyfri'r gost na disgwyl clod.
Arglwydd, gad i ni, sy'n etifeddion aberth ddoe yng Nghymru,
 fod yn un ag aberth heddiw drwy'r byd,
 er mwyn i ninnau fod yn barod
 i gyfri'r gost mewn dydd a ddaw.

Pryderi Llwyd Jones

302 CARIAD AT HEDDWCH
Hollalluog Dduw, ffynhonnell pob meddwl o wirionedd a hedd:
ennyn yng nghalon pob dyn wir gariad at heddwch, ac â'th
ddoethineb bur a heddychlon arwain y rhai sy'n ymgynghori
dros genhedloedd y byd, fel yr hyrwyddir dy deyrnas mewn
tangnefedd, hyd oni lenwir y ddaear â gwybodaeth o'th gariad;
trwy Iesu Grist ein Harglwydd.

Y Llyfr Gweddi Gyffredin

303 GWEITHWYR YN Y NOS
   Bendithia, O Arglwydd,
   bawb sy'n effro ac wrth eu gwaith
   er mwyn i ni orffwys a huno:
   y rhai sy'n gwylio drosom
   a'r sawl sy'n gweini ar y cleifion;
   y rhai sy'n gwasanaethu'n diwydiant
   ar dir, ar fôr ac yn yr awyr,
   a'r sawl sy'n casglu ac yn cludo ein newyddion
   i leoedd pell ac agos.
      Cadw hwy'n ddiogel yn eu gwaith
   a gwylia drostynt mewn perygl ac unigedd,
   er mwyn yr hwn a weddïodd drosom ni
   yng ngwyliadwriaethau'r nos,
   Iesu Grist ein Harglwydd.

Llyfr o Wasanaethau Crefyddol ar Gyfer Ieuenctid Cymru

304 MEWN WARD GERIATRIG
   Arglwydd, ai i hyn y'n ganed?
   I orffen ein daearol rawd fel bresych
      mewn gwely o bridd,
      gan dorri ar y munudau maith
      yn unig gydag ambell ochenaid,
      neu ddolefus gri?
   Mae'r nos yn hongian yn drwm dros y stafell,
      ond uwchben un gwely mae'r golau ynghynn,
      a meddyg a nyrs a chlaf yn chwarae'r act olaf
      yn nrama un o eiddil bererinion y ddynolryw.
   Yfory daw'r ymwelwyr eto, ond y tro hwn
      nid â'u mân siarad wrth erchwyn gwely,
      nac i droi eu llygaid gweddigar at Dduw
      gan grefu am ollyngdod i'w hanwylyd o'i gystudd hir,
      ond i gyrchu'r parsel bychan trist
      sy'n cynnwys olaf angenrheidiau dyn.
   O Iesu'r Meddyg mawr, cofia'r hen bobl:
      y gwŷr a'r gwragedd a ddaliwyd gan lesgedd a phoen;
      a welodd gymaint caledi gynt mewn dirwasgiad a thlodi.
   Cofia hwy, O Feddyg da, yn eu holaf awr,
      a chaniatâ iddynt weld, y tu hwnt i'w heiddil gnawd,
      awgrym o'r Ddrama Newydd
      a fu'n wrthrych eu ffydd.

Maurice Loader

305 RHYDDID I BOBL Y BYD

O Dduw, yr hwn wyt berffaith gariad, gweddïwn
dros y gormeswr a'r sawl a ormesir,
dros yr erlidiwr a'r sawl a erlidir,
dros y troseddwr a'r dioddefwr.

Rho i ni lygaid clir i weld y byd fel y mae,
a'n hunain a phobl eraill fel yr ydym;
ond rho i ni hefyd obaith i barhau i gredu
yn yr hyn yr wyt ti am inni fod.

Cryfha ein ffydd,
bywha ein gobaith,
cyfeiria ein cariad,
i ni wneud ein rhan i ennill rhyddid i holl bobl y byd;
trwy Iesu Grist ein Harglwydd.

John de Gruchy, De Affrica

306 Y CARCHAROR CYDWYBOD

O Grist, y gŵr gofidus a chynefin â dolur,
dyrchafwn ein llef yn awr ar ran y miloedd
sy'n wynebu ingoedd a dioddefaint blin
oherwydd eu daliadau gwleidyddol neu grefyddol:
O Grist cyfiawn, clyw ein cri.
Dros rai sy'n gwrthod plygu glin
a chyfaddawdu â'u gorthrymwyr;
dros y rhai sy'n herio pob ffurf ar gelwydd
yn hytrach na chyfaddawdu'r gwirionedd:
O Grist cyfiawn, clyw ein cri.
Yn y nos a'u goddiweddodd
rho iddynt o lewyrch dy wyneb
fel y daliant i ddisgwyl i'r wawr dorri:
O Grist cyfiawn, clyw ein cri.
Dros y teuluoedd sy'n profi
gwewyr ac artaith y gwahanu;
ar ran y llywodraethwyr a'r awdurdodau
sy'n ymddwyn mor anwaraidd:
O Grist cyfiawn, clyw ein cri.
Ar ran y mudiadau sy'n brwydro
er prysuro dydd torri'r maglau;
ar i'th gariad, y credwn ei fod yn drech nag unrhyw allu arall,
gael ei adlewyrchu ym mywyd cenhedloedd y ddaear:
O Grist cyfiawn, clyw ein cri.

Olaf Davies, addas.

307   YR EGLWYS YN Y NEF AC AR Y DDAEAR

O Dduw tragwyddol, yr hwn wyt yn cynnal eneidiau pawb
mewn bywyd: ni a erfyniwn arnat, tywallt ar dy holl Eglwys, ar y
ddaear ac ym mharadwys, belydrau disglair dy oleuni a chysur
nefol; a chaniatâ i ni, gan ddilyn esiampl dda y rhai a'th
wasanaethodd di yma, ac sydd yn awr yn gorffwys mewn hedd,
yn y diwedd gael mynedfa gyda hwynt i lawnder dy lawenydd
diddiwedd; trwy Iesu Grist ein Harglwydd.

The Book of Common Order

308   Y GENHADAETH FYD-EANG

Eiddot ti, O Arglwydd, y ddaear a'i holl gyflawnder;
   tydi yn dy allu sy'n goruwchlywodraethu yr holl
   genhedloedd;
   tydi yn dy ddoethineb a luniaist bob llwyth ac iaith a chenedl;
   tydi yn dy gariad a roddaist dy unig Fab,
   er mwyn i bob un sy'n credu ynddo ef gael bywyd tragwyddol.
Mawrygwn dy enw fod yr Efengyl wedi bod yn fodd i ddwyn
   eneidiau lawer i ryddid a llawenydd, ac yn fodd i ddwyn
   daioni diwylliant llawer cenedl i wasanaeth dy deyrnas.
Diolch i ti am bob arwydd o ddylanwad yr Ysbryd Glân heddiw
   yng nghynnydd a bywyd dy Eglwys ledled byd.
Galw eto, O Dad, rywrai fydd yn barod i fynd â'r newyddion da
   i'r rhai sydd o hyd mewn tywyllwch, a gwna ni oll yn
   ddeiliaid teilwng o'r deyrnas, ac yn genhadon cymwys iddi.

C.M. Bowen

309   GWEDDI CARCHAROR

O Arglwydd, clyw fy ngweddi.
Gwyddost lle rwyf fi heno:
er bod fy nheulu a'm ffrindiau ymhell,
rwyt ti yma gyda mi;
nid oes gell sy'n rhy ddwfnguddiedig
nad wyt ti yno,
na barrau'n ddigon cryf fyth i'n gwahanu.
   Pwy ŵyr beth ddaw bore fory;
nid oes dim yn sicr ond tydi,
fy Arglwydd a'm Duw.
   Gwn y byddi yn fy achub
o law y poenydiwr,
o law y gormeswr, ryw ddydd:
am hynny, molaf dy enw.

Dyma fydd fy nghannwyll,
ac wrth i mi wylio gwelaf weddïau byw
chwiorydd a brodyr,
fel fflamau llachar ffydd:
cannwyll yn ateb cannwyll yn y nos,
fel sêr cyn gwawrio dydd y deyrnas.
O Arglwydd,
gyr di dy weision allan fel colomennod,
cenhadon cyfiawnder
a gweithredwyr cariad,
a gwna bob un yn agorwr drysau.

Cyf. Robin Gwyndaf

YMGYSEGRIAD

Am hynny, yr wyf yn ymbil arnoch, frodyr,
ar sail tosturiaethau Duw,
i'ch offrymu eich hunain yn aberth byw,
sanctaidd a derbyniol gan Dduw.
Felly y rhowch iddo addoliad ysbrydol.
(RHUFEINIAID 12:1)

∽

310 CYFAMOD Â DUW
Nid wyf mwyach yn eiddo i mi fy hun, ond i ti.
Rho i mi'r dasg a fynni,
 gosod fi gyda'r neb a ewyllysi;
 dod fi i weithio, dod fi i ddioddef;
 gosod fi mewn gwasanaeth drosot neu tro fi heibio;
 dyrchafer fi neu darostynger fi er dy fwyn;
 gwna fi'n gyfoethog, gwna fi'n dlawd;
 dyro i mi bopeth, gad fi heb ddim;
 yn ddiatal ac o'r galon
 ildiaf bopeth oll i'th ewyllys a'th orchymyn di.
Ac yn awr, ogoneddus a bendigedig Dduw,
 Dad, Mab ac Ysbryd Glân,
 tydi wyt eiddo fi, a minnau wyf eiddot ti.
Felly y byddo.
A chaniatâ i'r Cyfamod a wneuthum ar y ddaear
 fod wedi ei sicrhau yn y nefoedd.

Gwasanaeth Cyfamod yr Eglwys Fethodistaidd

311 FY AMSER A'M DONIAU
O Iesu Grist, Mab y Duw byw, cymer, er mwyn dy angau drud,
 fy amser a'm nerth, a'r dawn a'r dalent a feddaf;
 y rhai yr wyf o lwyrfryd calon yn eu cysegru er dy ogoniant
 yn adeiladaeth dy Eglwys yn y byd,
 canys yr wyt ti yn deilwng o galonnau a thalentau pawb.

Christmas Evans, 1766–1838

158

312   Y DEWIS

Arglwydd, rydw i wedi dewis!
Rydw i wedi gwneud penderfyniad mawr,
    penderfyniad mwyaf fy mywyd:
    rydw i wedi penderfynu dy ddilyn di.
Nid penderfyniad byrbwyll, emosiynol mohono, Arglwydd,
    ond ffrwyth meddwl a myfyrdod
    a'm dygodd i'r casgliad mai dyma'r dewis gorau.
Yn awr, Arglwydd, rydw i'n tyngu llw
    o ffyddlondeb a theyrngarwch i ti,
    i'th Eglwys ac i'th wasanaeth.
Does gen i fawr i'w gynnig i ti,
    ond y mae gennyf fy mywyd,
    fy nghorff ac unrhyw dalent sy'n eiddo i mi.
Wn i ddim beth wnei di ohonof a thrwof,
    na chwaith beth a fynni di i mi ei wneud,
    na pha le na pha fodd y mynni imi ei wneud:
    rydw i'n gadael hynny'n llwyr i ti,
    gan ddisgwyl dy alwad,
    dy arweiniad a'th arfogaeth.
Yr hyn a fedraf, rwyf am ei wneud i ti;
    rho i mi le a chyfle yn dy winllan,
    neu rho i mi lygad i weld fy nghyfle.
Arglwydd, defnyddia fi rywfodd, yn rhywle,
    ond i mi fod o ryw gymorth a gwasanaeth
    i ti ac i'm cyd-ddyn.

D. J. Evans, 1917–2004

313   MEITHRIN DAIONI

Dysg fi, O Dduw,
    i ddefnyddio holl amgylchiadau fy mywyd heddiw
    i feithrin ynof ffrwythau sancteiddrwydd
    yn hytrach na ffrwythau pechod:
    gad i mi ddefnyddio siom i feithrin amynedd;
    gad i mi ddefnyddio llwyddiant i feithrin diolchgarwch;
    gad i mi ddefnyddio pryder i feithrin dyfalbarhad;
    gad i mi ddefnyddio perygl i feithrin gwroldeb;
    gad i mi ddefnyddio cerydd i feithrin hirymaros;
    gad i mi ddefnyddio clod i feithrin gwyleidd-dra;
    gad i mi ddefnyddio pleserau i feithrin cymedroldeb;
    gad i mi ddefnyddio poenau i feithrin dycnwch.

John Baillie, 1886–1960, cyf. Trebor Lloyd Evans

314 CYMER FI

O Iesu annwyl, llanw fi yn awr â'th gariad, ac erfyniaf arnat fy nerbyn, ac fel y gweli orau, fy nefnyddio er dy ogoniant. O cymer, cymer fi, fy Iesu, derbyn fi a defnyddia fy ngwasanaeth, ond i ti yn unig y bo'r clod.

David Livingstone, 1813–73

315 CLYWED EI ALWAD

Diolch i ti, Arglwydd, am i ti alw rhai ym mhob oes
    i fod yn bobl i ti ac yn genhadon i Efengyl Iesu Grist yn y byd.
Diolch i ti am y Deuddeg cyntaf a glywodd alwad Iesu
    ac a anfonwyd ganddo i rannu neges y deyrnas.
Diolch i ti am genhadon gwrol ym mhob cyfnod
    a fentrodd bopeth i fynd â'r newyddion da i bellafoedd byd.
Diolch i ti mai trwy gyfryngau dynol
    yr wyt ti wedi gweithio erioed.
Gad i ninnau glywed llais Iesu dy Fab
    yn ein cymell i gysegru'n doniau a'n hamser i'w waith.
Gwna ni'n eiddgar yn ein hymateb i'w alwad;
    yn frwd ein gwasanaeth,
    yn eirwir ein tystiolaeth,
    ac yn barod bob amser i godi baner Crist
    ar ba faes bynnag yr wyt yn ei osod o dan ein gofal.

Golygydd

316 STIWARDIAETH GRISTNOGOL

Ein Tad nefol, a'n dysgaist yn dy Fab Iesu Grist fod ein holl eiddo wedi ei ymddiried i ni gennyt ti; dysg ni i fod yn stiwardiaid ffyddlon o'n hamser, o'n talentau ac o'n harian, gan gysegru'n llawen i'th wasanaeth bopeth a roddaist i ni; a dyro i ni ras, O Arglwydd, i'n rhoi ein hunain i ti fel rhai a brynwyd yn ddrud gan dy Fab, ein Gwaredwr, Iesu Grist.

Frank Colquhoun, 1909–97

317 MESUR FY YMDRECHION

Gofynnaist am fy nwylo
    fel y gellit eu defnyddio i'th ddibenion di:
    rhoddais hwy am ennyd,
    yna eu hatal am fod y gwaith yn galed.
Gofynnaist am fy ngenau
    i lefaru yn erbyn anghyfiawnder:
    rhoddais i ti fy sibrwd
    fel na ellid dwyn cyhuddiad yn fy erbyn.

Gofynnaist am fy llygaid
   i weld poenau tlodi:
   caeais fy llygaid am nad oeddwn eisiau gweld.
Gofynnaist am fy mywyd
   fel y gellit weithredu drwof fi:
   rhoddais gyfran fechan
   rhag imi ymroi yn ormodol.
Arglwydd, maddau i mi am fesur
   fy ymdrechion i'th wasanaethu,
   yn unig pryd mae'n gyfleus imi wneud hynny,
   yn unig yn y mannau y mae'n ddiogel imi wneud hynny,
   ac yn unig gyda'r rhai sy'n ei gwneud hi'n hawdd
   i wneud hynny.
Dad, maddau i mi,
   adnewydda fi, anfon fi allan yn erfyn defnyddiol,
   fel y bydd imi gymryd o ddifrif ystyr y groes.

Joe Seremane, De Affrica, cyf. Dafydd Lloyd Hughes

318   TRWY GYFRWNG EIN BEDYDD
Arglwydd, fe'n gelwaist i fywyd o ddisgyblaeth:
   tithau'n Feistr, a ninnau'n weision,
   tithau'n Athro, a ninnau'n ddisgyblion,
   tithau'n Fugail, a ninnau'n canlyn ar dy ôl.
Buost farw trosom;
   ni allwn ni yn awr ond byw i ti, gan addunedu i ti
   ein teyrngarwch,
   ein hufudd-dod,
   ein ffyddlondeb,
   ein hymgysegriad llwyr.
Trwy gymorth dy ras, a thrwy gyfrwng ein bedydd,
   ymdynghedwn weddill ein dyddiau
   i ymroi i'th waith,
   i wasanaethu dy Eglwys,
   i'th gyffesu gerbron y byd,
   i ymdrechu i arddangos y grasusau Cristnogol
   yn ein bywyd beunyddiol.
Nid yn anfoddog y gwnawn hyn,
   ond o wirfodd ac yn llawen,
   gan mai dy gariad sydd wedi ein hennill ar dy ôl,
   a chan mai yn dy wasanaeth di
   y mae ein gorfoledd pennaf.

Desmond Davies

319 CYFLWYNO'N HUNAIN
Crea awydd newydd ynom, O Dduw,
   i'n cyflwyno'n hunain yn llwyrach i ti mewn cariad,
   ufudd-dod ac ymgysegriad.
Cymorth ni i gysegru'n hamser, i'w werthfawrogi'n fwy
   a'i ddefnyddio i'r dibenion gorau.
Cymorth ni i gysegru'n dwylo, i ni fod yn gyfryngau
   dy dosturi a'th drugaredd yn y byd.
Cymorth ni i gysegru'n genau i ddweud amdanat
   ac i dystio i werthoedd a gwirioneddau'r Efengyl.
Cymorth ni i gysegru'n calonnau ac i ddwyn pob teimlad
   o'n heiddo o dan dy arglwyddiaeth di,
   ein Brenin a'n Duw.

Golygydd

320 ARGLWYDD, CYMHWYSA NI
Arglwydd, cymhwysa ni ar gyfer dy waith:
   gad i ni wrando dy alwad di o flaen pob galwad arall;
   i geisio dy ewyllys di o flaen pob ewyllys arall;
   i blygu i'th fwriad di o flaen bob bwriad arall.
Yr wyt yn dewis defnyddio ein calonnau,
   ein llygaid, ein genau, ein dwylo
   a'n gwythiennau ni
   i fod yn sianelau dy gariad i'r byd.
Rho ras i ni ein cysegru'n hunain
   a phob rhan o'n bywyd i ti,
   fel y bydd dy gariad yn llifo drwom
   at dy blant anghenus ym mhob man,
   fel y gwelant, nid ein gweithredoedd ni
   ond dy diriondeb a'th drugaredd di dy hun;
   er mwyn Iesu Grist dy Fab a'n Gwaredwr ninnau.

Gweddïo, 1995

321 DEFNYDDIO'N DONIAU
Hollalluog Dduw, y mae dy Ysbryd Glân yn cynysgaeddu'r
   Eglwys ag amrywiaeth cyfoethog o ddoniau: caniatâ i ni allu
   eu defnyddio i ddwyn tystiolaeth i Grist trwy fywydau wedi'u
   hadeiladu ar ffydd a chariad. Gwna ni'n barod i fyw ei
   Efengyl ac yn eiddgar i wneud ei ewyllys, fel y gallwn
   gyfranogi gyda'th holl Eglwys yn llawenydd y bywyd
   tragwyddol; trwy Iesu Grist ein Harglwydd.

Y Llyfr Gweddi Gyffredin

322   YN EIDDO I'R ARGLWYDD

Yr wyf y dydd hwn yn rhoddi fy hun
    i ti, O Arglwydd, dros byth:
    yr wyf yn rhoi fy enaid
     i ti ei gadw a'i lywodraethu;
    fy nghorff yn aberth i ti,
    fy nghalon i'th garu,
    fy nhafod i'th glodfori,
    fy amser i'th wasanaethu,
    fy aelodau yn arfau cyfiawnder i ti.
Yn dy berson mi gredaf,
    yn dy waed mi ymolchaf,
    yn dy ras mi ymnerthaf,
    yn dy air mi fyfyriaf,
    ar dy ogoniant mi edrychaf,
    ar dy fynwes mi bwysaf,
    yn dy orchmynion mi rodiaf,
    yn erbyn pechodau mi ryfelaf,
    dan y groes mi ddioddefaf,
    dros bob dyn mi weddïaf.
Fel hyn yr wyf yn bwriadu byw i ti, O Dduw,
    ac ymddiried yn dy ddaioni di yn unig,
    am nerth a gras i gadw fy adduned.

Seiliedig ar eiriau Dafydd Cadwaladr, 1752–1834

323   HYN A DDYSGAIST I NI

Golchi traed dy ddisgyblion,
    ac estyn cwpan o ddŵr i'r sychedig;
iacháu'r cleifion a chysuro'r trist,
    a mynd o amgylch gan wneud daioni;
gwasanaethu'r anghenus a chynorthwyo'r gwan,
    a thrwy hynny dy wasanaethu di;
caru ein gelynion, gweddïo dros y rhai sy'n ein herlid,
    a bod yn blant i'n Tad sydd yn y nefoedd;
pa beth bynnag y dymunwn i ddynion ei wneud i ni,
    gwnawn ninnau felly iddynt hwy;
hyn yw'r Gyfraith a'r Proffwydi,
    hyn a ddysgaist i ni.
Cynorthwya ni, yn ddiolchgar ac yn ufudd,
i gerdded llwybrau dy gariad:
    dyma ni at dy wasanaeth, Arglwydd.

Seiliedig ar y Bregeth ar y Mynydd

324   DUW YN GALW

Arglwydd, pam wyt ti'n galw rhai ac nid eraill,
    os wyt yn Dduw yr holl bobloedd?
Pam y mae rhai yn cael eu dethol i freintiau
    a'u neilltuo i fod yn bobl arbennig i ti?
Pam Abraham? Pam Moses?
Pam Jeremeia? Pam Saul o Darsus?
Ond yr wyt ti'n galw pobl
    nid i safle ond i swydd,
    nid i wobr ond i waith,
    nid i fod yn ffefrynnau i ti
    ond i fod yn gyfryngau dy genhadaeth yn y byd.
Credwn dy fod yn ein galw ninnau, Arglwydd,
    i adael popeth ac i gymryd rhan yn antur teyrnas Iesu:
    i gefnu ar y cyfarwydd a'r diogel;
    i fentro drosot i leoedd dieithr ac anhysbys;
    i ganfod llwybrau newydd i'n pererindod,
    a dulliau newydd o gyhoeddi a dathlu'r newyddion da.
Cadw ni rhag ymfalchïo'n unig
    yn ein hachubiaeth ein hunain,
    ond i ymroi i gyflawni dy bwrpas
    i achub y byd.

Worship Now, Book II

325   AM FFYDD I GREDU

Gweddïaf, O Dad,
    am ffydd i gredu dy fod yn llywodraethur'r byd
    mewn gwirionedd a chyfiawnder;
    am ffydd i gredu, os ceisiaf dy deyrnas di a'i chyfiawnder,
    y gofeli di am fy anghenion llai;
    am ffydd i fod yn dawel ac yn wrol
    yn wyneb pa beryglon bynnag a ddaw i'm cyfarfod
    wrth wneud fy nyletswydd ar daith bywyd;
    am ffydd i gredu yng ngrym dy gariad
    i doddi fy nghalon galed ac i ddifa fy mhechod;
    am ffydd i roi fy ymddiriedaeth
    mewn cariad yn hytrach nag mewn trais,
    pan fo calonnau pobl eraill yn caledu i'm herbyn;
    am ffydd i adael yn dy ddwylo di les fy anwyliaid
    a phawb sydd mewn angen, mewn afiechyd
    ac mewn adfyd.

John Baille, 1886–1960, cyf. Trebor Lloyd Evans

326 I'W OFAL EF

O Arglwydd, trugarog ac anfeidrol,
  i'th ddwylo di yr wyf yn gorchymyn
  fy enaid a'm corff,
  fy synhwyrau a'm geiriau,
  fy meddyliau a'm gweithredoedd,
  gyda holl angenrheidiau fy nghorff a'm henaid;
  fy mynediadau i mewn ac allan,
  fy ffyrdd a'm hymarweddiad,
  treigl a diwedd fy mywyd,
  dydd ac awr fy marwolaeth,
  fy ngorffwys a'm hatgyfodiad,
  gyda'th saint a'th etholedigion di;
  trwy Iesu Grist ein Harglwydd.

John Hughes, Allwydd Paradwys i'r Cymry, 1670

327 YNG NGRYM EI ENW

Torra dy enw, Arglwydd, ar fy nghalon,
  i aros yno wedi ei gerfio mor annileadwy
  fel na all na hawddfyd nac adfyd
  fyth fy symud i o'th gariad.
Bydd i mi'n dŵr cadarn,
  yn gysur mewn trallod,
  yn waredwr mewn blinder,
  yn gymorth hawdd ei gael mewn cyfyngder,
  ac yn arweinydd i'r nefoedd,
  drwy holl demtasiynau a pheryglon y bywyd hwn.

Thomas à Kempis, 1380–1471

328 DEFNYDDIA NI

Gwrando'n gweddi yn awr, Dad nefol,
  wrth inni ein cyflwyno'n hunain i ti o'r newydd
  ac erfyn arnat i'n defnyddio yng ngwaith dy deyrnas.
Defnyddia ein traed i gerdded yr ail filltir,
  a'n dwylo i rannu caredigrwydd;
  defnyddia ein clustiau
  i wrando cri,
  a'n llygaid i weld angen;
  defnyddia ein geneuau i sôn amdanat,
  a'n calonnau i dderbyn dy gariad.
Gofynnwn hyn yn enw Iesu Grist.

Gwenda ac Elwyn Richards, Gweddïo, 1999

329 CYMER FI GERFYDD FY LLAW
Dduw cariad,
mewn cyfiawnder a thegwch,
mewn cariad a thrugaredd,
estyn dy law mewn gobaith
i fyd o anobaith.
Cymer fi gerfydd fy llaw a dal fi
fel y gallaf gael ynot ti
graig gadarn i adeiladu fy mywyd arni,
caer gref i'm hamddiffyn drwy fy mywyd,
noddfa ddi-sigl i fyw ynddi.
Cymer fi gerfydd fy llaw a dal fi,
fel y gallaf lynu wrthyt
ac ymddiried ynot
gyda hyder, megis plentyn,
na fyddi yn gollwng gafael ynof.
Oherwydd rwyt ti wedi fy adnabod
ac wedi gafael ynof ers cyn dyddiau fy mhlentyndod;
tydi yw fy nghraig, fy noddfa, fy nerth am byth.
Dal fi
â chariad amyneddgar,
â chariad caredig,
â chariad nad yw'n darfod.

Gweddïo, 2003–04

330 BOD YN DEILWNG O'I YMDDIRIEDAETH YNOM
O Dduw, ein Harglwydd a'n Gwneuthurwr, bendithia ni wrth inni
yn awr ein cyflwyno'n hunain o'r newydd i'th wasanaeth di.
Pan fydd ofn arnom i wneud yr hyn y dymuni di inni ei wneud,
nertha ni i fentro, a chynorthwya ni i ymdrechu'n wastad
dros yr hyn sydd union a chywir.
Dysg ein dwylo i weithio'n onest; dyro inni dderbyn yn
ddiolchgar a dirwgnach y doniau a roddaist inni, a'u
defnyddio hyd eithaf ein gallu er gogoniant i ti.
Amddiffyn ni rhag peryglon a themtasiynau, a galluoga ni i
ganfod ein rhyddid mewn ufudd-dod i ti, i anrhydeddu dy
enw di ym mhob dim a ddywedwn ac a wnawn, a bod yn
deilwng o'th ymddiriedaeth ynom ni.
Gofynnwn hyn yn enw ein Harglwydd a'n Gwaredwr,
Iesu Grist.

Gweddïau yn y Gynulleidfa

331 BENDITHION Y DEYRNAS

Gosododd Iesu ger ein bron obaith teyrnas Dduw;
   gyda'n gilydd gadewch i ni gofleidio'r gobaith hwnnw:
     Boed i ni gerdded ffordd y Crist.

Gwyn eu byd y rhai sy'n dlodion yn yr ysbryd,
   canys eiddynt hwy yw teyrnas nefoedd;
   gan wybod ein hangen am Dduw:
     Boed i ni gerdded ffordd y Crist.

Gwyn eu byd y rhai sy'n galaru,
   oherwydd cânt hwy eu cysuro;
   gyda'r sawl sy'n gyfarwydd â thristwch:
     Boed i ni gerdded ffordd y Crist.

Gwyn eu byd y rhai addfwyn,
   oherwydd cânt hwy etifeddu'r ddaear;
   gan sefyll gyda'r tlawd:
     Boed i ni gerdded ffordd y Crist.

Gwyn eu byd y rhai sy'n newynu a sychedu am gyfiawnder,
   oherwydd cânt hwy eu digoni;
   gan ymdrechu dros gyfiawnder:
     Boed i ni gerdded ffordd y Crist.

Gwyn eu byd y trugarog,
   oherwydd cânt hwy dderbyn trugaredd;
   gan faddau i eraill:
     Boed i ni gerdded ffordd y Crist.

Gwyn eu byd y rhai pur o galon,
   oherwydd cânt hwy weld Duw;
   gyda'n holl galon:
     Boed i ni gerdded ffordd y Crist.

Gwyn eu byd y tangnefeddwyr,
   oherwydd cânt hwy eu galw'n blant i Dduw;
   gan weithio dros heddwch:
     Boed i ni gerdded ffordd y Crist.

Gwyn eu byd y rhai a erlidiwyd o achos cyfiawnder,
   oherwydd eiddynt hwy yw teyrnas nefoedd;
   gan fentro cael ein gwrthod:
     Boed i ni gerdded ffordd y Crist.
     Boed i ni fyw bywyd y deyrnas:
     Boed i ni gerdded ffordd y Crist.

Michael Vasey

332 CYSEGRU'N GWAITH

O Feistr pob gweithiwr, a dreuliaist dy flynyddoedd cynnar wrth
  fainc y saer yn Nasareth yn llunio pethau ac yn eu cyweirio;
  diolchwn i ti am gysegru pob llafur, gan dy wneud dy hun yn
  offrwm o wasanaeth ym myd dy Dad nefol.
Planna ynom ysbryd gwasanaeth, llawenydd mewn gwaith wedi'i
  gyflawni'n drylwyr, ffyddlondeb a diwydrwydd, fel y
  cyflawnom â'n holl nerth y tasgau a ddaw i'n rhan, er dy fwyn
  di dy hun a wnaethost bopeth yn dda,
  Crist Iesu ein Harglwydd.

Frank Colquhoun, 1909–97

YR ADFENT

Yn y dydd hwnnw fe ddywedir,
Wele, dyma ein Duw ni. Buom yn disgwyl amdano i'n gwaredu;
dyma'r Arglwydd y buom yn disgwyl amdano,
gorfoleddwn a llawenychwn yn ei iachawdwriaeth.
(ESEIA 25:9)

Paratowch yn yr anialwch ffordd yr Arglwydd,
unionwch yn y diffeithwch briffordd i'n Duw ni.
(ESEIA 40:3)

∽

333 MAE'N DOD!
Mae'n dod! Llawenhewch!
Rhowch ddiolch. Halelwia!
Mae iachawdwriaeth yn dod yn agos;
    bydd pechodau'n cael eu maddau;
    bydd ef yn ein casglu ynghyd i'w freichiau.
Mae'n dod! Diolchwch a llawenhewch!
Mae'n dod! Paratowch!
Peidiwch â chael eich dal:
    nefoedd newydd a daear newydd;
    peidiwch â chael eich dal yn byw yn ôl yr hen ffyrdd.
Mae'n dod! Diolchwch a pharatowch!
Mae'n dod! Gwyddoch hynny'n iawn!
Clywsoch ei negeswyr;
    gellwch deimlo hynny yn yr awyr;
    peidiwch â chadw hynny i chi eich hunain;
    codwch eich llais yn gryf a gwaeddwch:
Mae'n dod! Halelwia!

Gweddïo, 2002–03

169

334   HIRAETHWN AM DY GYFARFOD
Dduw y tlodion,
   hiraethwn am dy gyfarfod,
   ond bron â'th golli wnawn;
   ymdrechwn i roi cymorth i ti,
   ond darganfod ein hangen a wnawn.
Tarfa ar ein cysur
   â'th noethni;
   cyffwrdd ein hunanoldeb
   â'th dlodi,
   tor ar draws ein heuogrwydd
   â gras dy groeso,
   yn Iesu Grist.

Janet Morley, cyf. Jeff Williams

335   TYRD I ACHUB A RHYDDHAU
Arglwydd Iesu, daethost i achub pobl rhag ofn,
   i'w rhyddhau o ffolineb ac anwybodaeth,
   ac i ddangos iddynt sut i garu:
   tyrd eto i'n bywydau ni,
   i'n hachub rhag yr hyn sy'n gwneud bywyd
   yn ddiflas a brawychus,
   a helpa ni i fyw er mwyn eraill,
   fel y gwnaethost ti.
Tyrd i'n bywydau, O Iesu,
   i'n troi yn ôl at Dduw,
   i ddileu yr hyn sy'n annheilwng ynom,
   ac i'n cymhwyso i fod yn rhan o'th deyrnas ar y ddaear.

Gweddïau i'r Eglwys a'r Gymuned, addas. Trefor Lewis

336   TYRD I LAWR
Tyrd i lawr, O Arglwydd, a gwna dy enw'n hysbys i'th elynion:
   tyrd i lawr, Arglwydd, a rho'r byd yn ei le;
   tyrd i lawr a dangos dy hun i'r rhai sy'n dy wrthod;
   tyrd i lawr a gwna i'r cenhedloedd grynu:
   ond daethost i lawr, Arglwydd,
   ac nid adnabuom di.
Tyrd i lawr, O Arglwydd, er mwyn i ni gael ein hachub:
   tyrd i lawr, er mwyn i ni weld dy wyneb
   yn llewyrchu arnom ac yn ein hadfer;
   tyrd i lawr, ac yna ni thrown ni oddi wrthyt mwyach:
   ond daethost i lawr, Arglwydd,
   a chefnasom arnat.

Tyrd eto, O Arglwydd, i'n hadfer ni:
    yn dy amser dy hun, tyrd eto
    er mwyn galw dy bobl ynghyd
    i gyflawni dy ewyllys dragwyddol
    a dod â buddugoliaeth derfynol dy deyrnas sanctaidd i'r amlwg:
    ond cydnabyddwn, Arglwydd,
    fod angen i ni ein paratoi ein hunain
    at y dydd mawr hwnnw.
Felly, tyrd eto, Arglwydd:
    yn nhymor yr Adfent, tyrd i'n calonnau,
    er mwyn i ni, fel tanwydd, gael ein tanio gan angerdd,
    ac fel dŵr berwedig fyrlymu o lawenydd;
    ac wrth i ni daer ddisgwyl dy ailddyfodiad,
    na ad inni gefnu arnat,
    ond gad i ni gael ein hadfer,
    a'th gyffesu di yn Arglwydd, Creawdwr,
    a'n Tad cariadlon a maddeugar.

Gweddio, 2002–03

337   YR HWN SY'N DOD ATOM O DDYDD I DDYDD
Arglwydd Dduw,
    yr hwn sydd a'r hwn oedd a'r hwn sydd i ddod,
    yr Hollalluog;
    fe'th gyfarchwn ac fe'th addolwn yr Adfent hwn.
Llawenhawn nad wyt ymhell oddi wrthym;
    yr wyt yn dod atom o ddydd i ddydd
    gan ein bendithio â'th bresenoldeb sanctaidd.
Daethost yn y dechrau'n deg,
    a'th Ysbryd yn symud ar wyneb y dyfroedd
    gan ddwyn trefn a chreadigaeth.
Daethost yng nghyflawnder yr amser yng Nghrist Iesu,
    gan ddwyn i'r golau gyfoeth difesur dy ras a'th diriondeb i ni.
Daethost yn dy nerth gan ei atgyfodi o farwolaeth,
    a llyncu angau mewn buddugoliaeth,
    a gosod o'n blaen obaith tragwyddol.
Yr wyt yn dod atom mewn barn a chyfiawnder,
    mewn trugaredd a gras:
    agor ein llygaid i'th ganfod, O Dduw'r Adfent,
    ac agor ein calonnau i groesawu'r un a anwyd yn Waredwr i ni
    ac yn obaith i'r holl genhedloedd;
yn ei enw ef y cyflwynwn ein gweddi.

Llyfr Gwasanaeth yr Annibynwyr Cymraeg, 1998

338 GWELD GOGONIANT YR ARGLWYDD
Bydd yr anialwch a'r sychdir yn llawenhau,
   bydd y diffeithwch yn gorfoleddu ac yn blodeuo:
      Cânt weld gogoniant yr Arglwydd,
      a mawredd ein Duw ni.
Dywedwch wrth y gwangalon, 'Ymgryfhewch, nac ofnwch,
   wele daw eich Duw mewn cyfiawnder i'ch gwaredu':
      Cânt weld gogoniant yr Arglwydd,
      a mawredd ein Duw ni.
Agorir llygaid y deillion a chlustiau'r byddariaid,
   bydd y cloff yn llamu fel hydd,
   a bydd tafod y mudan yn canu:
      Cânt weld gogoniant yr Arglwydd,
      a mawredd ein Duw ni.
Bydd dyfroedd yn torri allan yn yr anialwch,
   ac afonydd yn y diffeithwch;
   bydd y crastir yn troi'n llyn
   a'r tir sych yn ffynhonnau byw:
      Cânt weld gogoniant yr Arglwydd,
      a mawredd ein Duw ni.
Bydd gwaredigion yr Arglwydd yn dychwelyd,
   wedi eu coroni â llawenydd tragwyddol:
      Cânt weld gogoniant yr Arglwydd,
      a mawredd ein Duw ni.
Cânt eu hebrwng gan lawenydd a gorfoledd,
   a bydd gofid a griddfan yn ffoi ymaith am byth:
      Cânt weld gogoniant yr Arglwydd,
      a mawredd ein Duw ni.
Gogoniant i'r Tad, ac i'r Mab, ac i'r Ysbryd Glân:
      Fel yr oedd yn y dechrau, y mae yr awr hon,
      ac y bydd yn wastad.

Seiliedig ar Eseia 35

339 PARATOI EIN CALONNAU
Paratoa ein calonnau, O Dduw, ar gyfer dyfodiad dy Fab Iesu
Grist. O gofio angen mawr y byd am Waredwr, dyfnha ein
llawenydd wrth i ni ymbaratoi i ddathlu ei enedigaeth mewn
symlrwydd ym Methlem. Trwy ffydd gywir ynddo ef fel y
Prynwr dwyfol, cryfha ein teyrngarwch a'n gobaith, fel pan ddêl
mewn gogoniant, y croesawn ef fel ein Harglwydd atgyfodedig,
ein Meistr brenhinol a Gwaredwr ein heneidiau.

Llyfr Addoliad Cyffredin

172

340   YSGWYD Y SYLFEINI

O Dduw Gwaredigol,
y mae dy enedigaeth sydd ar ddod
yn dal i ysgwyd sylfeini ein byd;
gad i ni ddisgwyl dy ddyfodiad
yn llawn brwdfrydedd a gobaith,
fel y cawn groesawu'n ddi-ofn
boenau esgor yr oes newydd;
trwy Iesu Grist, ein Harglwydd.

Janet Morley, cyf. Enid Morgan

341   MAIR FORWYN

Dywed, Fair, pa bryd i'n llesu
Y derbyniaist i'th fru Iesu?
   'Gwelais gennad Duw yn canu
   Ger fy mron a'm syfrdanu.'
Dywed, Fair, pa nefol riniau
Ganodd Gabriel ar ei liniau?
   'Afe, ffiol trugareddau
   i druenus hil camweddau.'
Dywed, Fair, pa orfod fu
Iti dderbyn Duw i'th fru?
   'Rhydd y creodd Duw bob oed,
   Ni thresbasodd ef erioed.'
Henffych well, O ufudd eiddgar,
Syndod y seraffiaid treiddgar,
   Mam a morwyn, dôr a ffynnon
   Y Goleuni a ddaeth i ddynion.

Saunders Lewis, 1893–1985

342   LLIWIAU A GOLEUADAU

Mae'r canhwyllau'n llosgi'n ddisglair yn yr Adfent,
   gan ein hatgoffa am y llawenydd a ddaeth i'n byd yn Iesu Grist;
   ond pan â'r Nadolig heibio diffoddir y fflam.
Llawenhawn o weld lliwiau a goleuadau'r Adfent a'r Nadolig,
   ond llawenhawn fwyfwy
   gan na ellir byth ddiffodd
   gwir oleuni Crist.
Tyrd i'n bywydau, Arglwydd Iesu,
   a chynnau ynom oleuni
   a fflam cariad nad ydynt byth yn diffodd.

Gweddïau i'r Eglwys a'r Gymuned, addas. Trefor Lewis

343 BYD OER FYDDAI BYD HEB IESU

Byd oer fyddai hwn, Iesu,
   oni bai i ti ddod iddo gynt
   a chynhesu ei stafelloedd digroeso â gwres dy gariad,
   yn gartref i blant Duw
   ac i blant eu plant:
   mae yma chwa gynnes yn aros o hyd
   wedi i ti ddod yma.
Byd tywyll iawn fyddai hwn, O Grist,
   oni bai i ti osod dy ffenestri ynddo
   i dderbyn goleuni dydd,
   a rhoi dy lampau yn ei stafelloedd ar gyfer y nos;
   yn d'oleuni di y gwelwn pwy ydym,
   ac o ble y daethom,
   a sut mae byw yma,
   ac i ble yr awn ar ôl hyn:
   a'r neb a'th welodd di a welodd y Tad.
A thrist o fyd fyddai hwn, Waredwr,
   heb dy ddyfodiad llawen di:
   gwahoddaist gredinwyr i wledd briodas,
   i fod yn llawen gyda'r Priodfab
   ar ddydd o lawen chwedl;
   maddau inni'n fynych golli'r llawenydd,
   fel pe baem heb glywed yr Efengyl,
   na chlywed am ei gorfoledd.
Cadw ni, y Brenin Iesu,
   rhag i'r barrug ddisgyn ar ein calonnau,
   rhag i'r nos dywyllu ein meddyliau,
   a dyfod tristwch i'r enaid.
Ble byddi di mae'n gynnes,
   mae'n olau, mae'n orfoleddus.
   'Yn wir, tyrd, Arglwydd Iesu.'

R. Gwilym Hughes, 1910–97

344 DEFFRO O GWSG

O Arglwydd Dduw Hollalluog, y mae'n bryd i ni ddeffro o'n hir
gwsg, oherwydd y nos a gerddodd ymhell a'r dydd a nesaodd.
Cynorthwya ni i roi heibio weithredoedd y tywyllwch a'n harfogi
ein hunain ag arfogaeth goleuni. Dysg i ni ein gwregysu ein
hunain a rhoi olew yn ein lampau, gan ddisgwyl am ddyfodiad
ein Harglwydd.

Llyfr Gwasanaeth yr Annibynwyr Cymraeg, 1998

345 TYRD, FY LLAWENYDD A'M GOGONIANT

Tyrd, wir oleuni.

Tyrd, fywyd tragwyddol.

Tyrd, ddirgelwch cuddiedig.

Tyrd, drysor heb enw.

Tyrd, realrwydd tu hwnt i eiriau.

Tyrd, berson tu hwnt i bob deall.

Tyrd, lawenydd diddarfod.

Tyrd, obaith di-sigl y gwaredigion.

Tyrd, yr atgyfodiad a'r bywyd.

Tyrd, yr hollalluog, oherwydd yr wyt ti'n creu,
    yn ail-lunio ac yn gweddnewid popeth yn ôl dy ewyllys.

Tyrd, yr anweledig un na all neb dy gyffwrdd.

Tyrd, oherwydd y mae dy enw yn wastad ar ein geneuau
    ac yn llenwi'n calonnau â hiraeth amdanat.

Tyrd, oherwydd ti dy hun yw'r dyhead o'm mewn.

Tyrd, fy anadl a'm heinioes.

Tyrd, gysur fy enaid gwan.

Tyrd, fy llawenydd, fy ngobaith,
    fy niddanwch tragwyddol.

Simeon y Diwinydd Newydd, 949–1022

346 YN BOBL BAROD IDDO

Diolchwn i ti, O Arglwydd, am roi i ni dy Fab Iesu Grist,
    a ddaeth atom yn ostyngedig yn nhlodi Bethlehem.

Wrth i ni baratoi i ddathlu ei eni,
    glanha ein calonnau a'n bywydau
    er mwyn i ni allu ei groesawu'n llawen
    yn Waredwr ein bywyd,
    a phan ddaw mewn gogoniant
    y byddwn yn bobl barod iddo ef,
    sy'n byw ac yn teyrnasu gyda thi a'r Ysbryd Glân
    byth heb ddiwedd.

Frank Colquhoun, 1909–97, cyf. Enid Morgan

347 YN EFFRO A GWYLIADWRUS

O Arglwydd ein Duw, erfyniwn arnat ein gwneud yn effro a
gwyliadwrus wrth i ni ddisgwyl dyfodiad dy Fab, Crist ein
Harglwydd, fel pan ddaw, na fydd yn ein cael yn cysgu mewn
pechod, ond ar ddihun, yn brysur yn ei waith ac yn llawenhau
yn ei foliant; er gogoniant dy enw sanctaidd.

Llyfr Gweddi Galasius, OC 494

348 YMESTYN FY NGHALON
       O Dduw, ymestyn fy nghalon
         fel y bydd yn ddigon llydan
         i dderbyn mawredd dy gariad di.
       Ymestyn fy nghalon
         er mwyn imi fedru derbyn iddi bawb drwy'r byd
         sy'n credu yn Iesu Grist.
       Ymestyn fy nghalon
         er mwyn i mi dderbyn y rhai nad ydynt yn ei adnabod,
         gan fy mod, o'i adnabod ef, yn gyfrifol amdanynt.
       Ymestyn fy nghalon
         er mwyn i mi dderbyn iddi
         y rhai nad ydynt yn ddymunol yn fy ngolwg,
         a'r rhai nad wyf am gyffwrdd â'u dwylo;
         yn enw Iesu, fy Ngwaredwr,
         a ddaeth i garu a chyffwrdd â phawb.

With All God's People, CEB

349 GWNA NI'N HYDERUS A DISGWYLGAR
       Ti yw'r Duw a ddaethost;
         ti yw'r Duw sy'n dyfod;
         ti yw'r Duw a ddaw.
       Daethost yn Iesu Grist
         yn llawn gras a gwirionedd.
       Ti yw'r Ysbryd sy'n dod i roi eli i'n llygaid;
         deui mewn trugaredd
         i godi'r cyrten lliw ar derfyn yr oesau.
       Gwna ni'n ddiolchgar am i ti ddod;
         gwna ni'n ddisgwylgar a chroesawgar
         tuag atat ar dy ffordd;
         gwna ni'n hyderus y deui eto mewn gogoniant,
         trwy Iesu Grist
         sydd yr un ddoe, heddiw
         ac yn dragywydd.

John H. Tudor, 1932–2004, *Gweddïo*, 1993

350 YR AILDDYFODIAD
       Gostwng dy glust, ein Duw grasol, i wrando ar ein hymbiliau
       wrth inni alw i gof addewidion gwerthfawr ein Harglwydd Iesu
       Grist i ddod drachefn yn ei ogoniant i'n byd ni. Daeth i'n plith
       ni gyntaf yn ddarostyngedig, ar agwedd gwas. Yn ei ailddyfodiad
       fe ddaw yn ei holl ogoniant gyda'r angylion sanctaidd. Y tro
       cyntaf daeth mewn dull fel dyn, a hawdd y gallai pobl fethu ei

adnabod. Pan ddaw yr eildro, ni bydd amheuaeth pwy ydyw. Deisyfwn arnat feithrin ynom hiraeth am weld y diwrnod mawr hwnnw'n dod. Amddiffyn ni rhag i atyniadau a phrysurdeb y byd hwn bylu'r hiraeth. Y mae'r Arglwydd Iesu wedi'n rhybuddio ni i fod yn barod, fel y morynion yn ei ddameg, gydag olew yn ein lampau pan ddaw'r Priodfab i'r wledd. Gwna ni'n bobl barod, oherwydd fe ddaw ei ddiwrnod fel lleidr yn y nos ac ni fynnem fod yn cysgu pan ddaw. A phâr i'r gobaith godidog am ei weld yn dod yn ei holl ogoniant ein diogelu ni rhag pesimistiaeth a digalondid. Os digwydd inni orfod dioddef ein difenwi a'n camfarnu, ein gorthrymu a'n cam-drin, rho ras inni barhau'n ffyddlon hyd yn awr pan ymddangoso'r Brenin. Gyda'r Eglwys trwy'r byd ymbiliwn, 'Yn wir, tyred, Arglwydd Iesu.'

R.Tudur Jones, 1921–98, Gweddïo, 1992

351 TYRD I'N PLITH

O Arglwydd Iesu Grist,
> fel y daethost gynt i ddwyn gobaith a goleuni i'n byd,
> tyrd at bawb sydd mewn angen amdanat heddiw.

Tyrd i'r mannau hynny sydd yng ngafael rhyfel a gormes,
> a thywys bobl i ganfod heddwch a chyfiawnder.

Tyrd i blith y tlawd, y newynog a'r difreintiedig,
> a symud bopeth sy'n diraddio ac yn llethu dy blant.

Tyrd i blith y gwan, yr unig a'r trallodus,
> a rho iddynt nerth a diddanwch dy bresenoldeb.

Tyrd i blith y rhai nad ydynt yn dy adnabod,
> a datguddia iddynt dy gariad a'th drugaredd.

Tyrd i ganol dy Eglwys ac i blith dy bobl ym mhobman
> i'w bywhau i gyflawni dy waith ac i estyn dy deyrnas.

Tyrd, O Grist, i'n calonnau ninnau;
> maddau i ni bopeth sy'n llesteirio'n tystiolaeth,
> a gwna ni'n wir ddisgyblion i ti.

Golygydd

352 PARATOI'R FFORDD

Deffro ein calonnau, erfyniwn arnat, O Arglwydd, i baratoi'r ffordd ar gyfer dyfodiad dy unig-anedig Fab; fel y bo i ni, a'n meddyliau wedi eu puro trwy ras ei ddyfodiad, allu dy wasanaethu'n ffyddlon holl ddyddiau ein bywyd; trwy'r un Iesu Grist ein Harglwydd, sy'n byw ac yn teyrnasu gyda thi a'r Ysbryd Glân, yr awr hon ac yn dragywydd.

Y Llyfr Gweddi Gyffredin

353   GWELSOM EI OLEUNI

Y bobl oedd yn rhodio mewn tywyllwch a welodd oleuni mawr:
Y rhai fu'n byw mewn gwlad o gaddug dudew
a gafodd lewyrch golau.
Rhoddodd yr Arglwydd i ni oleuni'r haul:
I lawenhau yng ngogoniant ei gread.
Rhoddodd yr Arglwydd i ni oleuni ei air:
Yn llusern i'n traed ac yn llewyrch i'n llwybr.
Rhoddodd yr Arglwydd i ni ei Fab Iesu Grist:
Goleuni i oleuo'r cenhedloedd a gogoniant i'w bobl Israel.
Rhoddodd yr Arglwydd i ni loywder ei Ysbryd:
I'n harwain i bob gwirionedd ac i roi i ni fywyd.
Y mae gogoniant yr Arglwydd yn llewyrchu ar y cyfiawn:
A'i lawenydd ar y rhai uniawn o galon.
Arglwydd, tyrd atom yn dy gariad gloyw,
a rho i ni o lawnder y bywyd sydd ynot ti.

Susan Sayers

354   GWAWR EI BRESENOLDEB

Dihuna
    dy fyd cysglyd,
    Dduw'r Adfent,
    i gyfarch
    gwawr dy bresenoldeb
    â llawenydd llygad agored.
Cyhoedda
    eto
    mewn gair a chân
    dy fwriad tragwyddol
    i gau'r llwybr
    sy'n arwain i ddisberod
    a gwneud y ffordd sy'n arwain i'r uchelder
    yn ddiogel.
Côd
    ein hysbrydoedd llipa
    â newyddion am dy ddyfod
    fel y bydd euogrwydd ac ofn
    yn codi
    fel tarth y bore bach
    ac y bydd gobaith
    yn cael ei gynnau
    yn y bywydau mwyaf unig.

Yna disgleiria
   oleuni gogoneddus,
   barna a gwareda
   bob un ohonom.
Agor
   dy gartref nefol led y pen
   drwy'r presenoldeb a addewaist,
   Iesu Grist ein Harglwydd.

David Jenkins

355   SUL Y BEIBL

Mor llawen ydym, Arglwydd, fod gennym Feibl,
   a hwnnw yn ein hiaith ein hunain.
Maddau ein hamharodrwydd i'w agor yn amlach;
   cyfaddefwn ein bod yn ysu am ddarllen popeth
   ond dy Air di.
Rho i ni help i'w ddeall,
   nes meddiannu'r trysor sydd yn ei eiriau;
   agor ein llygaid i weld drwy'r geiriau
   y Gair ei hun – dy ryfedd Fab;
   agor ein clustiau i glywed ei lais
   fel y deallom neges ei ddyfodiad i'r byd;
   agor ein calon i roi lle i'r Iesu
   fel ein Gwaredwr a'n Harglwydd.
Gwna ein Beibl, Arglwydd,
   yn air y bywyd i ni – ac i lu o'n cyd-Gymry.

J. D. Williams

356   GEIRIAU AR WAITH

O Dduw grasol,
   diolchwn am ddawn geiriau i fynegi'n profiadau;
   diolch am eiriau'r Ysgrythur
   sy'n llefaru mor rymus am dy gariad.
Ond uwchlaw pob dim,
   diolchwn am i ti roi dy eiriau ar waith
   a'u gwneud yn fyw ym mherson Iesu.
Cynorthwya ni yn ein tro,
   nid yn unig i ddefnyddio geiriau
   ond i weithredu arnynt;
   nid yn unig i siarad am ein ffydd
   ond i fyw ein ffydd yn feunyddiol.

Nick Fawcett, addas. Olaf Davies

357   LITANI'R GAIR

Yn y dechreuad yr oedd y Gair, a'r Gair oedd gyda Duw,
    a Duw oedd y Gair:
        Am hynny, Gair ein Duw ni a saif byth.
Dyddiau dyn sydd fel glaswelltyn; gwywa y gwelltyn,
    syrth y blodeuyn:
        Ond Gair ein Duw ni a saif byth.
Nef a daear a ânt heibio:
        Ond Gair ein Duw ni a saif byth.
A'r Gair a wnaethpwyd yn gnawd, ac a drigodd yn ein plith ni:
        Iesu yw, gwir Fab Duw.
Duw, wedi iddo lefaru lawer gwaith a llawer modd, yn y dyddiau
    diwethaf hyn a lefarodd wrthym ni yn ei Fab:
        Iesu yw, gwir Fab Duw.
Canys ganwyd i chwi heddiw Geidwad yn ninas Dafydd:
        Iesu yw, gwir Fab Duw.
Canys Mab y Dyn a ddaeth i geisio ac i gadw yr hyn a gollasid:
        Molwn di, Arglwydd, am dy Air.
Os arhoswch chwi yn fy ngair i, disgyblion i mi ydych yn wir:
        Molwn di, Arglwydd, am dy Air.
Y neb sydd yn gwrando fy ngair i, ac yn credu i'r hwn a'm
    hanfonodd i, a gaiff fywyd tragwyddol:
        Molwn di, Arglwydd, am dy Air.
Gwir yw'r gair, ac yn haeddu pob derbyniad,
    ddyfod Crist Iesu i'r byd i achub pechaduriaid:
        Molwn di, Arglwydd, am dy Air.
Gair ein Duw ni a saif byth:
        Nef a daear a ânt heibio,
        ond Gair ein Duw ni a saif byth.

                        D. Islwyn Davies, addas.

358   Y GAIR, FFYNHONNELL GOBAITH

O Arglwydd ein Duw, sydd mor agos atom, diolchwn i ti am
wahoddiad dy Air i alw arnat mewn gweddi. Ond i ni dy geisio di
fe allwn dy gael, oherwydd yr wyt ti'n ein ceisio ni eisoes ac yn
galw arnom. Yng nghanol tryblith ein hoes, diolch i ti am ein
sicrhau nad ydym ar drugaredd ein syniadau a'n meddyliau ni
ein hunain. Fe'n rhybuddiaist nad yr un yw dy feddyliau di a'n
meddyliau ni, na'th ffyrdd di a'n ffyrdd ni. Agor ein llygaid i
weld dy ffordd di, a'n calonnau i ymglywed â'th feddyliau di, yn
Iesu Grist.

Gwared ni rhag ymhyfrydu yng ngeiriau'r Ysgrythur yn unig. Pâr i ni gofio mai tystiolaethu am dy annwyl Fab, Iesu Grist, y mae'r Ysgrythurau, a'th fod yn ein gwahodd i ddod ato ef i gael bywyd yn nerth yr Ysbryd Glân.

O ddarllen am wyrth dy allu mawr i gymodi gelynion yn y gorffennol trwy Iesu Grist, seiliwn ein gobaith arnat ti, ffynhonnell gobaith, i'r dyfodol. Ymddiriedwn yn dy addewid na fydd dy Air yn dychwelyd atat heb ddwyn ffrwyth lawer. Diolchwn i ti am anogaeth yr Ysgrythurau i ddal ein gafael yn ein gobaith yn wyneb pob tramgwydd a siom. Yng nghymdeithas dy Ysbryd Glân, galluoga ni i fod yn gytûn, yn ôl ewyllys Crist Iesu. Fel y derbyniodd ef ni, a ninnau'n bechaduriaid, cynorthwya ni i dderbyn ein gilydd, i ymhyfrydu yn amrywiaeth ein gilydd, sy'n dadlennu dy ogoniant di, O Dduw.

Wedi'n hysbrydoli â'th Ysbryd Glân, gad inni dy ogoneddu di, O Dad, a thi, O Fab, yn unfryd ac yn unllais. Pâr i'n cymundeb â'n gilydd fod yn ddrych o gymundeb y Tri yn Un ac yn rhagflas o'th addewid yn dy Air y gwelir yr holl genhedloedd a'r holl bobloedd yn dyblu'u mawl yn un symffoni fawr, nes bod y greadigaeth gyfan yn adleisio dy gynghanedd ddwyfol di. Hyn yw'r dyfodol gwynfydedig a addewaist i ni yn dy Air.

Bydded i ti, O Dduw, ffynhonnell gobaith, ein llenwi â phob llawenydd a thangnefedd wrth inni ymarfer ein ffydd yng Nghrist, nes ein bod, trwy nerth yr Ysbryd Glân, yn gorlifo â gobaith.

Saunders Davies

359 LLYFR Y LLYFRAU

Ein Duw a Thad ein Harglwydd Iesu Grist,
    bendithiwn dy enw am i ni gael y Beibl yn ein hiaith,
    ac am bob un a gysegrodd ei fywyd
    i egluro ei ystyr a'i addewidion.
Dyro gymorth i ni i'w ddarllen yn gyson ac yn ostyngedig,
    fel y byddo'n llusern i'n traed
    ac yn llewyrch i'n llwybrau.
Pâr hefyd inni gael ynddo nerth i ddilyn Iesu Grist bob amser
    mewn bwriad a gweithred.
A ni'n dy fawrhau am i ti lefaru gynt wrth y tadau,
    erfyniwn am gael clywed dy lais yn ein dydd a'n tymor ninnau;
    er mwyn Iesu Grist ein Harglwydd.

R. J. Jones, 1882–1975

360 TRYSORI'R GAIR

Ti, lefarwr ac anfonwr y bywiol Air,
    trown atat gyda diolch yn ein calon
    am i ti ddweud yn glir wrthym amdanat dy hun.
Rhoist i ni dy feddwl a'th ewyllys yn y Gair,
    a hwn yw trysor ein ffydd:
    mae'n agor ffenestri deall,
    mae'n curo wrth ddrws ein calon,
    mae'n gosod sylfaen i'n byw,
    mae'n ein perswadio a'n hargyhoeddi,
    mae'n ein ceryddu a'n barnu,
    mae'n ein goleuo mewn tywyllwch,
    mae'n ein nerthu mewn gwendid,
    mae'n ein cysuro mewn tristwch,
    mae'n dweud yn fendigedig amdanat,
    ac am Iesu a'i farwol glwy.
Cynorthwya ni i drysori'r Gair
    a'i roi ynghanol ein bywyd.

W. Rhys Nicholas, 1914–96

361 NEGESWYR DUW

Arglwydd Dduw, anfonaist dy negeswyr
    i'n hatgoffa o'th bresenoldeb parhaus gyda'th bobl,
    i'n hysbrydoli pan yw'n golwg yn aneglur,
    i'n galw'n ôl i'r ffordd iawn o fyw.
Arglwydd, clywn dy eiriau gyda llawenydd:
    A molwn di â'n holl galon.
Arglwydd Dduw, daw dy negeswyr â gobaith newydd
    i'r rhai sydd wedi eu llethu gan feichiau bywyd beunyddiol,
    i'r rhai y mae eu dagrau'n cuddio'r heulwen,
    i'r rhai sy'n dyheu am fyd newydd
    ac am berthynas newydd â thi.
Arglwydd, clywn dy eiriau gyda llawenydd:
    A molwn di â'n holl galon.
Arglwydd Dduw, daw dy negeswyr â llawenydd mawr
    am dy fod wedi digoni ein hangen,
    wedi'n nerthu yn ein gwendid,
    wedi'n galw i fod yn bobl sanctaidd i ti
    ac i adnabod yr iachawdwriaeth
    sydd ar gael i bawb sy'n ymddiried ynot.
Arglwydd, clywn dy eiriau gyda llawenydd:
    A molwn di â'n holl galon.

Pont Cariad: Llawlyfr Gweddi CWM, 2002–03

362 DROS BREGETHWYR Y GAIR

Gweddïwn, O Arglwydd,
    ar i ti dywallt dy Ysbryd Glân
    ar bawb sy'n pregethu dy Air
    a phawb sy'n arwain eraill i'th addoli:
    rho iddynt weledigaeth o'r gwirionedd,
    doethineb a nerth i gyhoeddi'r newyddion da,
    ac ymddiriedaeth yn nerth dy Ysbryd
    i'w cynnal yn eu gwaith,
    er mwyn iddynt fod yn gyfryngau effeithiol
    i ddwyn eraill i adnabyddiaeth ohonot
    ac i brofiad o'th gariad a'th ras;
    trwy Iesu Grist, ein Harglwydd.

Golygydd

363 CYN DARLLEN Y BEIBL

O Arglwydd Dduw, Dad nefol,
    yn yr hwn y mae cyflawnder goleuni a doethineb,
    goleua ein meddyliau trwy dy Ysbryd Glân,
    a dyro i ni ras i dderbyn dy Air gyda pharch a gostyngeiddrwydd,
    heb yr hwn ni all unrhyw un ddeall dy wirionedd;
    er mwyn Iesu Grist.

John Calfin, 1509–64

364 FFORDD Y DEYRNAS

Dduw cariad,
    o'r cychwyn cyntaf
    buost ar waith yn ein byd
    yn paratoi ffordd dy deyrnas:
    molwn di am dystiolaeth y proffwydi
    wrth iddynt gyhoeddi dyfodiad y Meseia;
    molwn di am weinidogaeth Ioan Fedyddiwr,
    llais yn yr anialwch
    yn galw am edifeirwch,
    yn paratoi ffordd yr Arglwydd;
    molwn di am y rhai sy'n gwneud yr Efengyl
    yn hysbys i ninnau
    ac yn rhoi cyfle i ni ymateb.
Helpa ni yn awr i baratoi ar gyfer y Nadolig,
    nid yn unig yn faterol ond hefyd yn ysbrydol,
    fel y gallwn ddathlu genedigaeth Iesu Grist
    a'i dderbyn ef i'n bywydau.

Nick Fawcett, addas. Olaf Davies

365 YMBORTHI AR YR YSGRYTHUR

Y gwynfydedig Arglwydd, a beraist fod yr holl Ysgrythur lân yn ysgrifenedig i'n haddysgu ni: dyro i ni yn y fath fodd ei gwrando, ei darllen, ei chwilio, ac ymborthi arni fel, trwy ddyfalbarhad, a chymorth dy Air sanctaidd, y cofleidiwn ac y daliwn ein gafael yn wastadol yng ngobaith bendigedig y bywyd tragwyddol, a roddaist i ni yn ein Hiachawdwr Iesu Grist.

Y Llyfr Gweddi Gyffredin

Y NADOLIG A'R YSTWYLL

Yr wyf yn cyhoeddi i chwi y newydd da
am lawenydd mawr a ddaw i'r holl bobl:
ganwyd i chwi heddiw yn nhref Dafydd,
waredwr, yr hwn yw'r Meseia, yr Arglwydd;
a dyma'r arwydd i chwi: cewch hyd i'r un bach
wedi ei rwymo mewn dillad baban ac yn gorwedd mewn preseb.
(LUC 2:10–12)

A daeth y Gair yn gnawd a phreswylio yn ein plith,
yn llawn gras a gwirionedd; gwelsom ei ogoniant ef,
ei ogoniant fel unig Fab yn dod oddi wrth y Tad.
(IOAN 1:14)

∽

366 GOLEUNI A CHÂN Y NADOLIG
Yng nghanol oerni'r gaeaf,
pan yw'r dydd mor fyr ac oriau'r tywyllwch mor hir,
diolch i ti am obaith a hapusrwydd y Nadolig.
    Diolch am Iesu Grist:
am iddo ddod yn faban syml i'r stabl;
gad i ninnau brofi llawenydd y bugeiliaid,
hapusrwydd Mair,
a ffydd y doethion y Nadolig hwn.
    Mae Iesu yng ngwres tân ein haelwydydd;
mae ef yng nghyffro goleuadau ein coeden Nadolig,
ac yn nhinsel ein haddurniadau;
ef yw'r seren ddisglair ar noson dywyll;
Iesu yw fflam y gannwyll sy'n goleuo'r tŷ.
    Gad i oleuni a chân y Nadolig
fod yn ein calonnau ar hyd y flwyddyn gron.

Rhiannon Ifan

367   YR AGWEDD MEDDWL OEDD YNG NGHRIST

Cyduned pawb i gyfarch baban Mair,
rhyfeddol un yn cysgu yn y gwair,
gogoniant Duw y Tad a'i nerthol Air:
    Halelwia!
Amlygwn ninnau beunydd ar ein rhawd
yr agwedd meddwl gostyngedig, tlawd,
sy'n eiddo pawb yn Iesu Grist, ein Brawd:
    Halelwia!
Ni fynnodd gydraddoldeb dwyfol un
ond agwedd gwas, gan ei wacáu ei hun,
ac ufuddhau hyd angau ar y bryn:
    Halelwia!
Am hynny, tra dyrchafodd Duw ein rhi,
a rhoddodd arno enw Iesu cu,
enw goruwch pob enw arall sy:
    Halelwia!
Yn enw Iesu plygai glin a phen,
cyffesai tafod pawb is nefoedd wen
mai'n Harglwydd Iesu biau daer a nen:
    Halelwia!

John H.Tudor, 1932–2004, *Gweddïo*, 1993

368   YN UN OHONOM

Nefol Dad, diolchwn i ti
am anfon dy unig Fab, Iesu Grist,
i fod yn un â ni o fewn y teulu dynol.
    Diolchwn i ti am Joseff a Mair
fu'n gofalu amdano, yn ei warchod a'i ddysgu
drwy ddyddiau ei blentyndod.
    Diolchwn i ti am iddo dyfu'n ddyn,
ac am i ni, drwy ei fywyd dynol ef,
weld sut un wyt ti, ein Duw.
    Diolchwn i ti am ein hatgoffa dros Ŵyl y Nadolig
pa mor fawr yw dy gariad tuag atom,
dy fod wedi'n caru erioed,
ac y byddi'n ein caru hyd byth;
helpa ni i ymateb drwy dy garu a'th wasanaethu di.
    Gan i Iesu gael ei eni mewn tlodi,
gweddïwn dros holl blant anghenus y byd:
y rhai sy'n ddigartref a heb neb i ofalu amdanynt;
y rhai sy'n dlawd, yn newynog ac yn drist;
y rhai sydd mewn afiechyd ac mewn ysbytai.

Bendithia hwy a phawb arall sydd mewn trybini,
a chynorthwya ni i gydweithio i estyn iddynt
dosturi a chymorth.

Gan i Iesu gael ei eni er mwyn pawb,
boed i bawb y Nadolig hwn ei groesawu,
a boed i'r cariad a ddaeth i'n byd yn ei ddyfodiad ef
nerthu a chynnal pawb sy'n gweithio i estyn ei deyrnas
ar y ddaear.

Gofynnwn hyn yn enw Baban Bethlehem
a ddaeth i fod yn un â ni,
er mwyn ein cymodi â thi ac â'n gilydd;
ein Gwaredwr a'n Harglwydd Iesu Grist.

Dick Williams

369 EIN CYFFWRDD GAN DDUW
O Dduw, ein Hanwylyd,
a aned o gorff gwraig;
daethost er mwyn i ni fedru dy weld,
a'th gyffwrdd â'n dwylo;
pan ofalwn am ein gilydd,
pan gyffyrddwn ein gilydd,
gad i ni gael ein cyffwrdd gennyt ti,
y Gair a wnaethpwyd yn gnawd,
Iesu Grist ein Harglwydd.

Janet Morley, addas. Enid Morgan

370 TYWYS NI'N ÔL AT Y PRESEB
O Grist Bethlehem, na ad inni dy anghofio di ar ddydd dy eni.
Yng nghanol prysurdeb ein paratoadau a'n miri llawen, cadw ni
rhag cau drws ein calonnau fel drws y llety ar y Nadolig cyntaf.
Gwared ni rhag ymbleseru yn y pethau sy'n mynd heibio, a
gollwng dros gof y pethau sydd uchod. Tywys ni'n ôl at dy
breseb, ennyn ynom drachefn y gallu i ryfeddu, a chaniatâ i ni,
o'th ddarganfod ar ddull plentyn bach, deimlo parch dyfnach at
bob plentyn, a dyhead dyfnach am gael ein gwneud fel plant
bychain. Ymlid ymaith ein hamheuon, ac adnewydda'n ffydd yn
y pethau na welir: y seren a lewyrcha yn eneidiau pobl, a'r gân
dangnefeddus a erys er gwaethaf brwydrau'r byd. Fel y
bugeiliaid, gad inni ddychwelyd i gyflawni ein gorchwylion
beunyddiol gan wybod nad yw'r nefoedd ymhell oddi wrthym,
ond bod dy fwriadau di wedi eu plethu i mewn i bethau
cyffredin bywyd.

R. R. Williams, 1887–1971

371   RHODDION DUW
Arglwydd, diolchwn iti
am bob rhodd a bendith a ddaeth i ni
ar adeg y Nadolig yn nyfodiad dy Fab, Iesu Grist.

    Daeth *cariad* i lawr ar adeg y Nadolig,
a gwelwyd y cariad hwnnw yn Iesu:
bydded i'w gariad ef ein clymu ynghyd
a dyfnhau ein perthynas â'n gilydd.

    Daeth *heddwch* i lawr ar adeg y Nadolig,
a gwelwyd yr heddwch hwnnw yn Iesu:
bydded i'w heddwch ef lenwi'n calonnau
a'n gwneud yn dangnefeddwyr.

    Daeth *llawenydd* i lawr ar adeg y Nadolig,
a gwelwyd y llawenydd hwnnw yn Iesu:
bydded i'w lawenydd ef lifo trwom
tuag at bawb sy'n unig ac yn drist.

    Daeth *goleuni* i lawr ar adeg y Nadolig,
a gwelwyd y goleuni hwnnw yn Iesu:
bydded i'w oleuni ef lewyrchu arnom
a gwasgaru pob tywyllwch sydd ynom.

    Bydded i gariad, heddwch, llawenydd a goleuni
feddiannu'n calonnau wrth i ni, y Nadolig hwn,
ddathlu dyfodiad Duw i blith ei bobl,
yn Iesu Grist ein Harglwydd.

Donald Hilton

372   DIRGELWCH EI DDYFODIAD
Hollalluog a Hollgyfoethog Dduw, mawrygwn dy enw am i ti
o'th anfeidrol dosturi lefaru wrthym yn dy Fab Iesu Grist, yr
hwn a aned i'r byd er ein hiachawdwriaeth ni.

    Cynorthwya ni i amgyffred dirgelwch ei ddyfodiad ef, ac i
wybod lled a hyd, a dyfnder ac uchder ei gariad.

    Arwain ni yng nghwmni'r doethion a'r bugeiliaid i ymgrymu
wrth ei breseb mewn llawenydd a diolchgarwch, ac i ryfeddu at y
Gair hollgyfoethog a wnaethpwyd yn gnawd.

    Boed i'r cariad hwn a ddatguddiwyd inni yn nyfodiad
gostyngedig ein Harglwydd a'n Gwaredwr, ehangu ein calon a
melysu ein hysbryd, fel y genir Crist ynom o'r newydd, fel y
carom ein gilydd trwyddo ef, ac fel yr unwn gyda'r côr nefol i
ddatgan, 'Gogoniant yn y goruchaf i Dduw, ac ar y ddaear
tangnefedd, i ddynion ewyllys da.'

Llyfr Gwasanaeth yr Annibynwyr Cymraeg, 1962

373 GOGONIANT IESU

Arglwydd annwyl, helpa fi i gadw fy ngolwg arnat ti:
ti yw'r ymgnawdoliad o gariad dwyfol,
y mynegiant o dosturi anfeidrol Duw,
yr amlygiad gweladwy o sancteiddrwydd y Tad.

Ti wyt brydferthwch, daioni, tynerwch,
maddeuant a thrugaredd;
ynot ti y mae pob perffeithrwydd:
pa ddiben edrych i gyfeiriad arall,
na mynd i unman arall, ond atat ti?

Gennyt ti y mae geiriau bywyd tragwyddol,
gennyt ti y mae bwyd a diod i'n heneidiau,
ti yw'r ffordd, y gwirionedd a'r bywyd,
ti yw'r goleuni sy'n llewyrchu yn y tywyllwch,
y llusern sy'n goleuo'n llwybr,
y tŷ ar fryn na ellir ei guddio;
ti yw'r eicon perffaith o Dduw;
ynot ti a thrwot ti y canfyddaf y ffordd at y Tad nefol.

O Sanctaidd Un,
o brydferth a gogoneddus un,
ti yw fy Ngwaredwr, fy Arglwydd,
fy arweinydd, fy niddanydd,
fy ngobaith, fy llawenydd, fy nhangnefedd.

I ti y dymunaf fy rhoi fy hun yn gwbl oll:
gad i mi fod yn hael ac yn eiddgar,
nid yn hwyrfrydig nac yn anfoddog,
ond yn barod i roi fy mhopeth i ti –
popeth a feddaf, a feddyliaf ac a deimlaf –
ti biau'r cyfan, O Arglwydd,
i'w derbyn a'u sancteiddio,
a'u gwneud yn eiddo llwyr i ti dy hun.

Henri Nouwen, 1932–96

374 DIRGELWCH DWFN Y NADOLIG

Faban annwyl Bethlehem, caniatâ i ni dderbyn â'n holl galon
ddirgelwch dwfn y Nadolig. Tywallt i galonnau gwŷr a gwragedd y
tangnefedd y maent yn dyheu cymaint amdano – y tangnefedd y
medri di yn unig ei roi. Cynorthwya ni i adnabod ein gilydd yn well,
ac i fyw fel brodyr a chwiorydd i'n gilydd, yn blant i'r un Tad.
Deffro yn ein calonnau gariad a diolchgarwch am dy ddaioni
diderfyn di; una ni yn dy gariad, a dyro i ni oll dy dangnefedd nefol.

Y Pab Ioan XXIII, addas. Enid Morgan

375 GOSTYNGEIDDRWYDD IESU
Addolwn di, O Grist,
am i ti, er ein mwyn,
osod o'r neilltu dy allu a'th ogoniant,
a chymryd arnat wisg ein dynoliaeth,
i fyw mewn tlodi ar y ddaear,
ac i ddioddef angau ar y groes:
dysg i ni wers dy ostyngeiddrwydd di,
a gwacáu ein bywyd o bob balchder a hunanoldeb,
fel y cawn ein llawenydd a'n cyflawnder
mewn gwasanaeth i eraill,
yn dy enw ac er dy fwyn di,
ein Gwaredwr a'n gobaith.

Frank Colquhoun, 1909–97, cyf. Enid Morgan

376 BENDITH AR GARTREFI A PHLANT
O Dduw, yr hwn o roi dy Fab i'w eni o Fair, a sancteiddiaist bob
mam ac a ddyrchefaist deuluoedd y ddaear, erfyniwn arnat i
fendithio ein cartrefi, ein teuluoedd a'n cyfeillion.
Bydded i'r cyfnod hwn o aduno lenwi pob calon â llawenydd a
phuro pob mwyniant.
Pâr i'n plant fod yn annwyl yn ein golwg, er mwyn Iesu'r
Plentyn Sanctaidd.
Cysgoda dros y rhai sy'n annwyl gennym ac a wahanwyd oddi
wrthym. Boed iddynt hwy a ninnau, o nesáu atat ti, ddod yn nes
at ein gilydd, yn Iesu Grist ein Gwaredwr.

Prayers for the Church's Year, Eglwys yr Alban

377 LITANI O FOLIANT
Gogoneddwn di, O Feistr, carwr pawb,
hollalluog, cyn-dragwyddol Frenin;
fe'th ogoneddwn, Greawdwr a Lluniwr bob peth:
Oleuni pob goleuni, gogoneddwn di.
Gogoneddwn di, O unig-anedig Fab Duw,
a anwyd heb dad o'th fam,
a anwyd heb fam o'th Dad:
Oleuni pob goleuni, gogoneddwn di.
Fel y bu i ras yr Ysbryd Glân
ar ffurf colomen ddisgyn ar y dyfroedd,
felly y cododd yr Haul nad yw fyth yn machlud
a llanwyd y byd ag ysblander goleuni'r Arglwydd:
Oleuni pob goleuni, gogoneddwn di.

Heddiw llewyrcha'r lloer ar y byd
gyda gloywder ei belydrau;
heddiw y mae'r sêr disglair
yn tecáu'r ddaear â llewyrch eu goleuni:
    Oleuni pob goleuni, gogoneddwn di.
O ti, y bu i'r Iorddonen droi'n ei hôl iddo,
o weld yr Anweledig yn y gweledig;
y Creawdwr a wnaed yn gnawd,
y Meistr ar ffurf gwas:
    Oleuni pob goleuni, gogoneddwn di.
O ti, y bu i'r Iorddonen droi'n ei hôl iddo
ac y llamodd y mynyddoedd o'i blegid
wrth edrych ar Dduw yn y cnawd,
a'r cymylau a godasant eu llais,
gan ryfeddu at yr hwn oedd yn dod –
Goleuni y Goleuni, gwir Dduw o'r gwir Dduw:
    Oleuni pob goleuni, gogoneddwn di.

Litwrgi'r Eglwys Uniongred Ddwyreiniol

378 AWN I'W ADDOLI

O Dduw ein Tad, clodforwn dy enw am i ti drwy dy ras ymweld
    â'n daear ni yn dy Fab, Iesu Grist.
Cynorthwya ni y Nadolig hwn i fynd yng nghwmni'r bugeiliaid
    a'r doethion at ei breseb,
      i ryfeddu at dy drugaredd di tuag atom,
      ac i'w addoli ef a ddaeth yn Waredwr i ni.
Cynorthwya ni, O Arglwydd,
      i wrando o'r newydd ar gân yr angylion
      ac i geisio tangnefedd yn ein byd.
Gwared ni rhag anghofio, ynghanol ein digonedd,
    y rhai fydd yn dioddef y Nadolig hwn,
    a dysg i ni ein cyfrifoldeb tuag atynt.

Llyfr Gwasanaeth yr Annibynwyr Cymraeg, 1998

379 GENEDIGAETH IESU

Hollalluog Dduw, a roddaist i ni dy unig-anedig Fab i gymryd
ein natur ni, a'i eni ar gyfenw i'r amser yma o Forwyn bur:
caniatâ i ni, sy'n llawenychu yn nyfodiad dy fywiol dragwyddol
Air, gael ein hadnewyddu beunydd trwy dy Ysbryd Glân; trwy'r
un Iesu Grist ein Harglwydd, sy'n byw ac yn teyrnasu gyda thi
a'r un Ysbryd, byth yn un Duw, yn oes oesoedd.

Y Llyfr Gweddi Gyffredin

380 PLENTYN BETHLEHEM
  Blentyn Sanctaidd Bethlehem,
cofiwn i'th rieni fethu â chael lle yn y llety:
gweddïwn dros bawb sy'n ddigartref.
  Blentyn Sanctaidd Bethlehem,
a aned mewn stabl:
gweddïwn dros bawb sy'n byw mewn tlodi.
  Blentyn Sanctaidd Bethlehem,
a wrthodwyd fel dieithryn:
gweddïwn dros bawb sydd yn unig ac ar goll,
a phawb sy'n llefain am eu hanwyliaid.
  Blentyn Sanctaidd Bethlehem,
y ceisiodd Herod dy ladd:
gweddïwn dros bawb sydd mewn perygl
a phawb sy'n cael eu herlid.
  Blentyn Sanctaidd Bethlehem,
a fuost yn ffoadur yn yr Aifft:
gweddïwn dros bawb sydd ymhell oddi cartref.
  Blentyn Sanctaidd Bethlehem,
ynot ti y mae'r Tragwyddol yn trigo:
erfyniwn arnat ein cynorthwyo
i weld y ddelw ddwyfol mewn pobl
ym mhob man.

David Blanchflower, All Year Round, CEP, 1987

381 RHYFEDDOD DIOLCHGAR
  O Dduw ein Tad, awdur pob rhyfeddod,
rho'n helaeth yn ein calonnau ryfeddod diolchgar
o syllu ar yr hwn a fu'n gyfoethog ac a wnaethpwyd yn dlawd,
fel y'n cyfoethogid ni drwy ei dlodi ef, fel y'n cyfoethoger ni
heddiw, er mwyn dy enw.

Dewi Tomos

382 ANFON DY YSBRYD I'R BYD
  Dragwyddol Dduw,
    yr wyt ti o dragwyddoldeb i dragwyddoldeb;
    mae mil o flynyddoedd megis diwrnod i ti,
    ac y mae ein hamserau
    yn mynd heibio megis noson.
Yn yr amser priodol danfonaist dy Fab,
    a anwyd o wraig,
    i fod yn Waredwr i ni.

Boed iddo ef,
   a agorodd byrth bywyd a marwolaeth,
   agor pyrth y byd hwn
   i'th gyfiawnder a'th heddwch,
   i'th gariad ac i'th lawenydd.
Anfon dy Ysbryd i'r byd
   i ddwyn trefn allan o'r tryblith,
   fel y gallom symud o dywyllwch i oleuni,
   ac y gall yr holl greadigaeth
   dy foliannu am byth,
   drwy Iesu Grist ein Harglwydd,
   sy'n byw a theyrnasu gyda thi,
   mewn undeb â'r Ysbryd Glân,
   un Duw yn oes oesoedd.

Paul Sheppy

383 DATHLU'R ŴYL
   Arglwydd, erfyniwn am dy gymorth
   i ddathlu'r Ŵyl mewn modd gweddus a theilwng:
   nid yn drist ond yn llawen,
   nid mewn maswedd ond mewn moliant,
   nid yn grintachlyd ond yn garedig,
   nid yn rhagfarnllyd ond mewn rhadlonrwydd.

     Arglwydd, yn enw'r Baban Iesu,
   gweddïwn am fyd gwell i fabanod a phlant;
   gweddïwn ar ran cartrefi Cymru a chartrefi'r byd:
   boed i neges yr Ŵyl dyneru calonnau,
   ennyn cariad ar aelwydydd,
   a gwneud cartrefi yn gysegrleoedd,
   am fod dy wenau di arnynt.

     Cofiwn am y rhai sydd heb gysgod a chysur aelwyd,
   a'r miloedd sydd heb wlad i fyw ynddi:
   y ffoaduriaid sy'n heidio mewn gwersylloedd,
   yn wrthodedig, yn cael eu newynu neu'u lladd;
   boed i neges yr Ŵyl beri i lywodraeth bwyllo
   a thosturio wrth drueiniaid ein byd.

     Boed i ninnau, nefol Dad,
   feithrin cariad yn lle cas,
   maddeuant yn lle dialedd,
   a thriged dy dangnefedd yn ein calonnau.

Rhagor o Weddïau yn y Gynulleidfa, addas.

384   DIOLCH AM ANFON IESU I'N BYD

Diolch i ti, ein Tad, am dymor y Nadolig a Gŵyl y Geni,
pan gofiwn ac y diolchwn am y Baban Iesu:
er nad oedd ond llety'r anifail yn gysgod i Mair a Joseff;
er nad oedd i'r Baban ond preseb anifail yn grud;
diolch i ti am anfon Iesu i'n byd:
    Derbyn ein diolch, nefol Dad.
Am gân yr angylion uwch meysydd Bethlehem:
'Gogoniant yn y goruchaf i Dduw,
ac ar y ddaear tangnefedd';
am y bugeiliaid yn gwylio eu praidd liw nos,
a aethant ar frys i weld y Baban:
    Derbyn ein diolch, nefol Dad.
Am y doethion a ddaeth o'r dwyrain
â'u hanrhegion o aur a thus a myrr;
am y seren ddisglair a dywynnodd yn y ffurfafen,
ac a arhosodd uwchlaw'r lle'r oedd y Baban Iesu:
    Derbyn ein diolch, nefol Dad.
Plygwn ninnau gyda'r doethion o'r dwyrain,
gyda'r bugeiliaid o'r meysydd,
yn sŵn cân yr angylion,
ac yng ngoleuni'r seren lachar,
i addoli Crist o'r nef:
    Derbyn ein diolch, nefol Dad.
Derbyn di, O Dduw,
ein bywydau, ein talentau, ein hamser,
y cyfan a feddwn, fel y gallwn heddiw
dystiolaethu amdano a'i addoli,
nid ar Ŵyl y Nadolig yn unig,
ond bob dydd o'r flwyddyn.

Gwyneth Davies

385   GWAHODDIAD

Anwylyd yng Nghrist, y Nadolig hwn boed yn bennaf llawenydd
i ni glywed eto neges yr angylion, a mynd mewn meddwl a
chalon i Fethlehem, a gweld y peth hwn a wnaethpwyd, a'r
Baban yn gorwedd yn y preseb. Gadewch i ni felly ddarllen a
gwrando ar dystiolaeth yr Ysgrythur Sanctaidd i fwriadau
cariadlon Duw tuag atom ni ei blant annheilwng, a llawenhau yn
y carolau, a dathlu'r bywyd newydd a ddaeth i'n gafael trwy'r
Baban hwn a anwyd er ein hiachawdwriaeth ni.

Ond yn gyntaf, gweddïwn dros anghenion yr holl fyd; am heddwch ar y ddaear ac ewyllys da ymhlith yr holl bobl; am gymod a chariad yn yr Eglwys y daeth ef i'w hadeiladu, ac ym mywyd ein cymdeithas yn y fro hon.

Ac oherwydd y byddai hyn yn llawenhau ei galon, gadewch i ni gofio yn ei enw, y tlawd a'r diymadferth, y newynog a'r gorthrymedig, yr afiach a'r rhai sy'n hiraethu, yr unig a'r rhai sydd heb neb i'w caru, yr hen a'r plant bychain, pawb nad adwaenant yr Arglwydd Iesu, a'r rhai nad ydynt yn ei garu.

Yn olaf, cofiwn gerbron Duw y rhai sy'n gorfoleddu gyda ni, ond ar draethell arall, ac mewn goleuni helaethach – ein hanwyliaid a aeth o'n blaen a fu farw yn y ffydd, a'r dyrfa fawr honno na all yr un dyn ei rhifo, y rhai yr oedd eu gobaith yn y Gair a wnaethpwyd yn gnawd, a gyda hwy, yng Nghrist Iesu, yr ydym ni yn un byth mwy.

Y mawl a'r gweddïau hyn a offrymwn yn ostyngedig o flaen gorsedd nef yn y geiriau a ddysgodd Crist ei hun i ni: 'Ein Tad, yr hwn wyt yn y nefoedd . . .'

Y rhagymadrodd i Ŵyl Naw Llith Naw Carol, Capel Coleg y Brenin,
Caergrawnt, addas. Derwyn Morris Jones

386 GWRANDO NEGES Y NADOLIG

Ein Tad, cynorthwya ni yn awr i dderbyn, mewn ysbryd ac mewn gwirionedd, y gwahoddiad i'th addoli.

Cymorth ni i gydnabod dy fawredd yn creu'r fath greadigaeth ryfeddol ac yn anfon d'Eneiniog yn faban i'r byd.

Tywys ni, fel y doethion gynt, at y Baban yn ei breseb ym Methlehem, fel y gallwn ninnau fel hwythau roi ein trysorau iddo – ein hewyllys, ein calon, ein dawn a'r cyfan a feddwn.

Rho i bob un ohonom, fel i'r bugeiliaid gynt, glust i glywed gwir neges y Nadolig ynghanol ei rialtwch a'i firi, ac o'i chlywed, ei gwrando, fel y byddo gogoniant i Dduw yn y goruchaf, tangnefedd ar y ddaear, ac ewyllys da i bawb.

Llanw galon pob un ohonom, fel yr angylion gynt, â llawenydd a gorfoledd y Nadolig cyntaf, gan roi i ni eu hawydd hwy i'w rannu ag eraill.

Yn ein dathlu, tro bob cân yn foliant,
    pob gair yn ogoniant,
    pob dawn yn wasanaeth,
    a phob enaid yn aberth byw,
    glân a chymeradwy i ti.

John Owen

387 DECHRAU'R GWAITH
Wedi i gân yr angylion ddistewi,
wedi i'r seren gilio o'r ffurfafen,
wedi i'r brenhinoedd a'r tywysogion ddychwelyd adref,
wedi i'r bugeiliaid ddychwelyd at eu praidd,
yna, bydd gwaith y Nadolig yn cychwyn:
canfod y colledig,
iacháu'r clwyfedig,
bwydo'r newynog,
rhyddhau'r carcharor,
ailadeiladu cenhedloedd,
dwyn heddwch i blith y bobl,
creu cerddoriaeth yn y galon.

Howard Thurman, Cymdeithas y Cymod

388 PAN DDAETH YR AWR
Ti, O Dduw, yw Creawdwr y bydoedd:
ti a roddaist fflam i'r haul,
llewyrch i'r lloer
a sirioldeb i'r sêr;
ti a greaist ddyn ar dy ddelw
a'i osod ynghanol amrywiaeth y cread,
ei dir a'i fôr,
ei ddydd a'i nos,
ei fryniau a'i ddyffrynnoedd,
ei goed a'i blanhigion,
ei adar a'i anifeiliaid oll.
    Er hynny, crwydrodd dyn ymhell oddi wrthyt ti;
ond pan ddaeth yr awr
trefnaist ffordd i'w ddwyn yn ôl:
anfonaist dy Fab dy hun
ar y Nadolig cyntaf
yn faban gwynfydedig;
daeth y Gair bywiol i wisg o gnawd,
daeth tragwyddoldeb i breseb bach,
a daeth Mair yn fam fendigaid
i Geidwad y byd.
    Diolchwn i ti am y newyddion da
a lanwodd wacter y byd;
am glod yr angylion
a ddeffrôdd y gân
yng nghalonnau meibion a merched dynion.

196

Diolch i ti am y bugeiliaid
a ddaeth o dawelwch y meysydd
i bentre Bethlehem
i geisio'r Oen di-fai;
ac am ddoethion a ddaeth o bellter byd
i roi eu rhoddion drud
i Arglwydd pob doethineb.

Cynorthwya ni i ddathlu'r Nadolig hwn
o dan gymhelliad yr Ysbryd Glân:
cadw'n llawenydd yn bur,
ac ym mhob rhoi a derbyn
gwna ni'n gyfryngau dy gariad di.

Uwchlaw pob peth
cynorthwya bobloedd y byd
i faddau i'w gilydd
fel yr wyt ti yn maddau i ni,
fel y daw Tywysog Tangnefedd
i'w deyrnas yn ein calonnau oll,
ac fel y byddo gogoniant yn y goruchaf i Dduw
a thangnefedd ar y ddaear
i bawb sy'n ei dderbyn ef.

W. Rhys Nicholas, 1914–96

389   DUW YN Y BYD
Dduw, y dieithryn,
    helpa ni i'th groesawu
    i'n gwlad, i'n bro, i'n cartref, i'n heglwys.
Dduw, yr anhysbys,
    helpa ni i'th adnabod
    ym mywydau ein cyd-ddynion
    y cyffyrddwn â hwy bob dydd.
Dduw, y diymadferth,
    helpa ni i'th weld
    yn y plentyn bach ym mreichiau'i fam.
Dduw, hollbresennol,
    helpa ni i'th ganfod ynghanol dy fyd –
    mewn cariad, mewn cyd-ddyn, mewn celfyddyd –
    ac o'th ganfod, dy garu a'th wasanaethu.
Dduw, ymgnawdoledig,
    o'th adnabod yn dy Fab Iesu Grist,
    helpa ni i'th ganfod a'th adnabod
    ym mhob man.
                    A Restless Hope, Llawlyfr Gweddi CWM, 1995

390 CROESO A CHLOD I TI

Croeso a chlod i ti, Iesu, Fab Duw,
   am i ti ddatguddio i ni gariad y Tad.
Croeso a chlod i ti, Iesu, Fab y Dyn,
   am i ti gymryd arnat ein cnawd a'n natur ddynol ni.
Croeso a chlod i ti, Iesu, Gynghorwr rhyfeddol,
   am i ti ein harwain o dywyllwch i oleuni.
Croeso a chlod i ti, Iesu, Dad tragwyddoldeb,
   am i ti ein dwyn i mewn i deulu Duw.
Croeso a chlod i ti, Iesu, Dywysog Tangnefedd,
   am i ti sefydlu teyrnas tangnefedd yn ein plith.
Croeso, clod ac addoliad i ti,
   Iesu, ein Gwaredwr a'n Harglwydd.

Golygydd

391 DYDD GŴYL EI ENI

Arglwydd, mor debyg i ti dy hun yw Dydd Gŵyl dy eni,
   yn dwyn llawenydd i'r holl ddynoliaeth.
Y mae plant a henoed fel ei gilydd yn mwynhau dy ddydd di,
   ac fe'i dethlir o genhedlaeth i genhedlaeth.
Bydd brenhinoedd a thywysogion yn mynd a dod
   a'u dyddiau gŵyl yn darfod a mynd yn angof,
   ond dethlir dy Ŵyl di hyd ddiwedd amser.
Arwydd ac addewid o dangnefedd yw dy ddydd di:
   y dydd y cymodwyd nef a daear,
   y dydd y daethost o'r nef i'r byd hwn,
   i faddau i ni ein pechodau ac i symud ymaith ein
   heuogrwydd.
Ar dy ben blwydd rhoddaist i ni gymaint o roddion hael:
   trysorfa o feddyginiaethau ysbrydol i gleifion;
   goleuni ysbrydol i ddeillion;
   cwpan iachawdwriaeth i'r sychedig,
   a bara'r bywyd i'r newynog.
Yn y gaeaf noethlwm pan yw'r coed heb ddail
   yr wyt ti'n rhoi ffrwythau ysbrydol blasus.
Yn y llwydrew pan yw'r ddaear yn ddiffrwyth,
   yr wyt yn dod â gobaith newydd i'n heneidiau.
Ym moelni Rhagfyr pan yw'r hadau'n ymguddio yn y pridd,
   fe dyf Pren y Bywyd o groth y Forwyn.

Effraim y Syriad, OC 306–373

392 GWEDDI BORE NADOLIG

Cyn agor y parselau,
cyn datod y rhubanau,
y gras, O Arglwydd, dyro im
i gofio'r rhai na chawsant ddim.

Cyn edrych ar y cardiau
a chofio am ein ffrindiau,
O dwg i'm cof trwy'r cofio i gyd
fod rhai heb gyfaill yn y byd.

Cyn eistedd wrth y byrddau
a gwledda ar dy ddoniau,
rho i mi gofio, Arglwydd Dduw,
y rhai heb fwyd i'w cadw'n fyw.

Yng nghanol fy nghyfeillion
a miri'r cwmni rhadlon,
gad i mi gofio am ambell un
fydd heddiw ar ei ben ei hun.

Wrth ganu ein carolau
a gwrando ar y clychau,
rho ras im gofio, dirion Dad,
y mud a'r byddar yn ein gwlad.

A minnau eto eleni
yn llon ar Ŵyl y Geni,
gad i mi gofio'r rheini sy
y diwrnod hwn mewn galar du.

Wrth ddawnsio rownd y goeden
a'r lliwiau ar bob cangen,
gad i mi gofio, Iesu hoff,
fod rhai yn ddall a rhai yn gloff.

Cyn mynd i'r gwely heno,
O Arglwydd, gad im gofio
y rhai na chawsant ddim o'r hwyl
a gefais i ar Ddydd yr Ŵyl.

Selyf Roberts, 1912–95

393   YN DDISTAW A DISYLW

Yn ddistaw a disylw y daw i mewn i'w fyd:
dim ffanffer o ben y castell,
dim baneri'n chwifio,
dim datganiad cyhoeddus fod y Brenin wedi dod;
cyn lleied o bobl a glywodd gân yr angylion,
a dim ond dyrnaid o bobl ar y mynydd yn gwylio ac yn gweddïo.
    Ond ni ddylem ryfeddu: mae'n digwydd bob dydd.
Yn ddistaw a disylw, mae'n gorwedd ar y gwair;
does neb yn rhuthro allan o'r gwesty at ddrws y beudy;
mae bwyd i'w goginio, dillad i'w golchi, ystafelloedd i'w glanhau;
cyn lleied o bobl sy'n ei weld yno'n cysgu;
ond y mae rhai'n dod i weld y Baban, ac o edrych yn gweddïo.
    Ni ddylem ryfeddu; mae'n digwydd bob dydd.
Yn ddistaw a disylw, mae wedi dod i newid ein bywyd,
i gynnig gobaith yn lle anobaith
a thangnefedd yn lle anghydfod;
mae ei freichiau'n agored mewn cariad a dagrau;
fe'i ganed heddiw i'r byd,
ond cyn lleied o bobl sy'n clywed ei alwad:
mae rhai yn gwyrdroi ei eiriau i'w bodloni eu hunain,
ond mae eraill yn gwylio ac yn gweddïo.
    Ni ddylem ryfeddu; mae'n digwydd bob dydd.
Yn ddistaw a disylw anfonodd Duw ei unig Fab,
heb fellt na tharanau i gyhoeddi yr hyn a wnaeth;
ond o Fethlehem i'r holl fyd daw Iesu Grist i deyrnasu,
a'i gariad aberthol yn ein huno unwaith eto â Duw;
a bywydau di-rif yn cael eu newid,
wrth i bobl wylio a gweddïo.
    Ni ddylem ryfeddu; mae'n digwydd bob dydd.

Pont Cariad: Llawlyfr Gweddi CWM, 2002–03

394   CYFRANOGI O'I NATUR DDWYFOL

Hollalluog Dduw, a greaist ddyn yn rhyfeddol ar dy ddelw dy
hun, a'i adfer yn fwy rhyfeddol fyth: caniatâ, megis y gwnaed dy
Fab Iesu Grist yn gyfrannog o'n natur ddynol ni, a'i wneud yn
ddyn, i ninnau fod yn gyfrannog o'i natur ddwyfol ef; trwyddo ef
sydd gyda thi a'r Ysbryd Glân yn byw ac yn teyrnasu, yn un
Duw, yn oes oesoedd.

Y Llyfr Gweddi Gyffredin

395 EI ENI YNOM NI

O Dad tragwyddol, a roddaist dy hun i'th blant yng ngeni dy Fab
annwyl, Iesu Grist, gweddïwn ar iddo gael ei eni hefyd yn ein
calonnau ninnau, fel y'n gwaredo oddi wrth ein pechodau ac
adfer ynom ddelw ein Creawdwr, i'r hwn y byddo'r gogoniant yn
oes oesoedd.

Lewis Valentine, 1893–1986

396 CYFLWYNO'N RHODDION

Ein Tad, wrth i ni gofio am y doethion yn dilyn y seren at y
crud, gweddïwn am fedru cyflwyno i ti aur ein hufudd-dod,
thus gwyleidd-dra, a myrr ein haddoliad, er anrhydedd a
gogoniant i ti.

Frank Colquhoun, 1909–97

397 GŴYL SAN STEFFAN: 26 RHAGFYR

Caniatâ, O Arglwydd, yn ein holl ddioddefiadau yma ar y ddaear
er tystiolaeth i'th wirionedd, inni allu dysgu caru ein gelynion,
trwy esiampl dy ferthyr cyntaf Steffan, a weddïodd dros ei
erlidwyr arnat ti, O Iesu gwynfydedig, sy'n byw ac yn teyrnasu
gyda'r Tad, a'r Ysbryd Glân, yn un Duw, yn oes oesoedd.

Y Llyfr Gweddi Gyffredin

398 ESIAMPL STEFFAN

Arglwydd,

    mae'n hawdd sôn am godi croes a'th ddilyn di,
    ond y mae gwneud hynny'n wahanol;
    mae'n anodd ymwadu ychydig â'n hunain,
    heb sôn am roi'r cyfan.

Mae cymaint a fwynhawn mewn bywyd,
    ac y mae meddwl am aberthu'r cyfan yn ormod i ni.

Eto, fe'n dysgaist mai trwy golli bywyd
    y mae ennill bywyd,
    a bod y trysor sy'n werth ei gadw yn y nefoedd
    ac nid ar y ddaear.

Gwared ni rhag dal ein gafael yn yr hyn sydd gennym,
    ond yn hytrach i roi,
    fel y rhoddaist ti dy hun i ni.

Nick Fawcett, addas. Olaf Davies

399   GŴYL Y DINIWEIDIAID: 28 RHAGFYR
Dduw y rhai a gollodd y cyfan,
amddiffynnydd y diamddiffyn,
rwyt yn galaru gyda phob gwraig sy'n wylo
am nad yw ei phlant hi mwy;
bydded i ninnau wrthod cael ein cysuro
nes i dreisgarwch y cryf
gael ei drechu,
ac i'r dioddefwyr ysig gael eu rhyddhau;
yn enw Iesu Grist.

Janet Morley, cyf. Enid Morgan

400   AR FFO
Daethom heibio i'r Nadolig,
ac yn dy ddrama fawr di, O Dduw,
mae'r olygfa wedi newid;
daethom yn ôl i boendod ein byw.

    Mair a Joseff a'r Baban,
a fu am ychydig yn ddiogel yn y stabl,
a droesant yn ffoaduriaid digartref,
yn ofni am eu bywydau,
yn ceisio dianc i wlad estron,
fel llawer eraill yn ein byd ni.

    Mor wahanol i stori'r Nadolig
am newyddion da o lawenydd mawr,
am ogoniant a heddwch.

    Ond dathlwn eto ein ffydd,
oherwydd y mae dy oleuni di
yn dal i lewyrchu yn y tywyllwch,
ac nid yw'r tywyllwch wedi ei drechu.

    Tyrd gyda ni i'r Flwyddyn Newydd,
er mwyn i ni, mewn gwlad estron,
dynnu nerth o'th gariad ffyddlon di.

John Slow, *Gweddïo*, 2001–02

401   AR DDIWEDD BLWYDDYN
O Dduw tragwyddol, yn dy law di y mae bywyd a marwolaeth.

    Dy ewyllys di a greodd bopeth, a'th ragluniaeth di sy'n
cynnal popeth.

    Ymgrymwn ger dy fron gyda methiannau a siom a phechu
blwyddyn yn pwyso arnom, a chan ymbil ar i ti, yn ôl dy
drugaredd, drugarhau wrthym.

Rhown ddiolch i ti am y bywyd a'r bara a roddaist inni
o ddydd i ddydd.

Fel y cerddwn yn nes at y bedd, dyro fod ein ffydd yn
cryfhau, ein gobaith yn dyrchafu, a'n cariad yn ehangu.

Cymorth ni i gofio mai dy rodd di ydyw pob diwrnod,
ac y dylid ei dreulio yn ôl dy orchymyn, ac mai d'ewyllys di yw
inni dderbyn dyletswyddau pob diwrnod a'u gwneud yn llawen,
fel y gweddai i rai sy'n ceisio dilyn yn ôl traed dy Fab,
Iesu Grist, ein Harglwydd ni.

Lewis Valentine, 1893–1986

402 DIWEDD A DECHRAU BLWYDDYN

O Dduw, ein Tad nefol,
   a'n digonaist â daioni dros ein holl ddyddiau,
   deuwn yn ostyngedig o'th flaen i'th addoli.
Diolchwn am y flwyddyn a dynnodd i'w therfyn:
   am y gwersi a ddysgasom wrth wrando dy Air,
   am brofiadau o'th agosrwydd mewn dyddiau dwys,
   am y sicrwydd i ti faddau ein camgymeriadau ffôl,
   ac am i ti ein coroni â chariad a thrugaredd.
Ymbiliwn, Arglwydd, ar drothwy blwyddyn newydd,
   am d'oleuni a'th nerth i ddyfalbarhau,
   am ffafr yr Arglwydd Iesu ym mhob ansicrwydd,
   am lwydd i ymdrechion pawb sy'n ceisio heddwch,
   am gyd-ddealltwriaeth rhwng pawb
   sy'n arwain mewn byd a betws.
Wrth i ni wynebu yfory yn dy gwmni,
   derbyn ein hymgysegriad a chryfha'n ffydd;
   cysegra'n dyhead am adnewyddiad ysbrydol;
   cynnal ni yn wyneb pob dieithrwch,
   a chyffwrdd ni â golau a gwres yr Ysbryd Glân;
   yn enw Iesu Grist ein Harglwydd.

Idwal Wynne Jones

403 ENWI IESU: 1 IONAWR

Hollalluog Dduw, a roddaist i'th Fab Iesu Grist yr Enw sydd
goruwch pob enw, a'n dysgu nad oes yr un enw arall i ni fod yn
gadwedig drwyddo: caniatâ i ni, gan lawenhau yn ei Enw,
ymroddi byth i'w gyhoeddi i'r holl bobl; trwy'r un Iesu Grist ein
Harglwydd.

Y Llyfr Gweddi Gyffredin

404 RHODD DUW

Arglwydd, yr wyt ti yn rhoi i bob un
amser i wneud yr hyn yr wyt ti am iddo'i wneud,
ond rhaid i ni beidio colli amser,
na gwastraffu amser,
na lladd amser;
oherwydd y mae amser yn rhodd oddi wrthyt ti,
ond rhodd ddarfodedig,
rhodd nad yw'n cadw.

Arglwydd, mae gennyf amser,
y mae gennyf ddigon o amser,
yr holl amser yr wyt ti'n ei roi i mi;
blynyddoedd fy mywyd,
dyddiau fy mlynyddoedd,
oriau fy nyddiau –
y maent i gyd yn eiddo i mi
i'w llenwi'n dawel, yn llwyr ac i'r ymylon.

Nid wyf yn gofyn, Arglwydd,
am amser i gyflawni'r peth hyn a'r peth arall,
ond am ras i wneud yn gydwybodol,
yn yr amser a roddaist i mi,
yr hyn yr wyt ti am imi ei wneud.

Michel Quoist, addas.

405 ARGLWYDD, EDRYCH ARNOM

O Dduw ein Tad, ar ddechrau'r flwyddyn newydd hon,
edrych arnom yn dy gariad.

Deuwn atat mewn gweddi
gyda'n gobeithion a'n haddunedau,
ond deuwn hefyd gyda'n hofnau a'n hamheuon,
yn ymwybodol o'n gwendidau
ac o'n hangen am dy gymorth a'th arweiniad di.
Ar ddechrau blwyddyn newydd:
Arglwydd, clyw ein gweddi.

Edrych arnom wrth inni wneud ein gwaith,
a chynnal ein teuluoedd,
wrth inni droi ymhlith ein ffrindiau,
a mwynhau ein hamdden;
mewn llwyddiant ac aflwyddiant, mewn llawenydd a thristwch;
Ar ddechrau blwyddyn newydd:
Arglwydd, clyw ein gweddi.

Edrych ar dy Eglwys
wrth iddi garu, gofalu a gwasanaethu,
ac wrth iddi ddysgu addoli
a chwilio am ffyrdd mwy effeithiol
o rannu'r newyddion da.
Ar ddechrau blwyddyn newydd:
Arglwydd, clyw ein gweddi.
Edrych ar ein byd
yn ei amrywiaeth cyfoethog a'i raniadau trist,
yn ei gyfoeth a'i dlodi,
yn ei ryfeddod a'i derfysg.
Ar ddechrau blwyddyn newydd:
Arglwydd, clyw ein gweddi.
Rho inni dy bresenoldeb a'th dangnefedd,
a chadw ni yn ddiogel yn dy gariad.

Christopher Idle

406　AR DDECHRAU BLWYDDYN NEWYDD
O Arglwydd, ein Tad nefol,
ar ddechrau blwyddyn newydd
diolchwn am gael bod yng nghwmni'n gilydd
ac yn dy gwmni di.
Cofiwn yn edifeiriol
am feiau a diffygion y flwyddyn a aeth heibio.
Wrth i ni wynebu'r dyfodol,
gweddïwn am gael clywed dy lais a'th Air di
yn addo i ni arweiniad, nerth ac ymgeledd.
Gwyddom dy fod yn ein mysg,
yn estyn i ni bopeth sydd ei angen arnom,
os gofynnwn amdano neu beidio.
Gweddïwn heddiw am un peth yn unig:
y byddi di'n cyfeirio'n meddyliau gwasgarog,
yn llonyddu'n pryderon, yn gwasgaru'n hofnau,
yn ymlid pob meddwl cas a herfeiddiol,
ac yn ein galluogi i ganoli
ar dy haelioni diderfyn di tuag atom.
Buost yn hael yn dy ofal a'th ddarpariaeth i ni
dros holl flynyddoedd ein gorffennol,
a gwyddom y byddi'n parhau i'n cadw a'n cynnal
yn ystod y flwyddyn newydd hon, a phob blwyddyn eto i ddod:
am hyn, diolchwn i ti.

Karl Barth, 1886–1968

407 EIN DYDDIAU YN EI LAW

Hollalluog Dduw, yr hwn wyt yr un ddoe, heddiw ac yn
dragywydd, mawrygwn dy enw am ein tywys i ddechrau
blwyddyn newydd. Bendithiwn di am dy gariad a'th drugaredd
tuag atom er gwaethaf ein hanffyddlondeb a'n hanufudd-dod.
Diolchwn i ti fod ein holl ddyddiau yn dy law ac na elwir arnom
i dreulio un ohonynt heb dy gymorth. Cynorthwya ni, y
flwyddyn hon, i fyw yn dy gwmni di. Bydd o'n mewn i'n puro;
o'n blaen i'n harwain ac o'n hamgylch i'n hamddiffyn. Cryfha
ein ffydd fel y bydd i ni lynu wrthyt; perffeithia ein cariad fel y
medrwn weithio drosot, a phâr i ni weithio'n ddi-baid am
ddyfodiad dy deyrnas. Cymorth ni i ddisgwyl wrthyt, ac i
adnewyddu ein nerth; trwy Iesu Grist ein Harglwydd.

Llyfr Gwasanaeth yr Annibynwyr Cymraeg, 1998

408 DEFNYDDIO'R AMSER

O Anfeidrol a thrugarog Dad, a'm harbedodd hyd yn hyn,
caniatâ imi felly ystyried fy mywyd yn y gorffennol, fel y dyger
fy nghalon i edifeirwch am y dyddiau a'r blynyddoedd a dreuliais
mewn angof o'th drugaredd di ac mewn esgeulustra o'm
hiachawdwriaeth fy hun. Cymorth fi i ddefnyddio'r amser y
gweli di yn dda ei ganiatáu imi, fel y delwyf beunydd yn fwy
ymroddedig yn y dyletswyddau a ddaw i'm rhan, a phan elwir fi i
farn, y'm derbynier i dragwyddol wynfyd; er mwyn Iesu Grist
ein Harglwydd.

Samuel Johnson, 1709–80

409 YN RHAGORI AR BOB PETH

Fy Iachawdwr bendigedig, fy Arglwydd a'm Duw,
dyro i mi ras i ymddiried ynot ti o flaen dim sydd ar y ddaear,
canys yr wyt ti yn rhagori ar bob peth:
ti yn unig sydd hollalluog;
ynot ti y mae llawnder a digonoldeb;
ynot ti y mae llawenydd a diddanwch anhraethol,
ynot ti yn unig y mae perffeithrwydd tegwch, cariad a mawrhydi;
ynot ti y bu, y mae ac y bydd pob hapusrwydd a daioni.

   Gad i mi gan hynny, O Iesu, dy gael di,
canys nid yw un rhodd, er ei maint a'i gwerth,
pan y'i cyffelybir i ti, ond gwael a dirmygus:
mi a wn na orffwys fy enaid byth,
ac na fodlonir mohono â dim, onid â thydi.

Vavasor Powell, 1617–70

410 CYSGODA DROSOM

Arglwydd ein Duw, meistr y canrifoedd,
eiddot ti y flwyddyn newydd hon.

    Er nad oes i ti na dechrau dyddiau
na diwedd blynyddoedd,
yr wyt yn ein hadnewyddu ni o ddydd i ddydd.

    Ni wyddom ni beth sydd yn ein haros
ym mhlygion y flwyddyn hon:
dichon y daw llawenydd annisgwyl i'n rhan;
dichon y bydd tristwch du yn ein goddiweddyd;
ond nid yw'r dyfodol yn gyfrinach i ti:
gwyddost beth sydd o'n blaen,
a'n cysur yw gwybod na phalla dy dosturi di.

    Gan hynny, fe'n cyflwynwn ein hunain i'th ofal:
cysgoda drosom,
gwarchod ni, nertha ni pan fo gwendid yn ein llethu;
arwain ni pan awn ar ddisberod;
adnewydda'n gobaith pan fyddwn yn digalonni;
canolbwyntia ein meddyliau ar Iesu Grist, ein Bugail da,
a phâr i ni ymddiried bob amser yn ei ofal tyner ef.

R. Tudur Jones, 1921–98, *Gweddïo*, 1992, addas.

411 AUR, THUS A MYRR

Dduw aur,
    ceisiwn dy ogoniant:
    y cyfoeth sy'n trawsnewid ein hundonedd â lliw,
    yn sirioli'n llwydni â goleuni nwyfus,
    ac yn hydreiddio popeth byw â'th ryfeddod a'th lawenydd.
Dduw thus,
    offrymwn i ti ein gweddi:
    ein dyheadau llafar a distaw,
    ein hymbalfalu am y gwirionedd,
    a'n hymchwil am dy ddirgelwch di yn eigion ein bod.
Dduw myrr,
    llefwn arnat yn ein dioddefiadau:
    ym mhoen ein hergydion a'n profedigaethau,
    yn nryswch ein hanobaith yn wyneb annhegwch y byd
    ac yn ein dicter dwfn yn wyneb anghyfiawnder diddiwedd;
    a chofleidiwn di, Dduw-gyda-ni,
    yn ein cyfoeth, yn ein dyhead, yn ein dicter a'n colled.

Jan Berry

412 CARIAD YN DYWYSYDD
Arglwydd Dduw,
arweiniwyd doethion at Iesu gan seren:
caniatâ i'th gariad fod yn dywysydd i ni,
yn ein harwain yn barhaus yn ein bywyd dyddiol.

Fel y rhoddodd y doethion aur, thus a myrr,
cymorth ni i offrymu'n gweddïau a'n haddoliad,
ein cariad, ein sgiliau a'n talentau, er dy glod.

Fel y darganfu'r doethion y Crist yn blentyn,
wedi ei eni fel un ohonom ni,
boed i ninnau ddod o hyd iddo yn ein gwaith,
yn ein chwarae, yn ein cartrefi ac ym mhob rhan o fywyd,
fel, yn dy ddyfodiad, y gwneir pob rhan o fywyd
yn sanctaidd ac arbennig.

Gweddïau i'r Eglwys a'r Gymuned, addas. Trefor Lewis

413 YR HYN A FUOST A'R HYN WYT
Arglwydd Iesu,
plygwn o'th flaen mewn diolchgarwch
am yr hyn a fuost yn nyddiau dy gnawd,
am yr hyn wyt yn dragwyddol yn y nefoedd,
ac am yr hyn wyt yn awr i'th Eglwys ac i'th bobl.
Iesu, blentyn Nasareth,
cofiwn i ti gael dy fagu mewn cartref cyffredin
a phrofi cariad tad a mam:
gwylia dros ein teuluoedd ninnau
a gwna ni'n dyner ac yn ofalus yn ein hymwneud â'n gilydd.
Iesu, fab y saer,
cofiwn i ti ddysgu crefft dy dad
a throi dy law i weithio, i greu ac i gyfannu:
bendithia ni yn ein gwaith beunyddiol,
fel y defnyddiwn ein doniau i wasanaethu eraill.
Iesu, athro ac arweinydd,
cofiwn i ti alw dy ddisgyblion cyntaf
i fod yn gwmni ac yn gymorth i ti yn dy waith:
gwna ninnau yn ufudd i'th alwadau
ac yn barod i fentro popeth dros dy deyrnas.
Iesu, feddyg da,
cofiwn i ti fynd o amgylch gan wneud daioni
ac iacháu pob afiechyd a llesgedd ymhlith y bobl:

Iesu, gyfaill pechaduriaid,
    cofiwn i ti estyn dy gyfeillgarwch i'r gwrthodedig
    a gweld gwerth ac urddas y distadlaf rai:
    edrych heibio i'n beiau a'n pechodau ni,
    ac yn dy dosturi gwna ni'n greaduriaid newydd.
Iesu'r gwas,
    cofiwn i ti ddod, nid i gael dy wasanaethu ond i wasanaethu,
    ac i ti arwyddo hynny trwy olchi traed dy ddisgyblion:
    cynorthwya ni i'th efelychu yn dy wyleidd-dra
    ac i ganfod yr urddas sydd mewn gostyngeiddrwydd.
Iesu, Waredwr,
    cofiwn i ti ddioddef a marw ar y groes
    er mwyn ein cymodi â Duw ac â'n gilydd:
    rho i ni ffydd i ymddiried yn nirgelwch dy aberth
    ac achub ni o dywyllwch pechod ac anobaith.
Iesu, Fab Duw,
    daethost i ddangos i ni wyneb a chalon y Tad
    ac yn dy fuddugoliaeth di gwelodd yr oesau rym y cariad
    dwyfol:
    agor ein llygaid ninnau i adnabod Duw yn dy ddyndod di
    ac i'th adnabod di yng ngogoniant dy fywyd dwyfol.
Ac i ti, O Grist, gyda'r Tad a'r Ysbryd Glân,
    y bo'r clod a'r gogoniant am byth.

Golygydd

414 DYDD GŴYL YR YSTWYLL
O Dduw, a roddaist dy unig-anedig Fab i fod yn oleuni i'r holl
genhedloedd: o'th drugaredd dyro i ni sy'n dy adnabod yn awr
trwy ffydd, allu ar ôl y fuchedd hon fwynhau gweledigaeth o'th
Dduwdod gogoneddus; trwy Iesu Grist ein Harglwydd.

Y Llyfr Gweddi Gyffredin

415 SEREN CYFIAWNDER
Hollalluog a thragwyddol Dduw, yr hwn a wnaethost yn hysbys
ymgnawdoliad dy Fab trwy ddisgleirdeb seren olau a barodd i'r
doethion, o'i gweld, gyflwyno anrhegion gwerthfawr a mawrygu
dy fawrhydi; caniatâ i seren dy gyfiawnder dywynnu yn ein
calonnau fel y bo inni roi ein hunain yn drysor i ti, a'r cwbl a
feddwn i'th wasanaeth; trwy Iesu Grist ein Harglwydd.

Llyfr Gweddi Galasius, OC 494

416   YN LLEWYRCH Y SEREN

O Dduw, yr hwn gyda llewyrch seren a arweiniaist y doethion i
weld dy Fab, ein Harglwydd Iesu Grist, dangos i ni dy oleuni
nefol, a dyro i ni ras i'w ddilyn nes ei ddarganfod, ac o'i
ddarganfod, llawenychu. Ac fel y bu iddynt hwy gyflwyno aur a
thys a myrr, caniatâ i ninnau'r awr hon offrymu iddo galon
gariadus, ysbryd addolgar, ac ewyllys ufudd, i'w anrhydeddu ef
a'th ogoneddu di, O Dduw goruchaf.

The Book of Common Order

417   BEDYDD IESU

Hollalluog Dduw, ein Tad nefol, a ddatgenaist ym medydd Crist
ein Harglwydd yn afon Iorddonen mai dy annwyl Fab ydoedd ef:
caniatâ i ni, sydd wedi'n bedyddio iddo, ei gyffesu'n wastadol yn
Arglwydd ac yn Iachawdwr, sy'n byw ac yn teyrnasu gyda thi a'r
Ysbryd Glân, byth yn un Duw, yn oes oesoedd.

Y Llyfr Gweddi Gyffredin

418   PLENTYNDOD IESU

O Dduw, mewn addoliad a moliant diolchgar:

    Cofiwn am y Baban; y Baban a oedd yn union fel pob baban
arall, ac eto'n Dduw.

    Cofiwn am y bachgen, yn tyfu fel pob bachgen arall, yn
gwybod am lawenydd a phoen tyfu, ac yn araf ddysgu mwy
amdano'i hun a Duw.

    Cofiwn am y dyn ifanc: ambell dro'n ddig, ambell dro'n
ansicr; ambell dro'n ymchwilio, ond bob amser yn ymwybodol
o bresenoldeb Duw yn ei fywyd ac yn cydsefyll â phobl gyffredin
mewn cariad a thosturi.

    Cofiwn Iesu: a boed i'n cofio ein hadnewyddu, ein helpu i'w
adnabod yn well, a'n tywys yn nes atat ti O Dduw, mewn
addoliad a moliant diolchgar.

Gweddïau i'r Eglwys a'r Gymuned, addas. Trefor Lewis

419   UNDOD YR EGLWYS: YR WYTHNOS WEDDI DROS UNDEB

O Arglwydd Iesu Grist, a ddywedaist wrth dy Apostolion,
Tangnefedd yr wyf yn ei adael i chwi, fy nhangnefedd yr wyf yn
ei roddi i chwi: nac edrych ar ein pechodau, ond ar ffydd dy
Eglwys, a dyro iddi'r tangnefedd a'r undod hwnnw sy'n unol â'th
ewyllys di; yr hwn sy'n byw ac yn teyrnasu gyda'r Tad a'r Ysbryd
Glân, yn un Duw, yn oes oesoedd.

Y Llyfr Gweddi Gyffredin

420 TYRD GYDA NI AR EIN TAITH
Grëwr yr enfys,
tyrd drwy ddrysau caeedig
ein hemosiynau,
ein meddyliau a'n dychymyg;
tyrd i gerdded ochr yn ochr â ni,
tyrd atom yn ein gwaith a'n gweddi,
tyrd i'n cyfarfodydd a'n cynghorau,
tyrd i'n galw ni wrth ein henwau,
i'n galw i bererindod.

Iachäwr clwyfedig,
allan o'n diffyg undod
gwna ni'n aelodau ynghyd;
allan o boen ein rhaniadau
gad i ni weld dy ogoniant;
galw ni o brysurdeb y presennol
i greu cymuned i'r dyfodol.

Ysbryd undod,
heria ein rhagdybiaethau,
galluoga ni i dyfu mewn cariad a deall,
bydd yn gwmni inni ar ein taith,
fel yr awn allan i'th fyd yn hyderus
fel creadigaeth newydd –
un corff ynot ti,
er mwyn i'r byd gredu.

Kate McIlhagga

421 UN GORLAN AC UN BUGAIL
O Arglwydd, llwydda ymdrechion yr eglwysi sy'n arddel enw
    Crist, y rhai a gais ffydd a chyfiawnder ynddo ef.
Cymorth ni i osod dy wirionedd di
    yn uwch na'n dirnadaeth ni ohono.
Cymorth ni i adnabod presenoldeb dy Ysbryd Sanctaidd
    ym mha le bynnag y dewis breswylio.
Lladd pob ysbryd sectyddol sydd ynom.
Dyro i ni ras i gydnabod yn ostyngedig feiau ein heglwysi,
    a'n rhan yn ymraniadau'r gorffennol –
    pob marweidd-dra ysbrydol, pob hunangyfiawnder,
    pob gormes eglwysig, a phob balchder hunanddigonol.
Trwy dy ras gwna ni'n gyfryngau cymod a heddwch,
    a phrysura ddyfodiad y dydd pan fydd un gorlan ac un bugail.

Come Holy Spirit, CEB, cyf. Huw Wynne Griffith

211

422 FFORDD Y GWAS
Grist byw,
hon oedd dy awr dyngedfennol;
gwyddost pan ddaethost o'r dŵr
dy fod wedi ymrwymo i rodio ffordd y Gwas.

Gwnaethost y dewis,
mae'r fwyell yn y pren,
dyma'r awr,
dy eiddot y cwpan . . .

Gwelwyd adlewyrchiad croes
yn nyfroedd yr Iorddonen
wrth i ti ddod o'r dŵr.

Yn dy fedydd,
rhoddaist batrwm i ninnau;
yr ydym ninnau wedi ymrwymo
i rodio ffordd y gwas.

Gwnaethom y dewis,
mae'r fwyell yn y pren,
daeth yr awr,
yfwn o'r cwpan . . .

John Slow, *Gweddïo*, 2001–02

423 DATHLU'R UNDEB SYDD
Dathlwn heddiw, Arglwydd,
yr undeb sydd,
nid gobaith gwag na breuddwyd ffŵl,
ond ffaith sicr ein ffydd:
un corff sydd.

Am undod dy gorff di, dy Eglwys,
yn ei holl amrywiaeth
o draddodiad ac arfer,
iaith a diwylliant,
hanes ac amgylchiadau:
diolch iti, Arglwydd.

Am ein hundod yn yr Ysbryd,
yn ein creu'n gymdeithas,
yn ein donio ynghyd â rhoddion Crist,
yn ein cymhwyso mewn cenhadaeth:
diolch iti, Arglwydd.

Am un gobaith ein galwad,
yn ein cadw'n ffyddlon yn ein hymdrech,

yn ein gwneud yn wrol mewn dioddefaint,
yn herio angau â buddugoliaeth bywyd tragwyddol:
diolch iti, Arglwydd.

    Am ein hundod trwy fedydd,
yn arwydd ein cyfodi o farwolaeth i fywyd,
yn sagrafen ein perthyn i'th un corff di,
yn ernes ein galwad i waith gweinidogaeth:
diolch iti, Arglwydd.

    Arglwydd,
gelwaist ni i fod yn un yng Nghrist:
gofynnwn i ti barhau i'n huno ni yn dy gariad
â'th holl bobl ym mhob man;
cysegra ni yn dy wirionedd,
clyma ni ynghyd yn bobl i ti,
ac anfon ni ynghyd yng ngrym dy Ysbryd.

Noel A. Davies, addas.

424   UN DUW A THAD I BAWB
Arglwydd sanctaidd,
yr wyt ti yn un Duw a Thad i bawb:
molwn di mai ohonot ti ac ynot ti
y mae pob peth yn tarddu ac yn bodoli.
Molwn di am i ti, trwy Iesu Grist dy Fab,
ein tywys i undod â thi ac â'n gilydd.
Molwn di am i ti, trwy dy Ysbryd Glân,
ein galw i fynegi ein hundod yn dy Eglwys
ac i weithio dros gymod a chytgord yn dy fyd.
Molwn di am i ti, trwy dy Air,
ein galw i fod yn un fel yr wyt ti,
Dad, Mab ac Ysbryd Glân,
yn un tragwyddol Dduw yn oes oesoedd.

Worship Now

425   TRWY'R HOLL FYD
O Dad, gweddïwn dros dy Eglwys drwy'r holl fyd, fel y rhanno
i'r eithaf yng ngweithgarwch dy Fab, gan dy ddatguddio di i'r
ddynolryw a chymodi pobl â thydi ac â'i gilydd; fel y gallo
Cristnogion ddysgu caru ei gilydd a'u cymdogion, fel y ceraist di
ni, fel yr adlewyrcho dy Eglwys fwyfwy yr undod yr wyt ti yn ei
ewyllysio ac yn ei roi; drwy Iesu Grist ein Harglwydd.

O Gapel Undod Cadeirlan Coventry

426 EGLWYS WEDI EI HUNO A'I HADFYWIO

Arglwydd, rho i ni weledigaeth o'th Eglwys
wedi ei huno, ei hadfywio a'i harfogi
i gyflawni ei chenhadaeth ac i dystio i ti.

Rho i ni oddefgarwch i dderbyn ein gilydd
fel yr wyt ti wedi'n derbyn ni.

Rho i ni ffydd i oresgyn pob rhaniad rhyngom
trwy gydweddïo a chydweithio dros dy deyrnas.

Rho i ni'r gobaith sydd ymhlyg yn ein galwad
y gwelwn dy ddiadell wasgaredig yn dod ynghyd
yn un praidd o dan un bugail,
ein Harglwydd a'n Gwaredwr Iesu Grist.

Cyngor Eglwysi'r Byd

Y GRAWYS

Gyrrodd yr Ysbryd ef ymaith i'r anialwch,
a bu yn yr anialwch am ddeugain diwrnod
yn cael ei demtio gan Satan.
Yr oedd yng nghanol yr anifeiliaid gwylltion,
a'r angylion oedd yn gweini arno.
(MARC 1:12–13)

'Yn awr,' medd yr Arglwydd, 'dychwelwch ataf â'ch holl galon,
ag ympryd, wylofain a galar. Rhwygwch eich calon,
nid eich dillad, a dychwelwch at yr Arglwydd eich Duw.'
Graslon a thrugarog yw ef, araf i ddigio, a mawr ei ffyddlondeb.
(JOEL 2:12–13)

427   NERTH I DDYFALBARHAU
Arglwydd Iesu Grist,
fe brofaist ti galedi'r diffeithwch ac ing temtasiwn;
estyn dy gymorth i'r rhai sydd heddiw mewn argyfwng:
y rhai sy'n dwyn beichiau a chyfrifoldebau trwm
ac a demtir i roi'r gorau i'r ymdrech;
y rhai sy'n dal ati o dan amgylchiadau anodd
i warchod priodas a theulu
ond sy'n digalonni ac yn blino ymdrechu;
y rhai sy'n dioddef gwawd a gwrthwynebiad
yn eu tystiolaeth i ti
a'u brwdfrydedd yn pallu;
y rhai sydd mewn afiechyd, llesgedd a phoen
ac yn anobeithio am wellhad.
    Rho iddynt hwy ac i ninnau nerth i ddyfalbarhau
a gras i orchfygu pob anhawster.

Prayers for the Christian Year

428 GRAS I ORCHFYGU
Arglwydd daionus, crea ynof galon lân
a thywallt dy Ysbryd i'm henaid.

Rho i mi feddyliau duwiolfrydig,
llanw fy nghalon â dymuniadau pur ac aruchel,
fel na chaffo dychmygion amhur
le na lloches ynddi.

Pan deimlaf yn rhy wan i gyfarfod temtasiynau bywyd,
rho i mi brofiad o'th ras fel y gallaf eu gorchfygu.

Pan dueddaf i droi oddi wrth ffordd purdeb, dwg fi'n ôl;
pan fydd perygl i mi lithro oddi ar lwybr glendid a rhinwedd,
dal fi â'th nerthol law.

Gad i mi ym mhob peth fyw i ryngu dy fodd.

anad.

429 EIN TEMTASIYNAU
Arglwydd, cafodd dy Fab Iesu Grist ei demtio
yn yr anialwch gan ddiafol:
ei demtio i droi'r cerrig yn fara,
i'w fwrw ei hun o binacl y deml,
i blygu gerbron y diafol i'w addoli.

Cawn ninnau ein temtio, Arglwydd da,
i feddwl yn unig am bethau gweledig,
i anghofio nad ar fara yn unig y bydd byw dyn
ac anghofio'r Bara a ddaeth i waered o'r nef.

Cawn ein temtio i ddringo i binacl ein gorchestion ein
hunain,
ein peiriannau a'n hawyrennau a'n llongau gofod,
gan anghofio mai oddi wrthyt ti
y daw pob dawn a gallu i ddeall a dyfeisio.

Cawn ein temtio i chwennych y byd
a'i deyrnasoedd a'i gyfoeth,
ac i ymgrymu i'w allu a'i rwysg,
gan anghofio nad ydym i addoli neb na dim
ond ti, O Arglwydd ein Duw,
ac nad ydym i wasanaethu neb ond tydi.

Cadw ninnau rhag cwympo, O Arglwydd da,
fel y cadwyd dy Fab,
trwy dy Air,
trwy dy nerth,
a thrwy ei Ysbryd ef.

Harri Williams, 1913–83

216

430   MEWN TIR SYCHEDIG

Arglwydd, yr hwn wyt yn ein caru fel tad,
yn gofalu drosom fel mam,
a ddaethost i rannu'n bywyd fel brawd,
cyffeswn o'th flaen ein methiant i fyw fel plant i ti;
brodyr a chwiorydd wedi'n clymu ynghyd mewn cariad.
    Atat ti y dyrchafwn ein dwylo estynedig:
    Sychedwn amdanat mewn tir sychedig.
Rydym wedi gwastraffu rhodd bywyd:
mae bywyd da rhai wedi ei adeiladu ar boen llawer;
pleser yr ychydig ar ing y miliynau.
    Atat ti y dyrchafwn ein dwylo estynedig:
    Sychedwn amdanat mewn tir sychedig.
Ceisiwn berchnogi mwy a mwy o bethau;
ceisiwn ein diogelwch ein hunain
a'n heddwch ein hunain.
Arglwydd, maddau ein bod yn chwilio am fywyd
trwy wadu bywyd,
a dysg ni o'r newydd beth yw ystyr byw fel plant i ti.
    Atat ti y dyrchafwn ein dwylo estynedig:
    Sychedwn amdanat mewn tir sychedig.

Cyngor Eglwysi'r Byd, addas.

431   GRAS I YMWADU Â NI EIN HUNAIN

O Arglwydd Iesu, tydi a fuost yn nyddiau dy gnawd yn y
diffeithwch ddeugain niwrnod mewn ympryd ac ymdrech
drosom ni, dyro inni ras i ymwadu beunydd â ni ein hunain, i
gyfodi ein croes ac i'th ddilyn di. Galluoga ni i ddarostwng ein
nwydau a'n blysiau ac i'th ogoneddu di yn ein cyrff, y rhai sydd
eiddot ti. Cadw ni rhag cael ein maglu gan bleserau bywyd a'i
ofalon, a dysg inni wadu annuwioldeb a chwantau bydol ac i fyw
yn sobr, yn gyfiawn ac yn dduwiol yn y byd sydd yr awr hon.

Llyfr Gwasanaeth, Eglwys Bresbyteraidd Cymru, 1958

432   GRAS I YMDDISGYBLU

Dduw hollalluog, fe fu dy Fab Iesu Grist yn ymprydio ddeugain
niwrnod yn yr anialwch, a chafodd ei brofi ym mhob peth yn yr
un modd â ni, ac eto heb bechod: rho i ninnau ras i ymddisgyblu
mewn ufudd-dod i'th Ysbryd; ac fel yr adwaenost ti ein gwendid
ni, boed i ninnau adnabod dy rym i'n hachub; trwy Iesu Grist
ein Harglwydd.

The Alternative Service Book

433 AM NERTH AC AMYNEDD
Erfyniwn arnat ti, ein Tad grasol,
ein gwaredu rhag gofalon y bywyd hwn,
fel na byddo i ni gael ein maglu ganddynt;
hefyd rhag angenrheidiau'r corff,
fel na byddo i ni gael ein rhwydo gan bleser;
a rhag unrhyw beth sydd yn rhwystr i'r enaid,
fel na byddo inni,
o gael ein gwanychu gan dreialon,
gael ein goresgyn ganddynt.

Dyro i ni nerth i wrthwynebu,
amynedd i barhau,
a ffyddlondeb i ddyfalbarhau;
er mwyn Iesu Grist ein Harglwydd a'n Gwaredwr.

Thomas à Kempis, 1380–1471

434 EIN BRWYDRAU NI
Arglwydd Iesu,
fe fuost ti yn yr anialwch
yn brwydro â themtasiynau:
gweddïwn am dy bresenoldeb
yn ein brwydrau ni yn erbyn temtasiynau
yn anialwch y byd.

Ceisiwn help i wrthsefyll y demtasiwn
i wneud yr hyn a deimlwn fel ei wneud,
i ymatal rhag ildio i awydd a chwant,
i beidio rhoi i mewn i bob cyfle sy'n ei gynnig ei hun i ni.

Ceisiwn help i wrthsefyll y demtasiwn
i'n profi ein hunain yn gyson,
yr ysfa i ddangos ein bod ni gystal os nad gwell nag eraill,
a'r rheidrwydd i fod yn gryfach ac yn bwysicach.

Ceisiwn help i wrthsefyll y demtasiwn
i geisio ennill y byd,
i gael ein denu gan ei bethau,
i wneud ffordd y byd
yn unig nod ac uchelgais i ni.

Arwain ni i geisio yn hytrach
dy nerth a'th ffordd di,
oherwydd yr wyt ti'n deall ein gwendidau,
yn cydymdeimlo â'n methiannau
ac yn rhannu dy ras yn ôl yr angen.

Robin Wyn Samuel, *Gweddïo*, 1994

218

435 YMRODDIAD A DISGYBLAETH

Arglwydd, wrth i ni yn ystod y tymor Grawys hwn
gofio ympryd a brwydr Iesu yn yr anialwch,
ac wrth i ni geisio dilyn ôl ei droed o Galilea i Galfaria,
rho i ni ymroddiad a disgyblaeth
ar ein pererindod.

Rho i ni ddisgyblaeth ar ein meddyliau,
fel y gwrthodwn roi lle i'r aflan a'r llygredig
ac yr ystyriwn yn unig yr hyn sy'n wir,
yn hawddgar ac yn sanctaidd.

Rho i ni ddisgyblaeth ar ein cyrff,
fel y dysgwn feistroli pob nwyd a chwant,
goresgyn hudoliaeth y drwg,
a bod yn demlau addas i'th Ysbryd Glân.

Rho i ni ddisgyblaeth ar ein siarad,
fel na lefarwn y gair creulon,
na'r un celwydd na chabledd,
ond y ceisiwn bob amser wefus bur.

Rho i ni ddisgyblaeth yn ein gwaith,
fel y gochelwn rhag pob diogi a diofalwch,
ac y ceisiwn gyflawni dy ewyllys di
fel gweithwyr diwyd ac fel cydweithwyr â thi.

Rho i ni ddisgyblaeth yn ein bywyd ysbrydol,
fel y byddwn yn ffyddlon yn ein defosiwn,
yn ymroddgar mewn gweddi,
yn neilltuo amser yn gyson i fod gyda thi.

O ddilyn Iesu yn ei hunanaberth,
a rhannu yng nghymdeithas ei ddioddefiadau,
gad i ni hefyd rannu yn llawenydd
a buddugoliaeth ei gariad.

Golygydd

436 Y GWIR WERTHOEDD

O Arglwydd, rho i ni fwy o gariad, mwy o hunanymwadiad, mwy
o debygrwydd i ti. Dysg ni i aberthu ein cysuron ein hunain er
mwyn eraill, a'n pleserau ein hunain er lles eraill. Rho inni
feddwl caredig, a gwna ni'n addfwyn ar air ac yn hael ar
weithred. Dysg ni mai gwell yw rhoi yn hytrach na derbyn; mai
gwell yw ein hanghofio'n hunain nag ymwthio i'r amlwg,
gwasanaethu na chael eraill i weini arnom; ac i ti, Dduw y cariad,
y bo'r mawl a'r gogoniant byth bythoedd.

Henry Alford, 1810–71

437 DROS ERAILL MEWN ANIALWCH
Dduw'r uchelderau a'r dyfnderau,
dygwn atat
y rhai a yrrwyd i'r anialwch
a'r rhai sy'n ymgodymu â phroblemau anodd:
Bydded iddynt ddewis bywyd.
Dduw'r goleuni a'r tywyllwch,
dygwn atat
y rhai sy'n gaeth i gyffuriau
a'r rhai a ddallwyd gan rym ac awdurdod:
Bydded iddynt ganfod dy oleuni di.
Dduw'r anifail gwyllt a'r angel sy'n gweini,
dygwn atat
y rhai sy'n ysglyfaeth i drachwant eraill,
y rhai sydd wedi llwyr ymlâdd wrth ofalu am eraill:
Bydded iddynt deimlo dy gyffyrddiad iachusol.
Grist, a gefaist dy demtio ac a orchfygaist,
dygwn ein hunain atat,
wedi'n llethu gan ddewisiadau anodd,
yn ofnus am y dyfodol,
wedi'n llorio o golli rhywun annwyl i ni:
Bydded i ni deimlo diddanwch dy gwmni.
Bydded i ni,
o adnabod presenoldeb Duw ymhob peth,
ganfod gras i orchfygu
a derbyn coron bywyd.

Kate McIlhagga

438 ARGLWYDD, TYRD
Pan fyddwn yn niffeithwch ein hamheuon
ac yn baglu yn ein hofnau a'n hansicrwydd:
Arglwydd, tyrd i'n hargyhoeddi.
Pan fyddwn yn niffeithwch ein hunigrwydd,
heb neb yn gwmni i ni a neb i rannu'n gofidiau â hwy:
Arglwydd, tyrd i'n cysuro.
Pan fyddwn yn niffeithwch ein hanobaith,
ein methiant yn ein llethu a'r dyfodol yn dywyll:
Arglwydd, tyrd i'n cyfarwyddo.
Pan fyddwn yn niffeithwch ein tlodi ysbrydol,
wedi colli gafael arnat ti ac yn methu gweddïo:
Arglwydd, tyrd i'n bendithio.

Golygydd

220

439   YN FY UNIGEDD

Arglwydd Dduw,
yn gynnar yn y bore galwaf arnat:
helpa fi i weddïo ac i ganoli fy meddwl arnat ti.

    Ni allaf weddïo ar fy mhen fy hun:
ynof fi y mae tywyllwch, ond gyda thi y mae goleuni;
yr wyf fi yn unig, ond nid wyt ti byth yn fy ngadael;
yr wyf fi'n wangalon, ond yr wyt ti wastad yn gryf;
yr wyf fi'n anniddig, ond ynot ti y mae tangnefedd;
ynof fi y mae chwerwder, ond gyda thi y mae amynedd;
y mae dy ffyrdd di y tu hwnt i'm deall i,
ond gwn fod gennyt ffordd ar fy nghyfer.

    Arglwydd Iesu Grist,
fe fuost tithau'n dlawd ac yn drallodus;
fe fuost ti fel minnau yn gaeth;
fel minnau cefaist dy ynysu oddi wrth dy ffrindiau;
fe wyddost ti am holl ofidiau dy blant;
rwyt yn aros gyda mi yn fy unigedd,
ac yr wyt yn dymuno i mi dy geisio,
dy adnabod a'th garu.

    Arglwydd, clywaf dy alwad a dymunaf dy ddilyn.

    Ysbryd Glân,
rho i mi ffydd i'm cadw rhag anobaith;
tywallt i'm calon gariad tuag atat ti a thuag at bawb,
fel y diddymir pob casineb a surni sydd ynof.
Rho i mi'r ffydd fydd yn fy ngwaredu o afael pob ofn.

Dietrich Bonhoeffer, 1906–45

440   Y GALARUS

Arglwydd ein Duw,
tyrd yn agos at y rhai sydd mewn galar a thristwch,
yn hiraethu am anwyliaid a gollwyd:
bydd yn gwmni iddynt yn niffeithwch eu trallod,
pan fo sioc a dicter yn eu llethu,
pan fo siom yn gwenwyno'u hysbryd,
pan fo unigrwydd yn mynd yn drech na hwy,
pan fo'r gwacter a'r distawrwydd yn ddychryn.

    Sancteiddia di eu hatgofion,
galluoga hwy i ddiolch am yr hyn a fu,
i ymddiried yn dy gariad di
ac i ganfod gras i wynebu'r dyfodol.

Dennis Duncan

441 GWYDDOST EIN HANGHENION
O Dduw ein Tad,
diolch i ti am ein galw i'th addoli ac i ddysgu oddi wrthyt.
    Ti yn unig a wyddost ein hanghenion;
diwalla hwy â'th gariad digyfnewid.
    Gad i ni, yn dy bresenoldeb di,
ganfod diddanwch mewn tristwch,
arweiniad mewn ansicrwydd,
nerth i orchfygu temtasiynau,
gras i oresgyn hudoliaeth y drwg,
a gwroldeb i wynebu her y byd gwrthryfelgar hwn.
    Uwchlaw pob dim,
gad i ni ganfod Iesu yn ein mysg
a phrofi ei Ysbryd yn ein llenwi a'n meddiannu.
    Gofynnwn hyn er dy ogoniant ac yn dy enw.

Michael Saward

442 CANLYN CRIST EIN BRAWD
Grist, ein Brawd,
yr wyt ti'n ein galw i'th ganlyn,
nid rhan o'r ffordd ond i ddiwedd y daith,
nid yn achlysurol ond bob amser.
    Cymorth ni i'th ganlyn
trwy ddyfroedd dwfn dy fedydd,
i edifarhau am feiau'r gorffennol,
i ymolchi yn ffrydiau dy faddeuant,
a chyda thi i wynebu her oes newydd:
        Iesu, ein Brawd, cymorth ni i'th ganlyn.
    Cymorth ni i'th ganlyn
i unigeddau'r anialwch,
i ymprydio a gweddïo gyda thi,
i ymwrthod â ffug werthoedd moethusrwydd,
â ffordd llwyddiant a phoblogrwydd,
ac â ffordd grym a gorfodaeth:
        Iesu, ein Brawd, cymorth ni i'th ganlyn.
    Cymorth ni i'th ganlyn
i bentref a thref,
i iacháu ac i adfer,
i fwrw allan pwerau demonaidd
trachwant, rhagfarn ac anghyfiawnder,
a'r atgasedd sy'n dinistrio a lladd:
        Iesu, ein Brawd, cymorth ni i'th ganlyn.

Cymorth ni i'th ganlyn
ar dy daith i Jerwsalem,
i rodio'n wrol a wynebu gwrthwynebiad y byd,
ac i lynu'n ffyddlon wrthyt
yn awr y bradychu,
y cilio a'r cyfaddawdu:
> *Iesu, ein Brawd, cymorth ni i'th ganlyn.*

Cymorth ni i'th ganlyn
i Galfaria ac i awr dywyll dy angau,
i'th weld yn un â holl ddioddefaint y byd,
i osod ein gobaith yn dy gariad aberthol
ac i farw i bob pechod a balchder sydd ynom:
> *Iesu, ein Brawd, cymorth ni i'th ganlyn.*

Cymorth ni i'th ganlyn
allan o dywyllwch y bedd
i rannu yn dy fywyd atgyfodedig,
i gael ein hadnewyddu'n feunyddiol ar ddelw dy gariad,
ac i'th wasanaethu fel dy gorff newydd yn y byd:
> *Iesu, ein Brawd, cymorth ni i'th ganlyn.*

Christopher Duraisingh, addas.

443 AM GAEL EIN GWARED RHAG DRYGIONI
Arglwydd sanctaidd a thrugarog, gwared ni
rhag clwyfo a digalonni eraill
â geiriau miniog a difeddwl;
rhag dicter a diffyg amynedd;
rhag barnu gweithredoedd ac amcanion pobl eraill;
rhag caru esmwythyd a moethusrwydd;
rhag chwerwi mewn trallod a threialon;
rhag ymfalchïo yn ein safle,
ein dysg a'n doniau ein hunain;
rhag caru awdurdod a chlod
a mynnu ein ffordd ein hunain;
rhag esgeuluso dyletswyddau
ac osgoi brwydrau y dylem eu hymladd;
rhag bod yn fyddar i lais dy Ysbryd Glân
a bod yn anufudd i'th alwadau.
A ninnau wedi'n galw i'th wasanaeth,
gwna ni'n deilwng o'n galwedigaeth,
a chymorth ni i ddilyn yn ffyddlon
ein Harglwydd a'n Gwaredwr, Iesu Grist.

Golygydd

444 RHO I NI ETO FADDEUANT
Sanctaidd Dduw, gofidiwn a galarwn ger dy fron
am ein bod o hyd mor dueddol i bechu
ac mor amharod i ufuddhau:
mor gaeth i bleserau'r cnawd,
mor esgeulus o bethau ysbrydol;
mor awchus am bleser y foment,
mor ddifater ynghylch y gwynfyd sy'n parhau;
mor hoff o segura, mor amharod i lafurio;
mor gynnar i chwarae, mor hwyr i weddïo;
mor fywiog i'n gwasanaethu'n hunain,
mor ddiofal i wasanaethu eraill;
mor awyddus i gael, mor anfodlon i roi;
mor llawn o fwriadau da, mor araf i'w cyflawni;
mor barod i weld bai, mor flin o gael ein beio;
mor ddiymadferth hebot ti,
ac eto mor amharod i ddibynnu arnat.
O galon drugarog, Dduw, rho i ni faddeuant,
a ffydd i ymafael yn dy sancteiddrwydd di.

John Baillie, 1886–1960, cyf. Trebor Lloyd Evans

445 DISGYBLION IESU HEDDIW
Arglwydd, cofiwn ger dy fron
    y rhai sydd heddiw'n dilyn Iesu ac yn tystio iddo:
    y rhai sy'n cyhoeddi'r Gair
    mewn mannau lle nad oes croeso i'r Efengyl;
    y rhai sy'n estyn cymorth i'r tlawd a'r newynog
    yng ngwledydd tlotaf y byd;
    y rhai sy'n tystio i werthoedd y deyrnas
    yng nghanol secwlariaeth y gwledydd cyfoethog;
    y rhai sy'n ymgyrchu dros gyfiawnder a chymod
    yn wyneb gormes, artaith ac anghyfiawnder;
    y rhai sy'n gweithio'n dawel a diwyd
    mewn llawer man digalon a di-nod yn y wlad hon;
    y rhai sy'n brwydro yn erbyn difaterwch pobl eraill
    neu eu methiant a'u digalondid eu hunain.
Cadw'n ddiogel y rhai sydd mewn perygl,
    mewn caethiwed, mewn unigrwydd ac mewn ofn.
Rho iddynt y sicrwydd fod eu bywydau
    a'u llafur yn ddiogel ynot ti.

anad.

446   NI WNAETHOM YR HYN A DDYLEM

O Dduw cariad, gwrando ni.
O Grist, Waredwr, clyw ein llef.
O Ysbryd Glân, meddianna ni:
    llefara o'r nef air dy gariad wrthym
    a dangos i ni dy drugaredd,
    er na wnaethom yr hyn a ddylem.
Naddo, Arglwydd, ni wnaethom ein gorau er dy fwyn.
Naddo, Arglwydd, ni buom yn ddisgyblion da i Iesu Grist.
Naddo, Arglwydd, ni roesom le yn ein calon i'r Ysbryd Glân.
Maddau i ni ein bywyd hunanol.
Maddau i ni am wrthod ymateb i'th gariad.
Maddau i ni am fod yn anffyddlon i'r Arglwydd Iesu.
Arglwydd, gwisg ni â nerth oddi uchod
    fel y gallom ymwrthod â'r drwg
    ac ymroi i gynyddu mewn gras a daioni.

W. Rhys Nicholas, 1914–96

447   CYRRAEDD Y NOD

Dragwyddol Dduw,
rho i ni'r adnoddau i gyrraedd y nod yn ogystal â'i weld;
doethineb i wybod yr hyn sy'n iawn a nerth i'w gyflawni;
golwg glir o'r ffordd a dyfalbarhad i'w cherdded;
gweledigaeth o ddelfryd a disgyblaeth i ymgyrraedd ato.

    Helpa ni i beidio â bodloni
ar eiriau heb weithredoedd,
ar gynlluniau heb ganlyniadau,
ar freuddwydion heb ymdrech i'w gwireddu.

    Cynorthwya ni i dreulio'n bywyd
er mwyn sicrhau bywyd,
ac i godi'r groes a dilyn yn ôl traed ein Harglwydd Iesu.

William Barclay, 1907–78, addas. Olaf Davies

448   YR AIL SUL YN Y GRAWYS

Hollalluog Dduw, sy'n gweld nad oes gennym ddim nerth
ohonom ein hunain i'n cynorthwyo ein hunain: cadw ni oddi
mewn ac oddi allan, yn enaid a chorff: fel yr amddiffynnir ni
rhag pob drygfyd a all ddigwydd i'r corff, a rhag pob meddwl
drwg a all ymosod a pheri niwed i'r enaid; trwy Iesu Grist ein
Harglwydd.

Y Llyfr Gweddi Gyffredin

449 AM NERTH A DOETHINEB

O Dduw, ffynhonnell pob daioni a nerth,
   cynorthwya ni i ymwrthod â'r pethau hynny
   na allwn ymwrthod â hwy ein hunain:
   i oresgyn y temtasiynau sy'n ein denu,
   i dorri arferion sy'n ein caethiwo,
   i ddweud 'Na' wrth bopeth sy'n ein gwahodd
   i ddilyn y llwybr anghywir.
Rho i ni nerth a doethineb
   i fod yr hyn y bwriedaist i ni fod;
   i wneud yr hyn y bwriedaist i ni ei wneud,
   fel y gallwn gyflawni ein pwrpas yn y byd.

                   William Barclay, 1907–78, addas. Olaf Davies

450 GAD FI'N LLONYDD

O Dduw, pam?
Pam na chaf fi lonydd gennyt?
Pam na adewi imi edrych ar brydferthwch machlud ar y môr,
   heb fy nghyfeirio byth a hefyd, ar hyd y llwybr coch, atat dy hun?
Pam y gwnei imi'n dragwyddol weld dy wyneb dioddefus di
   yn wyneb plantos newynog broydd pell?
Pam y gwnei i ryfel a gwae daear serio fel haearn poeth
   i ganol fy nheimladau?
Pam na adewi imi suddo'n ddioglyd, foethus-fodlon,
   i gôl difaterwch?
Fe wn, O Arglwydd, pam!
Am fod arnat eisiau i'r bywyd hwn adlewyrchu,
ym mhob osgo ohono,
y groes dragwyddol sydd yn dy galon di.

                                R. W. Jones

451 CEISIO'R COLLEDIG

Fugail da, y mae pob un ohonom o werth yn dy olwg di:
gweddïwn dros y rhai sydd wedi colli rhywun annwyl
   a'u bywyd yn hunllefus o unig;
dros bobl ifanc sydd wedi colli cyswllt â'u rhieni
   ac wedi cefnu ar eu teuluoedd;
dros y rhai sydd wedi colli eu cartrefi
   ac yn crwydro strydoedd dinasoedd mawr;
dros y rhai sydd wedi colli eu rhyddid ac mewn carchar
   yn dwyn baich cywilydd a methiant;
dros y rhai sydd ar goll ynghanol eu prysurdeb

ac wedi eu llethu gan yr holl alwadau sydd arnynt;

dros y rhai sydd mewn dryswch meddwl

ac wedi colli cyswllt â'r byd real o'u cwmpas.

Fugail da, cysgoda drostynt a chadw hwy'n ddiogel.

A Restless Hope, Llawlyfr Gweddi CWM, 1995

452 MADDAU, O ARGLWYDD

Maddau, O Arglwydd,

y pethau na wnaethom a'r pethau a wnaethom:

pechodau'n hieuenctid a phechodau blodau'n dyddiau;

pechodau'n heneidiau a phechodau'n cyrff;

ein pechodau dirgel a'n rhai mwy amlwg;

y rhai a wnaethom mewn anwybodaeth,

a'r rhai a wnaethom yn fwriadol;

y rhai y gwyddom amdanynt ac a gofiwn,

a'r rhai sydd wedi mynd yn angof;

y pechodau yr ydym wedi ceisio'u cuddio oddi wrth eraill,

a'r pechodau hynny sydd wedi gwneud i eraill bechu.

Maddau hwynt i gyd, O Arglwydd,

er ei fwyn ef a fu farw dros ein pechodau,

a gyfododd i'n cyfiawnhau,

ac sy'n eistedd yn awr ar dy ddeheulaw i eiriol drosom;

Iesu Grist ein Harglwydd.

John Wesley, 1703–91

453 GALW'R DISGYBLION

Arglwydd Iesu,

cofiwn y rhai a ddewisaist ti yn ddisgyblion i ti:

Simon Pedr, y siaradwr plaen, ond gwadodd ef di;

Andreas, Iago ac Ioan, a ddefnyddiaist i ennill eraill;

Mathew, y casglwr trethi amhoblogaidd;

Thomas, yr amheuwr;

Simon, y Selot gwrthryfelgar;

Jwdas Iscariot, a'th fradychodd;

Philip, a ddymunai weld Duw;

Bartholomeus, Iago a Jwdas,

yn gweithio'n dawel yn y cefndir.

Iesu, diolch i ti am gymryd dynion cyffredin

a defnyddio'u doniau yn dy wasanaeth:

rhydd hyn hyder i ni

y medrwn ninnau hefyd fod yn ddefnyddiol i ti.

Gweddïau i'r Eglwys a'r Gymuned, addas. Trefor Lewis

454   BENDITHION CWMNI DUW

Diolch i ti, O Dad, am dawelwch y diffeithwch
ac am fendithion a phosibiliadau
yr amser tawel yma yn dy gwmni di:
diolch am gael troi oddi wrth bwys a gwres y dydd,
oddi wrth gynnwrf y byd,
oddi wrth glod ac anghlod dynion,
oddi wrth feddyliau cymysglyd a dychmygion ofer,
i orffwys yn nhawelwch dy bresenoldeb.

    Diolch i ti y cawn ddod atat yn ein tristwch a'n gofid,
a derbyn cysur ac adnewyddiad enaid;
diolch y cawn ddod atat yn wan ein ffydd
ac yn isel ein hysbryd a derbyn dy nerth i'n gwroli;
diolch y cawn ddod atat yn fud a dieiriau
i wrando dy lais di yn sibrwd wrthym.

    Cwyd ni, Arglwydd, i gymdeithas â thi,
i wastad uchel y profiadau gorau ac i'r
bendithion hynny nas ceir mohonynt ond ynot ti dy hun.

Seiliedig ar weddi gan Sheila Cassidy

455   GALW RHAI IFANC

Clywaf lais yr Iesu'n dweud,
'Fe fûm i'n ieuanc,
yn faban, yn fachgen ac yn fab.
Ieuanc oeddwn yn marw ar y groes.

    Treuliais fy mebyd a'm hieuenctid
yn ddiwyd, dyfal a dygn
yn dysgu a fedrwn,
ac yn f'addasu fy hun ar gyfer fy ngyrfa a'm cenhadaeth.

    Gelwais ar ddeuddeg o rai ieuainc
anllythrennog, annysgedig,
ac annhebyg i'w gilydd
i'm dilyn i a dysgu gyda mi,
fel y danfonwyd hwynt
i bregethu fy ngair,
i iacháu cleifion,
ac i fwrw allan gythreuliaid.

    Rydw i'n ieuanc o hyd,
ac yn galw, yn crefu am ieuenctid o hyd:
ieuenctid yn llawn asbri,
anturiaeth ac awydd i wasanaethu;
a pharod i ymateb i'm galwad,

i ymwadu â'u hunain,
ac ymroi i'm gwasanaeth.

Rhai ieuainc alwodd fy Nhad gynt
i fod yn farnwyr, brenhinoedd,
ac yn broffwydi yn Israel.

Rhai ieuainc elwais innau
i ysgwyd Cymru â'u pregethu,
i ymladd dros ei rhyddid,
ac i ymlafnio dros ei hiaith.'

Diolch i ti, Iesu, am dy fod ti heddiw
yn para i alw ar ein hôl,
yn dyheu am waed ieuanc yn dy wasanaeth.

Rho glust i ni glywed dy alwad,
calon i'w derbyn,
ac ewyllys i ymateb iddi.

D. J. Evans, 1917–2004

456 CLYWED DY LAIS
Diolch i ti, O Arglwydd Iesu,
am i ti ym mhob oes a phob cenhedlaeth
alw rhai i fod yn ddisgyblion i ti.

Diolch i ti am ymateb y Deuddeg cyntaf,
ac am eu hufudd-dod i'th alwad
i fynd allan i gyhoeddi neges y deyrnas i bawb.

Diolch i ti am ymroddiad ac esiampl
rhai ymhob cyfnod a glywodd dy lais
ac a gysegrodd bopeth yn dy wasanaeth.

Diolch i ti am y rhai a gadwodd y golau'n ddisglair
mewn cyfnodau tywyll.

Diolch i ti am genhadon gwrol
a aethant â'r newyddion da i gyrrau pella'r byd.

Diolch i ti i oleuni a gobaith yr Efengyl
ein cyrraedd ninnau trwy'r rhai fu gynt
yn ddisgyblion da a dewr
yn eu hoes a'u cenhedlaeth.

Diolchwn mai trwy gyfryngau dynol
yr wyt ti wedi gweithio erioed.

Gad i ninnau glywed dy lais
yn ein cymell i'th ddilyn,
a rho i ni ras i ymateb
ac i gysegru'n hamser a'n doniau yn dy waith.

Golygydd

229

457   I'R GWEDDILL

Fel angor i long mewn tymestl,
felly yw teyrngarwch y rhai ffyddlon
yn awr y difaterwch.

    Fel mur cadarn yn amser ymosodiad,
felly yw eu ffyddlondeb hwy
pan fo uchel sŵn yr herio.

    Gwynfydedig ydynt
oherwydd eu cydwybod dda
a'u llafur yn yr hen winllannoedd.

    Ni fynnant weld yr etifeddiaeth mewn sarhad,
na'r dystiolaeth o dan y cwmwl.

    Tystion i'r Arglwydd ydynt
yn eu sêl ddiysgog
a'u dyfalwch wrth loywi'r trysor.

    Ni ddiffydd fflam gwirionedd yn eu bro,
cans cryfion ydynt mewn cred
a'u gobaith sy'n goleuo ffenestri'r seintwar.

    O'u plegid hwy
bydd eto sain gorfoledd yn y pyrth
a llonder yng nghartrefi'r tir.

    Eu ffydd a geidw'r llwybrau yn agored
fel na fydd ofer chwilio
pan gilio'r cysgod.

    Tynnant y dŵr o ffynhonnau doe
i gawgiau'r heddiw blin,
a bydd yfory'n gwybod gwerth y gamp.

    Talwn iddynt wrogaeth wiw,
cans hwy sy'n braenaru'r meysydd
i gynhaeaf yr Ysbryd Glân.

W. Rhys Nicholas, 1914–96

458   SAINT CYMRU

Hollalluog Dduw,
sy'n galw dy etholedigion o bob cenedl
ac yn amlygu dy ogoniant yn eu buchedd;
caniatâ i ni, gan ddilyn esiampl Saint Cymru,
a'n nerthu trwy eu cymdeithas,
fod yn ffrwythlon mewn gweithredoedd da,
er mawl i'th enw;
trwy Iesu Grist ein Harglwydd.

Enid Morgan

459   TYDI DILYN DDIM YN HAWDD

Arglwydd,
    gwn dy fod wedi atgyfodi o blith y meirw
    a'th fod yn fyw yn y byd heddiw.
Gwn y dylwn gychwyn pob dydd
    gyda chân yn fy nghalon,
    ac y dylai pob Sul fod yn ddathliad llawen
    o'th fuddugoliaeth;
    ond tydi dy ddilyn di ddim yn hawdd.
Tydi hi ddim yn hawdd
    rhoi ffydd ar waith yn fy mywyd.
Tydi hi ddim yn hawdd
    dweud wrth bobl eraill amdanat.
Tydi hi ddim yn hawdd
    deall beth yr wyt ti'n ei ddisgwyl oddi wrthyf.
Drwy'r cyfnodau anodd hyn
    o deimlo'n aneffeithiol a di-werth,
    gofynnaf i ti fy nerthu
    i ddal ati yn dy waith,
    nes i mi unwaith eto
    glywed dy lais yn galw,
    a theimlo dy bresenoldeb yn fy adnewyddu.

Edmund Banyard

460   CRIST YN GALW

Arglwydd Iesu, yr wyt ti yn galw arnaf
    yn y tlawd,
    yn y newynog,
    yn y llesg a'r gwan:
    yr wyt yn gofyn am fy ngweddi a'm gwasanaeth.
Arglwydd Iesu, yr wyt yn galw arnaf
    yn y digartref,
    yn y dieithryn,
    yn y dioddefwr
    a'r sawl a ormesir:
    yr wyt yn gofyn am fy ngweddi a'm gwasanaeth.
Arglwydd Iesu, yr wyf am dy ddilyn di:
    pan fyddi di'n galw, helpa fi i glywed dy lais;
    pan fyddi di'n cymell, cadw fi rhag edrych yn ôl;
    pan fyddi di am fy nefnyddio mewn gweddi ac mewn gwaith,
    helpa fi i roi fy hun yn llwyr ac yn eiddgar i ti.

Janet Morley

461 EIN CENEDL

Arglwydd ein Duw,
a wnaeth o un gwaed bob cenedl o ddynion
i drigo ar wyneb y ddaear,
mawrygwn dy enw am i ti trwy'r canrifoedd
warchod dy winllan yng Nghymru.

Dyrchafwn ein lleisiau mewn diolchgarwch
am i ti roi i ni'r fath olyniaeth o saint, proffwydi a phregethwyr;
am i ti oleuo dychymyg cynifer o'n beirdd a'n llenorion;
am i ti lywio llaw gweithwyr o bob math
mewn amaethyddiaeth a diwydiant.

Y mae ôl dy Efengyl sanctaidd yn drwm ar ein hanes a'n
gwlad:
diolchwn i ti am y fath gyfoeth.

Clyw ni yn dy drugaredd, O Arglwydd,
wrth inni fynegi ein pryder am ein hetifeddiaeth Gristnogol.

Yn dy ras côd genhedlaeth newydd o Gymry
a fydd yn caru'r Arglwydd Iesu Grist â'u holl galon
ac a fydd yn mynegi argyhoeddiadau eu ffydd
ym mhob rhan o'n bywyd cenedlaethol.

Gwyddom, er pob gwrthgilio,
mai'r Arglwydd Iesu sydd â hawl ar deyrngarwch y genedl hon,
ac yn ei wasanaeth ef yn unig y gallwn drosglwyddo i oes newydd
y golud a roddaist inni yn y gorffennol.

Ateb ein deisyfiadau yn dy dosturi;
er mwyn Iesu Grist ein Harglwydd.

R.Tudur Jones, 1921–98, *Gweddïo*, 1992

462 GWNEUD RHYWBETH GWIW

Arglwydd, mi hoffwn wneud pethau mawr trosot:
mynd i wledydd pell i sôn wrth eraill amdanat,
i wella'r gwahanglwyf, i fwydo'r newynog,
i bregethu dy Air, i ymgeleddu'r clwyfus,
i ennill paganiaid, i ddod â goleuni i dywyllwch.

Arglwydd, dim ond ti all symbylu pobl
a'u nerthu i wneud pethau mawr yn dy enw.

Gwna finnau'n fawr i weithio ym mhlwy dy fyd.

Ond, Arglwydd, mae'n anodd gwneud dim byd mawr
yn y fan lle'r wyf fi:
mewn rhigol fach gyfyng iawn rwyf fi'n byw a bod,
ac mae undonedd a chyffredinedd fy mywyd bach
yn gloffrwym arnaf.

Does dim lle yma i arloeswr,
a does gan neb ddiddordeb yn fy ngweledigaeth.

Ac eto, fe ddywedaist ti,
'Pwy bynnag a roddo i'w yfed i un o'r rhai bychain hyn ffiolaid
o ddŵr oer yn unig yn enw disgybl, yn wir meddaf i chwi, ni
chyll efe ei wobr.'

Maddau imi, Arglwydd, am anghofio.

Dysg fi o'r newydd fod yr unigolion bach di-nod o'm cwmpas
yn anfeidrol werthfawr gennyt ti:
y rhai sydd ar garreg fy nrws,
yn y stryd a'r ardal hon,
y plentyn bach sy'n wahanol i bawb arall,
y ferch neu'r bachgen sy'n unig,
y canol oed a'i greisis ffydd,
yr un yn hydref ei ddyddiau
sy'n ymwybodol o ddisgyniad y dail;
maent oll yn bwysig yn dy olwg di –
pob un.
O Dad, rho ar fy nghalon enaid coll,
    A châr ef trwof fi,
A'th fendith ar fy ymdrech rho
    I'w gael yn eiddot ti. . .
fel y gallaf innau, er lleied ydwyf,
wneud rhywbeth gwiw dros Iesu Grist.

Gwilym Ceiriog Evans, 1931–95

463 DYDD GŴYL DDEWI

Hollalluog Dduw, a elwaist dy was Dewi, yn dy gariad at dy
bobl, i fod yn oruchwyliwr ffyddlon a doeth ar dy ddirgeleddau:
yn drugarog caniatâ fod i ni, gan ddilyn purdeb ei fuchedd a'i sêl
dros Efengyl Crist, dderbyn gydag ef dy wobr nefol; trwy Iesu
Grist ein Harglwydd, y bo iddo gyda thi a'r Ysbryd Glân bob
anrhydedd a gogoniant, byth bythoedd.

Y Llyfr Gweddi Gyffredin

464 ESIAMPL DEWI

Ein Tad, clodforwn di am saint yr oesoedd, ac yn arbennig am
Dewi Sant, nawddsant ein cenedl ni. Boed i ni, fel yntau, fod yn
llawen wrth gadw'r ffydd, a gwneuthur y pethau bychain a
welsom ac a glywsom gan dy weision ffyddlon, er mwyn Iesu
Grist ein Harglwydd.

Llyfr Gwasanaeth yr Annibynwyr Cymraeg, 1998

465 DROS Y CYMRY

O Arglwydd Dduw, Duw y duwiau, tra mawr ac ofnadwy,
ceidwad cyfamod a thrugaredd i'r rhai a'th garant ac a gadwant
dy orchmynion, yr hwn a wyddost ddirgelion calonnau pawb oll,
a wyddost hefyd mai gwir ewyllys fy nghalon a'm gweddi atat
dros fy nghenedl annwyl yn ôl y cnawd yw ar eu bod yn
gadwedig. Canys yr ydwyt yn dyst fod gan lawer ohonynt sêl
Duw, eithr nid yn ôl gwybodaeth, oherwydd na wyddant yr
Ysgrythurau. Gan hynny, o amlder dy drugaredd yr anfonaist
iddynt yn awr dy Air yn helaeth i'w plith.
Anfon hefyd iddynt, O Arglwydd, galonnau diolchgar ac
ewyllysgar i'w dderbyn drwy bob llawenydd a pharodrwydd
meddwl ac i wneuthur mawr gyfrif ohono fel y llwyddo drwy dy
fendith di yn y peth yr anfonaist ef . . . Gwrando, Arglwydd,
o'th breswylfa yn y nefoedd, ar weddi dy wasanaethwr gwael.
Dyro i mi, ac i'm cenedl yn ôl y cnawd, ddeisyfiadau fy
ngwefusau er mwyn dy annwyl Fab Iesu, fy Achubwr a'm
Ceidwad; i'r hwn gyda thi a'r Ysbryd Glân y byddo gogoniant a
moliant ymysg fy holl genedl a holl genhedloedd y byd, o'r dydd
heddiw byth yn dragywydd.

Carwr y Cymry, Oliver Thomas, 1631

466 EIN GWLAD A'N POBL

Arnat ti, Arglwydd, y gweddïwn dros ein gwlad a'n pobl, gan
ddiolch iti am dy holl ddaioni i ni. Diolchwn iti am
gymwynaswyr mewn llên a chân, am athrawon ac arweinwyr, am
arwyr rhyddid ac iawnder cymdeithasol, ac am bawb a
gyfoethogodd fywyd ein cenedl trwy lafur a gwasanaeth
ffyddlon.

A phan syrthiodd y genedl i drymgwsg, ti a anfonaist
efengylwyr i'n deffro a'n galw atat dy hun. Cawsom gennyt
gartrefi cysegredig, a rhieni crefyddol i'n maethu yn addysg ac
athrawiaeth yr Arglwydd. Oddi wrthyt ti ac o'th fawr drugaredd
y daeth hyn oll, a diolchwn i ti.

O Arglwydd Dduw ein tadau, cofia ni eto yn dy drugaredd a
dyro i ni dy arweiniad a'th amddiffyn. Na ad ni ac na wrthod ni,
O Dduw ein hiachawdwriaeth.

Bendithia ni â gras ein Harglwydd Iesu Grist fel y cynyddom
ym mhob rhinwedd a gwybodaeth, a nertha ni i ymgysegru i
garu a gwasanaethu ein gilydd er bendith i'r byd ac er gogoniant
i'th enw mawr; trwy Iesu Grist ein Harglwydd.

Llyfr Gwasanaeth, Eglwys Bresbyteraidd Cymru, 1958

467 DIOLCH AM GYMRU

Duw a roddes i ni wlad Cymru i drigo ynddi
a'i phobl i weithio drosti.

Molwn yr Arglwydd am bopeth sydd ac a fu
yn ein gwlad yn gweithio at ddaioni:
Molwn di, O Arglwydd ein Duw.

Am swyn a harddwch y wlad a roddaist i ni i drigo ynddi:
ei chreigiau ysgythrog a'i mynyddoedd, ei bryniau a'i dolydd, a'i
thraethau teg; am ein cartrefi a phob llannerch sy'n annwyl a
chysegredig i ni:
Molwn di, O Arglwydd ein Duw.

Am bopeth hyfryd a chain a grëwyd drwy'r Cymry:
eu celfyddyd a'u crefftau mewn eisteddfod a chymanfa;
yn y diwydrwydd a droes y ddaear yn gartref i ddynion,
ym mhob ymdrech i wneud eu bywyd cymdeithasol yn
gymdogol a chymwynasgar:
Molwn di, O Arglwydd ein Duw.

Am ddyfod goleuni Efengyl Iesu yn fore i lewyrchu arnom:
Molwn di, O Arglwydd ein Duw.

Am y gweithwyr ar y tir a than y ddaear, y crefftwyr a'r
masnachwyr, y gwyddonwyr a'r cynllunwyr:
Molwn di, O Arglwydd ein Duw.

Am arweinwyr y genedl, tywysogion a gwladgarwyr, beirdd a
cherddorion, diwygwyr, cynghorwyr a saint:
Molwn di, O Arglwydd ein Duw.

Am arweinwyr addysg, am emynwyr a phregethwyr,
merthyron a dyngarwyr, meddygon ac athrawon:
Molwn di, O Arglwydd ein Duw.

Am ffyddlondeb a gofal gwragedd, am sirioldeb plant,
am anturiaeth a chywirdeb ieuenctid, am sêl a doethineb
hynafgwyr:
Molwn di, O Arglwydd ein Duw.

Am bawb a fu'n ffyddlon a chywir yn eu bywyd beunyddiol,
gan ymroi i'th wasanaethu di a'u cyd-genedl yn ffyrdd bywyd
cyffredin:
Molwn di, O Arglwydd ein Duw.

Ti fuost dda iawn wrthym, O Arglwydd.

Pan oeddem ni yn dy anghofio, buost drugarog wrthym,
gan anfon dy weision i'n dysgu. Cadw ni eto yn ffyddlon i ti,
O Dad. Anfon ysbryd yr Iesu i'n plith a dysg ni'r ffordd y
dylem rodio ynddi.

Llyfr o Wasanaethau Crefyddol ar gyfer Ieuenctid Cymru

468 EIN CENEDL A'I PHOBL
Gweddïwn, Arglwydd, dros ein cenedl a'i phobl:
    dros ein cymdogaethau, ein trefi a'n pentrefi;
    dros ein cartrefi a'n bywyd teuluol;
    dros ein hysgolion, ein colegau a'n pobl ifanc;
    dros sefydliadau cyhoeddus, gwleidyddion a chynghorwyr;
    dros ddiwydiannau a'u gweithwyr;
    dros gefn gwlad a phawb sy'n trin y tir;
    dros y cyfryngau, cynhyrchwyr a darlledwyr;
    dros fudiadau diwylliannol, llenorion a beirdd;
    dros ysbytai, meddygon a chleifion;
    dros bawb sy'n gweinyddu'r gyfraith,
    dros y tlawd, y digartref a'r di-waith;
    dros ein heglwysi a'u cynulleidfaoedd,
    a thros ledaeniad dy deyrnas yn ein plith:
'Rhag pob brad, nefol Dad,
taena d'adain dros ein gwlad.'

Golygydd

469 DYSGU
Arglwydd, y mae arnaf angen fy nysgu.
Diolchaf am lyfrau da a'r pleser a gaf wrth eu darllen:
    am eiriau ac am iaith,
    am feddylwyr galluog a diwylliedig,
    am ysgrifenwyr medrus a mentrus,
    am athrawon i'm goleuo a'm cyfarwyddo,
    am gelfyddyd barddoniaeth,
    am goethder llên,
    am swyn cerddoriaeth,
    am ryfeddod gwyddoniaeth,
    am geinder celfyddyd.
Nertha fi i droi pob gwybodaeth yn fendith;
    i dyfu'n dda wrth dyfu mewn gwybodaeth;
    i adnabod y Gwir wrth geisio gwirioneddau;
    a gwna fi'n ddisgybl ffyddlon i'r Athro mawr ei hun.

Ieuan Lloyd

470 RHODDION DUW I NI
Ein Duw a'n Tad trugarog,
dy blant di yw holl genhedloedd y ddaear,
ac nid gwiw gennyt weld un ohonynt yn cael cam.
Diolchwn i ti am y gynhysgaeth a roddaist i genedl y Cymry.

Bendithiwn dy enw am gyfoeth ein llenyddiaeth,
a swyn ein barddoniaeth,
a melystra ein cerdd.
Rhoddaist i ni hyfrydwch y mynyddoedd
a glendid nentydd a dyffrynnoedd i'w mwynhau.
Rhoddaist iaith dlos inni, a meibion a merched
a fu'n ffyddlon iddi, ac a lefarodd wrthym drwyddi
dy eiriau a'th ewyllys di.
Na foed inni ddiystyru y rhoddion hyn.
Pâr inni gredu mai dy ewyllys di yw inni barchu'r iaith a
roddaist a charu'r wlad y'n magwyd ynddi;
er mwyn dy Fab Iesu Grist, a ddaeth i'n byd yn Iddew gwlatgar.

Lewis Valentine, 1893–1986, addas.

471   Y TRYDYDD SUL YN Y GRAWYS
Hollalluog a thragwyddol Dduw, nad wyt yn casáu un dim a
wnaethost, ac wyt yn maddau pechodau pawb sy'n edifeiriol:
crea a gwna ynom galonnau newydd a drylliedig, fel y bo i ni,
gan ofidio'n ddyledus am ein pechodau, a chyfaddef ein trueni,
gael gennyt ti, Dduw'r holl drugaredd, faddeuant a gollyngdod
llawn; trwy Iesu Grist ein Harglwydd.

Y Llyfr Gweddi Gyffredin

472   Y PEDWERYDD SUL YN Y GRAWYS
O Dad hollalluog, edrych ar dy deulu, yr Eglwys, fel y gallwn ni,
o'n hadfywio a'n nerthu trwy dy ras, ddyfalbarhau yn ffordd yr
iachawdwriaeth, a chael ynot ti ein llawenydd a'n tangnefedd;
trwy dy Fab Iesu Grist ein Hiachawdwr.

Y Llyfr Gweddi Gyffredin

473   SUL Y MAMAU
Arglwydd Iesu,
a ddaethost i rannu ein bywyd yma ar y ddaear
gan wneud dy gartref yn Nasareth:
diolchwn i ti am ein cartrefi a'n teuluoedd,
ac yn arbennig heddiw am ein mamau
a'r cyfan y maent yn ei olygu inni.
    Bendithia hwy, O Arglwydd, a bendithia ein cartrefi;
a chymorth ni i ganfod gwir hapusrwydd
o garu a gwasanaethu'n gilydd er dy fwyn di,
ein Meistr a'n Cyfaill.

Frank Colquhoun, 1909–97

474 GWEDDI MAM
     Ein Tad,
         gwyddost am fy mhryder fel mam
         wrth weld fy mhlant yn tyfu i fyny
         mewn byd lle mae cymaint o beryglon
         a drygioni.
     Ond diolchaf wrth gofio
         i ti yn dy gariad
         anfon dy Fab i'r byd
         i achub y byd.
     Diolch ei fod wedi ei eni
         yn fab i'r Forwyn Fair,
         ei fod wedi gwerthfawrogi gofal a chariad ei fam
         ac wedi ei charu hithau a gofalu amdani,
         hyd yn oed ar y groes.
     Cafodd Iesu ei wynebu â phob temtasiwn,
         ond heb bechu.
     Cafodd ei wrthod,
         ei siomi,
         ei gam-drin a'i ladd,
         ond atgyfododd yn Grist byw,
         gorchfygwr pechod a marwolaeth.
     Wrth i fy mhlant innau wynebu bywyd –
         ei demtasiynau,
         ei siomedigaethau a'i anawsterau –
         boed iddynt adnabod Iesu
         a phrofi ei nerth a'i gwmni ef
         ar daith bywyd.
     O Dduw, gwrando fy ngweddi
         dros fy mhlant,
         yn enw dy Fab dy hun,
         Iesu Grist ein Harglwydd.

Gwedd̈iau i'r Teulu, gol. Menna Green

475 DROS EIN CARTREFI
     O Iesu bendigedig, fuost fyw am ddeng mlynedd ar hugain
     mewn cartref cyffredin yn Nasareth, bydd gyda ninnau yn ein
     cartrefi.
         Bendithia ein tad a'n mam, ein brodyr a'n chwiorydd; a phâr
     i ni fyw yn y fath fodd i ti ar y ddaear, fel y cawn fyw gyda thi
     rhagllaw yn y nefoedd.

Llawlyfr Defosiwn i Blant a Phobl Ieuainc

476 GOFAL A CHARIAD MAM
Diolch i ti, Arglwydd, am ein mamau:
cofiwn heddiw am eu cariad a'u gofal tyner amdanom.

Gad i ni ddangos trwy ein rhoddion, ein geiriau
a'n gweithredoedd, ein bod ninnau yn eu caru
a'u gwerthfawrogi hwy.

Ein Tad, diolch i ti am deulu dy Eglwys:
pâr iddi hithau, yn ei gofal am eraill,
brofi dy gariad a'th fendith di.

Mary Batchelor

477 CARIAD MAM
Arglwydd,
wrth droi atat ar Sul y Mamau,
diolchwn i ti am ddedwyddwch yr aelwyd,
ac yn arbennig am gariad mam;
am ei gofal a'i hymgeledd;
am ei llafur diflino a'i haberth cyson.

Cofiwn heddiw am y sawl na phrofodd
gysuron a bendithion aelwyd dedwydd,
ac na ŵyr ystyr cariad tad a mam.

Defnyddia ni, Dad nefol,
i rannu dy gariad lle bynnag yr awn,
fel y daw eraill trwom ni i'th adnabod di
fel Tad sydd mor fawr ei gariad
tuag at ei blant.

Elwyn a Gwenda Richards, *Gweddïo*, 1999

478 ESIAMPL MAIR
Arglwydd Iesu,
rhown ddiolch i ti am esiampl Mair, dy fam,
a'th gysegrodd di i wasanaeth Duw:
diolch i ti am ei chofio
yn ei galar yn awr dy ddioddefaint.

Cofiwn gartrefi'n gwlad,
yn enwedig famau ein cymdeithas:
wrth iddynt fagu a meithrin plant,
wrth iddynt ddiogelu a diddosi aelwydydd,
wrth iddynt ddysgu ac arwain yr ifainc.

Arglwydd, dysg iddynt rodio gyda thi
a chadw hwy yn wastad yn dy ffordd.

John H.Tudor, 1932–2004, *Gweddïo*, 1993

479 DIOLCH AM EIN MAMAU

O Dduw ein Tad, mae gennym resymau dros fod yn ddiolchgar drwy'n hoes am ein mamau.

Pan oeddem yn fabanod gwnaent bopeth trosom gan dreulio llawer o'u hamser yn ein bwydo ac yn ein cadw'n gynnes a glân.

Pan oeddem yn blant roeddent yn ein dysgu, yn ein helpu a'n cysuro, yn rhannu'n diddordebau a'n syniadau, ac yn ein cadw'n hapus.

Pan briodwn a chael ein teulu ein hunain, byddant yn dal i'n cefnogi, yn ein cynghori ac yn rhannu'n gofidiau a'n llawenydd.

Pan ânt yn hen, byddant yn dal i feddwl amdanom ac yn ein caru, er eu bod hwy yn flinedig a gwan.

Rydym yn well pobl oherwydd yr hyn a wnaethant hwy drosom ni.

Diolchwn i ti, O Dduw, am ein mamau, a gweddïwn y caiff y cariad a ddangosir ganddynt hwy ei ddangos gennym ni hefyd.

Gweddïau i'r Eglwys a'r Gymuned, addas. Trefor Lewis

480 DROS DEULUOEDD

Diolch i ti, Arglwydd, am bob rhiant da, tyner a gofalus.

Boed inni gydnabod ein dyled a'n diolch drwy gyflwyno pob mam a thad i'th ofal tyner a thragwyddol.

Diolch am y croeso a gafodd pob rhiant wrth gyflwyno eu plant i'w derbyn a'u bendithio ac am i'th Eglwys fod yn gysgod ac yn gymorth i bob cartref.

Wrth i ni ddiolch a chofio heddiw am yr hyn a gawsom, helpa ni i geisio talu'n ôl mewn ffordd ymarferol.

Gwna ni'n garedig a meddylgar, yn gymwynasgar a gofalus o'n rhieni; gad inni gofio bob amser eu gofal diflino a dirwgnach.

Bendithia a chynnal heddiw bob mam a thad sydd mewn trallod a phoen a gwewyr dros eu plant sydd, er pob gofal da a thirion, wedi mynd ar gyfeiliorn ac wedi disgyn i demtasiynau mawr.

Gwrando ar eu cri am gael gweld dyddiau gwell ac aelwyd hapus unwaith eto.

Dychwel yr amser pryd y lleddfir pob ochneidio trist ac y cawn oll fwynhau eto dy dangnefedd pur; trwy Iesu Grist ein Harglwydd.

Dewi Morris, addas.

481 I'R FAM

I bwy y rhoddwyd cyfrinach,
a phwy a gafodd ddealltwriaeth mewn helaethrwydd?
    Pwy a abertha heb ddannod
ac a weina heb gŵyn?
    Gan bwy y ceir amynedd a sefydlogrwydd,
a phwy a wnaeth gelfyddyd o ymgynnal?
    Yr hon a roes yr Arglwydd
yn angor i deulu
ac yn amddiffynfa i gartref.
    Gwyn eu byd y rhai a brofodd diriondeb mam
ac a feithrinwyd yng nghysgod ei dioddefgarwch.
    Fel brenhines ar ei theyrnas,
felly y llywodraetha ar ei haelwyd
gyda threiddgarwch gweld,
a'i phriod a'i phlant a ymgysurant o'i phlegid.
    Ynddi y mae gwarineb yn ben
a doethineb yn safon,
ac ni fetha yn ei dirnadaeth;
ei chariad a geidw ddrysau yn agored.
    Hi a wylia wrth wely
heb gyfri'r oriau;
hi a ddiddana'r eiddilyn
ac a gerydda'r anystywallt,
ac a'u moldia i'w delw ei hun.
    Yr Arglwydd yn ei ddoethineb
a roes i famau'r ddaear
synnwyr a deall da,
a hwy a roddant i gymdeithas
ei chalon.

W. Rhys Nicholas, 1914–96

YR WYTHNOS FAWR
A'R PASG

Prawf Duw o'r cariad sydd ganddo tuag atom ni
yw bod Crist wedi marw drosom.
(RHUFEINIAID 5:8)

Dyma Oen Duw, sy'n cymryd ymaith bechod y byd.
(IOAN 1:29)

Teilwng yw'r Oen a laddwyd i dderbyn gallu, cyfoeth, doethineb a nerth,
anrhydedd, gogoniant a mawl.
(DATGUDDIAD 5:12)

482 YMUNO Â'R DYRFA
Rho ras i ni, ein Duw a'n hachubydd,
i groesawu dy Fab Iesu
â'r llawenydd a estynnwyd iddo wrth farchogaeth i Gaersalem.
    Llanw ein calonnau â rhyfeddod at ei weithredoedd nerthol ef,
fel y bo ein genau yn awchus i'w glodfori.
    Cyfaredda ninnau â'i ostyngeiddrwydd brenhinol,
â'i awdurdod grasol
ac â'i nerth addfwyn,
fel y'n dygir ninnau i ymuno â'r dyrfa ddirifedi
yn y nefoedd ac ar y ddaear
sy'n ei gyfarch â lleferydd dibaid
fel Gwaredwr a anfonaist i deyrnasu drosom,
a'r Brenin a ddaeth er ein mwyn ni'n dlawd
i'n gwaredu oddi wrth ein holl elynion;
trwy yr un Iesu Grist ein Harglwydd.

Llyfr Gwasanaeth yr Annibynwyr Cymraeg, 1962

242

483 MARCHOGAETH I'R DDINAS
O Arglwydd Iesu Grist, ein Ceidwad a'n Brawd,
heddiw coffawn dy waith yn marchogaeth i Jerwsalem,
y ddinas a'th wrthododd ac yr wylaist trosti.

Cofiwn am rai y pryd hwnnw a lawenhâi wrth dy ddyfodiad
gan glodfori Duw a thaenu eu dillad
a changhennau o'r gwŷdd ar y ffordd.

Erfyniwn arnat ein gwneud ninnau yn barod i roi wrth dy
draed bob peth ydym a phob peth sydd gennym.

Cynorthwya ni i'th foliannu a dweud o'n calon,
'Bendigedig yw y Brenin sy'n dod yn enw yr Arglwydd:
Hosanna yn y goruchaf.'

Rho ras inni dy wasanaethu a'th gyffesu
yn ein dydd a'n tymor ar y ddaear,
fel y caffom fod ymhlith y dyrfa
a fydd yn uno yn anthem orfoleddus dy oruchafiaeth dragwyddol
pan ddeui eto yn dy ogoniant nefol.

Addolwn ac Ymgrymwn, BBC, 1955

484 UN LLARIAIDD O DDUW
Ein Tad, na ad i ni gael ein twyllo
gan rwysg y byd a'i rym,
gan gofio mai un llariaidd,
yn marchogaeth ar asen,
a orchfygodd y byd,
ac a ddaw i farnu'r cenhedloedd,
a theyrnasu'n oes oesoedd.

Dewi Tomos

485 AGOR Y PYRTH
Arglwydd ein Duw, coffawn yn llawen
fynediad dy Fab Iesu Grist i ddinas Jerwsalem:
fel yr agorwyd pyrth y ddinas i'w dderbyn,
agorwn ninnau holl byrth ein bywyd iddo'n awr:
porth ein meddwl i dderbyn ei wirionedd;
porth ein calon i brofi ei gariad;
porth ein henaid i fwynhau ei gwmni.

Gyda'i ddilynwyr ym mhob oes ac ym mhob man,
ymunwn i'w groesawu a'i glodfori
yn Arglwydd y lluoedd
ac yn Frenin y gogoniant.

Golygydd

486   HOSANNA YN Y GORUCHAF

Cyflwynwn i ti, O Dduw ein Tad,
Hosanna ein haddoliad,
am i Iesu Grist ddod yn Frenin
i'n byd a'n bywyd ni.

Am iddo roi heibio ei ogoniant dwyfol
a dod mewn gwyleidd-dra ac addfwynder
yn Frenin hedd ac yn gyfaill pechaduriaid:
       Hosanna yn y goruchaf.
Am iddo rodio'n isel a gostyngedig ar ebol asyn,
a'n dysgu i weld gwerth ac urddas y pethau distadl
ac i barchu popeth a greaist ti:
       Hosanna yn y goruchaf.
Am i'w ddisgyblion ei ddwyn ar ei daith
a rhoi esiampl i ninnau hefyd gerdded yn ei gwmni
a bod yn ffyddlon iddo bob amser:
       Hosanna yn y goruchaf.
Am i ganghennau'r palmwydd ymuno yn y mawl, a dangos i
ni fod yr holl greadigaeth yn dweud amdano ac yn canu ei glod:
       Hosanna yn y goruchaf.
Am i byrth y ddinas agor iddo a'i groesawu'n Frenin, a'n
gwahodd ninnau i agor pyrth ein heneidiau i'r Brenin ddod i mewn:
       Hosanna yn y goruchaf.
Ond ni fynnem ei dderbyn, Arglwydd, â brwdfrydedd y foment
yn unig, ac yna ei adael a'i wadu, ond ei groesawu i aros yn
Frenin ac yn Arglwydd arnom.

Pan fydd canghennau'r palmwydd wedi gwywo,
y dyrfa wedi cefnu,
yr Hosanna wedi distewi,
a'r ffordd yn wag,
rho ras i ni barhau yn ffyddlon
i'n Harglwydd a'n Brenin.

Seiliedig ar weddi yn Worship Now, Book II

487   COLECT SUL Y BLODAU

Hollalluog a thragwyddol Dduw, a anfonaist dy Fab ein
Hiachawdwr Iesu Grist, o'th dyner gariad at ddynion, i gymryd
ein cnawd, ac i ddioddef angau ar y groes, fel y gallai pob dyn
ddilyn esiampl ei ostyngeiddrwydd mawr: dyro inni allu dilyn
esiampl ei ddioddefgarwch, a bod hefyd yn gyfrannog o'i
atgyfodiad; trwy yr un Iesu Grist ein Harglwydd.

Y Llyfr Gweddi Gyffredin

488 SUL Y BLODAU

Bendigedig yw'r un sy'n dod yn enw'r Arglwydd. Hosanna yn y goruchaf!

Ti a ddaeth gynt i'th ddinas yn ostyngedig, yn eistedd ar ebol asyn, tyrd i'n calonnau ninnau'n awr. Meddianna hwy a theyrnasa arnynt.

Tyrd i'th etifeddiaeth trwy'r byd i gyd, a theyrnasa mewn heddwch a chyfiawnder, er mwyn i'r holl genhedloedd wybod mai ti yw Brenin y brenhinoedd ac Arglwydd yr arglwyddi.

Llyfr Gwasanaeth yr Annibynwyr Cymraeg, 1998

489 BRENIN AR ASEN!

Brenin ar asen!
A oedd yno rai'n chwerthin?
A oedd rhai'n dirmygu?
Faint ohonynt drodd ben mewn penbleth?
Beth am ddicter y rhai a welodd broffwydoliaeth sanctaidd yn
    cael ei sarhau?
Ond yn awr, O Arglwydd, yng ngoleuni'r groes
    mae'r cyfan yn gwneud synnwyr,
    ac yr ydym ninnau'n falch:
    yn falch o gymeradwyaeth y dyrfa
    yn ymddiried yn eu hymateb cyntaf
    ac yn croesawu eu Brenin ar asen;
    yn falch o gri'r plant wedi eu dal gan y dathliadau;
    yn falch fod yno rai a gafodd gipolwg
    ar natur y Brenin yn marchogaeth ar asen.
Frenin yr asen, ymunwn â'r dyrfa,
    lleisiwn foliant ac ymddiriedaeth plant,
    cawn gipolwg ar gyfrinach dy deyrnasiad.
Croeso i Jerwsalem!

Gweddïau i'r Eglwys a'r Gymuned, addas. Trefor Lewis

490 TEYRNASA YNOM

Arglwydd Dduw hollalluog, gwir Frenin nef a daear,
yr wyt ti'n dymuno teyrnasu yng nghalonnau pobl;
cynorthwya ni i'n rhoi ein hunain, heb ddal dim yn ôl,
i'r un a aeth i mewn i Jerwsalem ar asyn,
ac a dderbyniodd goron ddrain,
ond sydd yn awr yn eistedd gyda thi mewn gogoniant,
  ac yn teyrnasu gyda thi yn oes oesoedd.

Roger Pickering

491   YR WYTHNOS FAWR
     Arglwydd Iesu Grist,
     yn ystod yr wythnos ddwys a sanctaidd hon,
     a ninnau'n gweld o'r newydd
     ryfeddod a dyfnder dy gariad drud,
     cynorthwya ni i ddilyn ôl dy droed,
     i sefyll pan fyddi'n syrthio,
     i wrando pan fyddi'n wylo,
     i deimlo poen dy boenau di,
     ac wrth i tithau farw,
     ymgrymu a galaru,
     fel pan fyddi'n atgyfodi
     fe gawn ninnau hefyd
     gydgyfranogi o'th lawenydd diddarfod.

The Book of Common Order

492   HOSANNA . . . CROESHOELIER EF!
     Ai yn ddall y bu i ti ddod i Jerwsalem, Arglwydd?
     Gwelaist y dyrfa, teimlaist hwy'n gwasgu,
     y cylch wynebau o'th amgylch yn llawn chwilfrydedd,
     yn pelydru llawenydd.
        Ond roeddit yn ddall-bost i grechwen Jwdas;
     welaist ti mo'r wynebau tywyll dan eu cuwch?
        Roedd dy glustiau'n llawn Hosanna;
     roedd gorfoledd y bobl yn fyddarol, a'u cân i'w brenin yn
     atseinio ar hyd y strydoedd cul,
     yn eco ar dalcen y deml.
        Ond chlywaist ti mo'r sibrydion isel, llechwraidd,
     yng nghwr y dorf, yn cynllunio dy ddiwedd?
        Carnau'r ebol asyn yn ddistaw ar y palmwydd,
     a'r carped dan draed yn cuddio'r cysgod croes
     a oedd ar y ffordd o'th flaen;
     tithau heb wybod yn awr dy fuddugoliaeth
     fod dy dranc wedi ei selio?
        Iesu, maddau am i mi roi fy llinyn mesur fy hunan arnat ti;
     am i mi edrych ar Sul y Blodau drwy fy llygaid fy hunan.
        Yn sŵn yr Hosanna, do, fe glywaist y 'Croeshoelier ef!'
        Yn y môr wynebau gwelaist dro llygad Jwdas, a chilwg
     gelynion.
        Wrth farchog asyn i mewn i Jerwsalem
     roedd pwysau'r groes eisoes ar dy gefn,
     cyn iti gychwyn allan o'r ddinas ar dy daith olaf un.

Diolch na chefaist dy dwyllo gan ogoniant llach y foment:
rhaid oedd i ti fynd ymlaen –
ymlaen i lanhau'r Deml,
ymlaen i dorri'r bara,
ymlaen i'r ardd,
ac ymlaen i'r groes –
a'r cwbl er mwyn eraill:
y dorf,
Jwdas,
a minnau.
Diolch i ti, Arglwydd.

Gareth Maelor

493 CADW'R FFORDD YN AGORED

O Dduw grasol, ein Tad nefol, cofiwn gyda diolch am dy Fab, ein
Harglwydd a'n Gwaredwr Iesu Grist, yn mynd i Jerwsalem
yn ostyngedig, yn eistedd ar ebol asyn, i achub ei bobl. Pan
ystyriwn faint y cariad a ddatguddiwyd ynddo ef, ni allwn
ond rhyfeddu a llefain, 'Bendigedig yw'r hwn sy'n dyfod yn
enw'r Arglwydd, Hosanna yn y Goruchaf.'

Ond pan ystyriwn faint ein pechod, ni allwn ond cywilyddio a
llefain am drugaredd a maddeuant. Cynorthwya ni i gadw'r
ffordd i'r bywyd yn agored i Iesu ac i'w dderbyn fel Brenin ac
Arglwydd. Gwared ni rhag taenu ein mentyll ar ei lwybr yn
awr ei boblogrwydd, ac yna ei wadu yn awr unig ei
wrthodiad.

Bywha ein calonnau, O Dduw, â sêl am wirionedd ac ewyllys da,
a thywys ni ar hyd y ffordd i ddinas y cariad tragwyddol a'r
cyfiawnder ni dderfydd.

Tyred, O Grist, i'th etifeddiaeth trwy'r byd a llywodraetha
drosto mewn heddwch.

Tyred i'n dinasoedd a'n cartrefi, i'n hysgolion a'n colegau, i'n
sefydliadau a'n temlau, i'w glanhau o bob aflendid a llygredd
a'u llenwi â'th ras, yn awr a hyd byth.

Ymwêl, O Frenin nef, â phawb sydd mewn cystudd a
chyfyngder; nertha'r gweiniaid, diddana'r galarus, a rho
iddynt dy dangnefedd, a'r sicrwydd fod dy ofal di a'th allu i
gadw gyfled â'th gariad.

Clyw, O Dduw, ein gweddi, gogwydda ein calonnau atat a
gorffwysed dy drugaredd arnom; er mwyn Iesu Grist ein
Harglwydd.

Gweddïau yn y Gynulleidfa

494   DOWN AT Y BWRDD

Arglwydd, down at dy Fwrdd,
nid am ein bod yn gryf, ond am ein bod yn wan;
down, nid am fod dim ynom yn rhoi hawl i ni ddod,
ond am fod arnom angen trugaredd a gras;
down, nid am ein bod yn caru Iesu ddigon,
ond am yr hoffem ei garu'n fwy;
down am iddo ein caru
a rhoi ei fywyd drosom;
down i dderbyn bara a gwin,
yn arwyddion o addewid
am ras ein Harglwydd Iesu Grist,
a chariad Duw,
a chymdeithas yr Ysbryd Glân.
Down a chymerwn ffiol iachawdwriaeth.

Llyfr Gwasanaethau, Eglwys Bresbyteriadd Cymru, 1991, addas.

495   DYDD IAU CABLYD

Hollalluog a nefol Dad,
diolchwn am iti, yn y Sacrament rhyfeddol hwn, ddwyn ar gof i
ni ddioddefaint dy Fab Iesu Grist:
dyro i ni barchu dirgelion sanctaidd ei gorff a'i waed,
fel y gallwn ymwybod ynom ein hunain
â ffrwythau ei waredigaeth,
a'u harddangos yn ein bywydau;
drwy Iesu Grist, sy'n fyw ac yn teyrnasu
gyda thi a'r Ysbryd Glân, un Duw, yn oes oesoedd.

The Alternative Service Book

496   WRTH DY FWRDD

O Iesu Grist a arlwyaist ford ger ein bron, a thaenu drosti liain
gwynnaf dy sancteiddrwydd, rho inni, y llygrwyd ein dant gan
foethau pechod y byd, archwaeth at dy swper mawr, a
boneddigeiddrwydd wrth dy fwrdd; er mwyn dy enw.

Dewi Tomos

497   ESIAMPL GOSTYNGEIDDRWYDD

O Fab y Dyn, a gymeraist dywel a dŵr a golchi traed dy
ddisgyblion, pâr i ni ddeall yr hyn a wnaethost, a dysg ni
i ddilyn esiampl dy ostyngeiddrwydd, fel y gallwn mewn cariad
wasanaethu'n gilydd o gariad atat ti, ein Gwaredwr a'n Harglwydd.

Enid Morgan

498 AM I TI DORRI BARA

Arglwydd Iesu Grist,
am i ti dorri bara gyda'r tlodion,
edrychwyd arnat gyda dirmyg.

　　Am i ti dorri bara gyda'r pechaduriaid a'r gwrthodedig,
cefaist dy ystyried yn annuwiol.

　　Am i ti dorri bara gyda'r rhai llawen,
cefaist dy alw yn feddwyn glwth.

　　Am i ti dorri bara mewn goruwchystafell,
seliaist dy benderfyniad i gerdded ffordd y groes.

　　Am i ti dorri bara wrth y bwrdd yn Emaus,
agoraist lygaid dy ddisgyblion i'th adnabod.

　　Am i ti dorri bara a'i rannu,
efelychwn dy esiampl
a gofynnwn am dy fendith.

Bread of Tomorrow, Janet Morley, addas.

499 NOSON Y BRADYCHU

Hollalluog Dduw, ceraist y byd gymaint nes anfon dy Fab, nid i
gondemnio'r byd ond er mwyn i'r byd gael ei achub trwyddo ef.
Wrth i ni gofio mai hon oedd y noson y bradychwyd ein
Harglwydd Iesu, a'i draddodi i ddwylo dynion anwir, pâr i ni
ymdeimlo â dyfnder drygioni, a dwg ni i edifarhau am ein rhan
ym mhechod gwrthryfel y byd. Wrth i ni gyfranogi o'r swper a
sefydlodd ef cyn iddo ddioddef, a chymryd o'r bara ac yfed o'r
cwpan, dwg ni i ryfeddu at dy gariad anhraethol atom ni, ac
mewn diolchgarwch nertha ni i fyw mwyach, nid i ni ein hunain
ond i'r hwn a fu farw drosom ac a gyfodwyd.

Llyfr Gwasanaeth yr Annibynwyr Cymraeg, 1998

500 DAETHOST I'N HACHUB NI

Arglwydd Iesu, daethost i'n hachub ni o'n pechodau:
ymprydiaist i'n hannog ni i dderbyn penyd,
dioddefaist demtiad i roi cryfder i ni,
fe'th weddnewidiwyd i roi gobaith i ni,
dioddefaist sarhad i ddod â iachawdwriaeth i ni,
dioddefaist wewyr yn yr ardd i'n cryfhau ni mewn gweddi,
dygaist dy groes i'n hachub ni,
buost farw er mwyn i ni gael byw gyda thi.

　　Dysg ni i'th garu â'n holl galon
ac i ddangos ein cariad drwy garu eraill.

Cymdeithas Curadiaid Ychwanegol

501   TRUGARHA WRTHYM

Arglwydd, ni wyddom ni pa fodd i fynd i mewn i'r ardd,
na pha fodd i agosáu at droed y bryn lle'r hoeliwyd ef.

Pa hawl sydd gennym ni i ddod i ganol disgleirdeb y cariad
mwyaf rhyfedd fu erioed?

Er hynny, hwyrnos gaeaf neu hwyrddydd haf,
gad i ni gael ambell olwg gyfrin ar y groes,
i'n brawychu rhag pechu a'n cyffroi i'th garu di yn well.

Dyro i ni brofi cymdeithas ei ddioddefiadau,
ond dyro i ni hefyd brofi grym ei atgyfodiad,
rhag inni golli dagrau heb golli un o'n beiau.

Cofia ni a thrugarha wrthym:
er mwyn dy ing a'th waedlyd chwys,
er mwyn loes y drain a'r hoelion dur,
er mwyn adfyd a gofidiau dwysach dy enaid,
er mwyn dy unigrwydd pan gollaist wyneb dy Dad,
O Iesu, Oen Duw, Iachawdwr y byd,
trugarha wrthym bawb oll,
hyd eithaf dy drugaredd.

H. Elvet Lewis, 1860–1953

502   O GRIST, ADDOLWN DI

Gadewch inni ddeisyf ar ein Gwaredwr,
a ddioddefodd ei boenau, a gladdwyd ac a atgyfododd
o farwolaeth, a dywedwn: O Grist, addolwn di.
    O Grist, addolwn di.
Arglwydd ein Meistr,
trosom ni buost yn ufudd hyd angau,
dysg i ni wneud ewyllys dy Dad:
    O Grist, addolwn di.
Arglwydd ein bywyd,
drwy farw ar y groes rwyt wedi concro
marwolaeth a nerthoedd y tywyllwch,
cynorthwya ni i adnabod grym dy atgyfodiad
a chymdeithas dy ddioddefiadau:
    O Grist, addolwn di.
Arglwydd ein grym,
cefaist dy ddirmygu,
a'th ddarostwng fel drwgweithredwr,
dysg i ni wir ostyngeiddrwydd:
    O Grist, addolwn di.

Arglwydd ein hiachawdwriaeth,
rhoddaist dy fywyd yn dy gariad
at dy frodyr a'th chwiorydd,
dysg i ni garu'n gilydd gyda'r un cariad:
   O Grist, addolwn di.
Arglwydd ein Harglwydd,
gyda'th ddwylo ar led ar y groes,
tyn bawb atat dy hun,
a chasgla i'th deyrnas
holl blant gwasgaredig Duw:
   O Grist, addolwn di.

Cymuned Taizé

503 YN HEDD YR ARDD
Dduw Dad,
agor ein llygaid i weld yr un
a fynych gyrchodd gynt lwybrau Olewydd gyda'i ddisgyblion;
mae amnaid ei law a'i dyner lais
yn galw arnom i'w ddilyn
o lwch y ffordd i hedd yr ardd.

   Ar y ffordd y mae ymryson diflas –
pwy sy flaenaf? pwy sy fwyaf? –
ac y mae ysbryd cecrus y ffordd
a thrachwant y byd ynom ninnau.

   Agor inni, Iesu, ddôr yr ardd,
lle mae'r Ysbryd byw yn rhodio gydag awel y dydd;
yr Ysbryd a ddiffydd nwyd ein gwrthryfel blin.

   Tywys ni lle bu dy ddeulin ar y pridd,
i weld y blodau gwyn lle syrthiodd y chwys
fel defnynnau gwaed.
A dangos inni, Arglwydd,
ar y bryn gyferbyn, bren y groes,
ac ennyn ynom gân dy fuddugoliaeth fawr
wrth brofi'r bywyd gwir sydd ynot ti.

   Gad inni aros dro, lle bu'r plygu isel cyn y brad,
a cherdded llwybr dy ufudd-dod drud:
plygu a chyffesu yn dy ŵydd, yn hedd yr ardd.

   Yna, galw ni i'th ddilyn drwy y ddôr
yn ôl i ganol dwndwr blin y ffordd,
a nerth dy ostyngedig ysbryd ynom.

Richard Jones

504   IESU GETHSEMANE

Iesu Gethsemane,
yr wyt yn gofyn inni aros gyda thi yn awr dy ing,
gwna ni'n ffyddlon ac yn barod i lynu wrthyt yn wastad;
yr wyt yn gofyn inni wylio gyda thi yn awr dy fradychu,
gwna ni'n effro ac yn barod bob amser i'th wasanaethu;
yr wyt yn gofyn inni weddïo gyda thi am nerth i ufuddhau,
gwna ni'n ddiwyd a disgwylgar yn ein bywyd ysbrydol;
yr wyt yn gofyn i ni godi i gerdded ffordd y groes,
gwna ni'n ddilynwyr gwrol,
yn barod i sefyll gyda thi hyd y diwedd,
a thrwy'r diwedd i wawr dy fuddugoliaeth.

Golygydd

505   GWENER Y GROGLITH

Ein Duw sanctaidd a thrugarog, nid arbedaist dy Fab dy hun,
ond ei draddodi i farwolaeth trosom ni oll; dwg ni at droed croes
Calfaria i weld dy gariad rhyfeddol tuag atom yng Nghrist Iesu.

Mawrygwn dy enw sanctaidd am i ti droi tywyllwch Golgotha
yn oleuni i ni; am i ti droi unigrwydd Iesu ar y pren yn sicrwydd
na byddwn ni yn unig byth mwy, ac am i ti droi ei glwyfau yn
foddion i'n hiacháu.

Meddianna ni â meddwl yr hwn a ddaeth i'n plith fel gwas ac
a fu'n ufudd hyd angau, fel y bydd ein gwasanaeth ni'n troi yn
llawenydd parhaus.

Llyfr Gwasanaeth yr Annibynwyr Cymraeg, 1998

506   Y DYN RHYDD

Crist yw'r Dyn Rhydd.
Fy enaid, edrych arno, ei noethni, ei waed, ei chwys.
Y Carcharor Tragwyddol!
Mae'r milwyr yn ei guro, dan regi a chwerthin yn feddw.
Ymhob curiad y mae dirmyg a thrachwant.
Onid meistri'r byd yw milwyr Rhufain?
Hyd yn oed yn ei ing a'i waradwydd y mae'r Crist yn tosturio
wrth y milwyr yn eu caethiwed.
Ef yw'r Dyn Rhydd; sylla arno, fy enaid.
A oes ganddo gyfoeth, gallu bydol, safle dylanwadol? Nac oes.
Nid oes dim ganddo ond corff yn awr, ac y mae'r milwyr yn trin
y corff hwnnw fel y mynnant.
Cnawd, gwaed, croen, esgyrn, gwallt –
y pethau hyn yn unig sydd ganddo yn awr.

Edrych arno, fy enaid.

Dyn Rhydd ydyw: yr unig ddyn rhydd yn Jerwsalem.

Carchar yw ymerodraeth Pilat; carchar yw crefydd Caiaffas;
carchar yw breuddwyd Jwdas; carchar yw dryswch Pedr;
carchar yw uchelgais Herod.

Crist yn unig sydd yn rhydd.

Fy enaid, saf gydag ef.

Y fan honno, wrth ei ochr, dan lach y milwyr,
y mae rhyddid i'w gael.

Pennar Davies, 1911–96

507 EDRYCH AR IESU

Trown atat ti, Dad tragwyddol,
gan dy gyfarch yn Dad, Mab ac Ysbryd Glân.

Trown ein myfyrdod at Iesu, dy Fab,
gan edrych arno a rhyfeddu ato:
ei weld yn ddyn rhyfeddol;
y mae'n cerdded fel brenin,
ond fe'i dirmygir gan ddynion fel caethwas;
mae ganddo wisg frenhinol o borffor,
eto gwawd ac nid anrhydedd yw ei ran;
mae'n gwisgo coron, ond coron o ddrain,
yn llawn pigau gwaedlyd creulondeb dynion.

Plygant o'i flaen megis o flaen brenin,
gan ei gyfarch â chyfarchion megis y cyferchir brenin,
ond poerant ar ei ruddiau sanctaidd.

Maddau i ni, O Dad, os buom ni ymhlith y gwawdwyr.

Clywn ei weddi yn ei ddioddefaint olaf ar y groes: 'O Dad,
maddau iddynt.'

Erfyniwn ninnau am gyfran o'r maddeuant hwnnw.

Rhyfeddwn at y gŵr hwn nad yw'n difenwi ei elynion.

Nid oes neb cyn addfwyned ag ef.

Caniatâ, O Dduw, i'n henaid gael edrych arno:
caniatâ i ni gael rhyfeddu
fel y mae'r Duwdod yn disgleirio ar ei gorff.

Gwelwn y modd y mae'n haeddu ein parch a'n hedmygedd:
yn ei noethni, a chreithiau'r fflangell wedi rhwygo ei gnawd,
gwelwn berffeithrwydd y dyn Iesu o flaen ein llygaid.

Diolch, O Dad, ein bod yn cael y fraint
o'i adnabod yn ei ddioddefaint,
gan mai ei gleisiau ef yw ein hiechyd ni.

Rhagor o Weddïau yn y Gynulleidfa

253

508 COLECT DYDD GWENER Y GROGLITH

Drugarog Dduw, gwneuthurwr pob dyn, nad wyt yn casáu dim a
wnaethost, nac yn dymuno marwolaeth pechadur, eithr yn
hytrach ddychwelyd ohono a byw: deisyfwn arnat drugarhau
wrth bawb nad ydynt yn cyffesu Crist a groeshoeliwyd.
Symud ymaith oddi wrthynt bob anwybodaeth, caledwch calon,
a dirmyg ar dy Air; ac felly dwg hwynt adref i'th gorlan, fel y
byddant hwy a ninnau'n un praidd dan un Bugail, Iesu Grist ein
Harglwydd, sy'n byw ac yn teyrnasu gyda thi a'r Ysbryd Glân,
yn un Duw yn oes oesoedd.

Y Llyfr Gweddi Gyffredin

509 ANIMA CRISTI

Enaid Crist, sancteiddia fi;
 gorff Crist, achub fi;
 waed Crist, meddwa fi;
 ddwfr ystlys Crist, golch fi;
 ddisgleirdeb wynepryd Crist, goleua fi;
 ddioddefaint Crist, nertha fi;
 chwys wyneb Crist, iachâ fi.
O Iesu da, gwrando fi:
 oddi mewn i'th glwyfau cuddia fi;
 na ad imi gilio oddi wrthyt;
 yn erbyn y gelyn cas amddiffyn fi;
 yn awr marwolaeth galw fi,
 a gorchymyn i mi ddyfod atat fel y caffwyf,
 gyda'th saint a'th angylion, dy foli di'n oes oesoedd.

14eg ganrif

510 DIRGELWCH EI DDIODDEFIADAU

Addolwn a chlodforwn di, O Dduw,
am i ti roi i ni dy Fab Iesu Grist
i rannu ein bywyd,
i ddwyn ein gofidiau
ac i ddileu ein pechodau.
 Wrth fyfyrio ar aberth ei groes,
arwain ni i ddirgelwch ei ddioddefiadau,
fel y gwelwn mai trwy aberthu y mae'n teyrnasu,
trwy garu y mae'n gorchfyu,
trwy ddioddef y mae'n achub,
a thrwy farw y mae'n estyn i ni fywyd tragwyddol.

The Book of Common Order

511 Y GROES, FE'I CYMERWN

Y Groes,
   fe'i cymerwn.
Y Bara,
   fe'i torrwn.
Y Poen,
   fe'i dioddefwn.
Y Llawenydd,
   fe'i rhannwn.
Yr Efengyl,
   fe'i dilynwn.
Y Cariad,
   fe'i rhoddwn.
Y Goleuni,
   fe'i hanwylwn.
Y Tywyllwch,
   Duw a'i dinistria.

Cymuned Iona

512 ATYNIAD CARIAD CRIST

Arglwydd Iesu, gwyddom am y driniaeth greulon a gefaist:
fe'th gyhuddwyd ar gam, dy guro a'th wawdio:
er hynny, y mae dy gariad yn ein tynnu tuag atat.

   Wedi dy hoelio ar groes, roeddit yn ddiamddiffyn ac unig;
ciliodd dy ffrindiau, dirmygwyd di gan dy elynion:
er hynny, y mae dy gariad yn ein tynnu tuag atat.

   O bob cyfeiriad derbyniaist gasineb a sarhad;
ymddangosai fel pe bai Duw wedi dy adael:
er hynny, y mae dy gariad yn ein tynnu tuag atat.

   Ni ddangosaist ti gasineb na dirmyg;
yn hytrach dywedaist, 'Dad, maddau iddynt!'

   Y mae dy gariad yn ein tynnu tuag atat,
ac mewn rhyfeddod a moliant, addolwn di.

Gweddïau i'r Eglwys a'r Gymuned, addas. Trefor Lewis

513 YN YR ORIAU TYWYLL

Arglwydd Iesu Grist, a brofaist dywyllwch ar y groes a cholli
golwg ar wyneb dy Dad, bydd gyda ni mewn dyddiau o anobaith
a digalondid, pan fo'r cymylau'n cau o'n hamgylch, a rho i ni
ffydd a dyfalbarhad i geisio'r goleuni dwyfol, gan wybod dy fod
yn ein cadw'n wastad yn niogelwch dy gariad.

Golygydd

514   TYWYLLWCH DROS YR HOLL DDAEAR
      Arglwydd, mae'n dywyll.
      Arglwydd, wyt ti yma yn y tywyllwch?
      Mae dy olau wedi diffodd,
          ac nid oes sôn amdano
          yn y bobl na'r pethau o'm hamgylch.
      Mae popeth yn llwyd a diflas,
          fel niwl trwchus yn diffodd yr haul ac yn llyncu'r ddaear.
      Mae popeth yn ymdrech, popeth yn anodd,
          ac rwy'n drwm ac yn araf fy nhraed.
      Bob bore mae meddwl am ddiwrnod arall
          yn ddigon i'm lladd.
      Rwy'n dyheu am y diwedd . . . am farwolaeth.
      Fe hoffwn i adael,
          rhedeg i ffwrdd,
          ffoi . . . i unrhyw fan, dianc.
      Rhag beth?
      Ti, Arglwydd, eraill, fy hunan, wn i ddim . . .
      Ond gadael, ffoi.
      Rwy'n unig;
          rwyt ti wedi mynd â mi ymhell, Arglwydd;
          mewn ffydd, dilynais di, ac fe gerddaist yn fy ymyl.
      Ond nawr yn y nos, ynghanol yr anialwch,
          yn sydyn, rwyt ti wedi diflannu.
      Rwy'n galw, ond nid wyt yn clywed.
      Rwy'n chwilio, ac nid wyf yn dy gael.
      Rwyf wedi gadael popeth,
          a nawr rwyf ar fy mhen fy hun;
          dy absenoldeb di yw fy nioddefaint i.
      Arglwydd, mae'n dywyll.
      Arglwydd, a wyt ti yma yn y tywyllwch?
      Ble'r wyt ti, Arglwydd.
      Wyt ti'n fy ngharu o hyd?
      Neu ydw i wedi dy flino di?
      Arglwydd, ateb . . . ateb.
      Mae'n dywyll.

                            Michel Quoist, cyf. Noel A.Davies

515   AT DROED Y GROES
      At droed dy groes dygwn faich ein galar:
      am y colledion sydd wedi bylchu'n bywydau
      a'n clwyfau mewnol nad oes iachâd iddynt.

At droed dy groes dygwn faich ein heuogrwydd:
am i ni achosi poen a siom i eraill
a methu byw yn ôl dy orchmynion di.

At droed dy groes dygwn faich ein dicter:
oherwydd ffyniant y pwerau creulon
a'r modd y gormesir y gwan a'r tlawd.

At droed dy groes dygwn faich ein hofn:
o atgasedd a gwrthwynebiad y byd,
a'r chwerwder sy'n ein suro oddi mewn.

Iesu croeshoeliedig, yr wyt ti'n dioddef gyda ni
ac yn gwybod am alar, euogrwydd, dicter ac ofn:
o'th groes, achub ac adfer ni,
a thywys ni i lawnder a llawenydd bywyd.

A Restless Hope, Llawlyfr Gweddi CWM, 1995

516 DROS BAWB SY'N DWYN CROES

Arglwydd Iesu, a ddioddefaist drosom ar y groes,
gweddïwn dros deulu poen ym mhob man:
dros y rhai sy'n dwyn croes afiechyd a llesgedd,
a'r rhai sydd yng ngafael anobaith ac iselder ysbryd;
dros y rhai sy'n dwyn croes galar a thristwch,
a'r rhai y mae hiraeth ac unigrwydd yn eu llethu;
dros y rhai sy'n dwyn croes gormes a thrueni,
a'r rhai sy'n nychu o brinder bwyd.

Ti, a brofaist holl boenau teulu'r llawr,
rho i'th blant anghenus ym mhob man,
dy dangnefedd yn eu gofidiau,
a'th nerth i ymgynnal yn eu gwendidau.

George Appleton, 1902–93

517 MARW I MI FY HUN

Arglwydd, gwahana fi oddi wrthyf fy hun
   fel y gallaf fod yn ddiolchgar i ti.
Boed i mi ymwrthod â mi fy hun
   fel y gallaf fod yn ddiogel ynot ti.
Boed i mi farw i mi fy hun
   fel y gallaf fyw ynot ti.
Boed i mi gael fy ngwacáu ohonof fy hun
   fel y gallaf fod yn helaeth ynot ti.
Boed i mi fod yn ddim i mi fy hun
   fel y gallaf fod yn bopeth i ti.

Erasmus, 1469–1536

257

518 COFLEIDIO'R BYD
Grist ein haberth,
yr anharddwyd dy degwch
ac y rhwygwyd dy gorff ar y groes:
lleda dy freichiau i gofleidio byd mewn artaith,
fel na thrown ymaith ein llygaid,
ond ymollwng i'th drugaredd di.

Janet Morley, cyf. Enid Morgan

519 CLWYFO'R CRIST
Arglwydd, cafodd dy Fab ei dristáu:
yn yr oruwchystafell
gan frad Jwdas;
yn yr ardd yng Ngethsemane
gan syrthni a gwendid y tri ffyddlonaf.
    Cafodd dy Fab ei glwyfo
gan bicell a chwip,
gan gusan bradwrus,
a chan y poeri yn ei wyneb.
    Ond mwy a chwerwach y clwyfo
gan ddichell a chas a chynllwyn a thrachwant
arweinwyr ei bobl ei hun,
arweinwyr byd ac eglwys.
    Teimlodd oddi wrth ing ei unigrwydd,
yn sefyll dros d'ewyllys a'th deyrnas di,
a neb yn ei ganlyn,
a neb yn ei gynnal,
yn llys yr archoffeiriad
a llys Pilat.
    Cymerodd yr holl faich ar ei ysgwydd ei hun:
baich yr unigrwydd a'r gofid,
baich y gwendid a'r llwfrdra,
baich y ddichell a'r casineb.
    Ac wrth iddynt osod y groes ar ei gefn gwerthfawr –
gogoniant i'th enw, O Dad –
cymerodd arno'i hun
faich ein hunigrwydd a'n gwendid ni,
baich ein dichell a'n trachwant ni.
    Addfwyn ydoedd, a gostyngedig o galon;
bu'n ufudd hyd angau,
ie, angau'r groes.

Harri Williams, 1913–83

520 CYMOD TRWY'R GROES
Ar draws y rhwystrau
sy'n gwahanu hil oddi wrth hil:
   Cymod ni, O Grist, drwy dy groes.
Ar draws y rhwystrau
sy'n gwahanu'r cyfoethog oddi wrth y tlawd:
   Cymod ni, O Grist, drwy dy groes.
Ar draws y rhwystrau
sy'n gwahanu pobl o grefyddau gwahanol,
anffyddwyr a chredinwyr:
   Cymod ni, O Grist, drwy dy groes.
Ar draws y rhwystrau
sy'n gwahanu Cristnogion o eglwysi gwahanol
a chyda safbwyntiau diwinyddol gwahanol:
   Cymod ni, O Grist, drwy dy groes.
Ar draws y rhwystrau
sy'n gwahanu'r ifanc oddi wrth yr hen:
   Cymod ni, O Grist, drwy dy groes.
Dangos i ni, O Grist, y rhagfarnau a'r ofnau cudd
sy'n gwadu ac yn bradychu ein gweddïau cyhoeddus;
galluoga ni i weld achos y gynnen:
dilea ynom bob ffug syniad o ragoriaeth,
a dysg i ni dyfu mewn undod â holl blant Duw.

Teulu Duw yn Addoli

521 CYMDEITHAS EI DDIODDEFIADAU
O Dduw ein Tad, a'n ceraist â chariad tragwyddol, ac a egluraist
dy gariad i ni yn Iesu Grist, i ti y talwn ein haddunedau.

Cynorthwya ni â'th Lân Ysbryd i fyfyrio ar ddioddefaint
Mab dy gariad, yr hwn nid arbedaist, ond a'i traddodaist ef
drosom ni oll.

Yn wylaidd a gostyngedig dymunem fynd i mewn i
gymdeithas ei ddioddefiadau ef, fel y profem rinwedd gwaed y
groes, ac fel y dysgom gyfrinach nerth a thangnefedd yr hwn a
fu farw ar y pren.

Caniatâ i'r gallu achubol a lifodd o'i glwyfau ef, ein
Harglwydd, ar hyd y cenedlaethau, lanhau ein cydwybodau
euog ninnau.

Trwy ein myfyrdod a'n gweddi rho i ni fynediad i'th
bresenoldeb sanctaidd a phrofiad o flas y maddeuant a'r cymod
sydd drwy'r gwaed.

Addolwn ac Ymgrymwn, BBC, 1955

522   AM RAS I GODI'R GROES

Hollalluog Dduw, yr hwn a ddangosaist inni ym mywyd ac athrawiaeth dy Fab wir ffordd hapusrwydd, ac yn ei ddioddefaint a'i farwolaeth a'n dysgaist y gall llwybr cariad arwain i'r groes, a gwobr ffyddlondeb fod yn goron o ddrain; rho i ni ras i godi ein croes a dilyn Crist, a chael y fath gymundeb ag ef yn ei ofid fel y dysgwn gyfrinach ei dangnefedd a'i nerth, ac fel y gwelwn yn disgleirio, hyd yn oed yn awr dywyllaf ein prawf, belydrau'r goleuni tragwyddol.

Addolwn ac Ymgrymwn, BBC, 1955

523   BENDITHION Y GROES

O Arglwydd Iesu Grist,
tydi Oen Duw, sanctaidd a difrycheulyd,
yr hwn a gymeraist arnat dy hun ein pechodau
a'u dwyn yn dy gorff ar y groes:
bendigwn di am bob baich a ddygaist,
am y dagrau oll a wylaist,
am y poenau i gyd a ddioddefaist,
am yr holl eiriau o gysur a leferaist,
am dy holl frwydrau â galluoedd y tywyllwch,
ac am dy fuddugoliaeth dragwyddol
ar bechod a marwolaeth.
     Gyda'th bobl di ym mhob man,
rhown i ti glod ac anrhydedd
a gogoniant a bendith,
yn oes oesoedd.

Llyfr Addoliad Cyffredin

524   UNA NI YN DY GARIAD

O Arglwydd Iesu,
     brenin yr Iddewon, brenin y brenhinoedd, brenin y byd,
     derbyn ein gwrogaeth,
     canys ynot ti y mae pob rhinwedd a phob clod.
Mae dy groes yn rhan o wead yr holl fyd,
     yn rhan o batrwm hanes dyn,
     yn rhan o dystiolaeth ein cydwybod –
     y rhan sy'n rhoi ystyr a llewyrch i'r cyfan.
Un fuom mewn pechod, un mewn anwiredd,
     ond hwn yw undod uffern,
     yr undod marwol sydd yn ein rhannu yn erbyn ein gilydd
     ac yn ein herbyn ein hunain.

Gwared ni rhag drwg;
   una ni yn dy gariad dy hun.
Gwelwn y ffug-undod yn nirmyg y rhai oedd yn mynd heibio.
Gwelwn y ddynoliaeth ranedig yn ymuno i sarhau dy gariad.
Ond yr wyt yn eiriol drosom ar y groes.
Ryfeddod yr hollfyd,
   una ni dros byth yn y maddeuant diderfyn
   sydd yn gogoneddu nef a daear.
Tydi a ddyrchafwyd oddi ar y ddaear,
   tyn bawb atat dy hun:
   at bwy yr awn ond atat ti?

Pennar Davies, 1911–96

525 DYDD SADWRN: DYDD YR AROS
Dad nefol,
heddiw yw dydd yr aros:
bu'n rhaid i Iesu ddioddef,
bu'n rhaid iddo farw,
bu'n rhaid ei osod mewn bedd,
bu'n rhaid dychwelyd y pridd i'r pridd,
y lludw i'r lludw,
y llwch i'r llwch.
   Yna aros:
y milwyr yn aros yn wyliadwrus yn gwarchod;
y disgyblion yn aros yn ofnus yn yr oruwchystafell;
y gwragedd yn aros am y bore i gael dwyn eu peraroglau.
   A fu rhai yn aros mewn ffydd?
   Helpa ninnau i aros:
aros yn amyneddgar,
aros yn ddisgwylgar amdanat ti,
aros yn yr Ysbryd,
aros i'r nos ddu ddod i ben,
aros i ti wneud dy waith yn y dirgel,
aros mewn ffydd a gobaith.
   Arglwydd, yr ydym yn ymddiried ynot:
rhown ein gobaith yn dy gariad gwaredigol;
nid oes nos mwy tywyll na'r bedd,
ond, Dad nefol,
credwn y bydd i'r gronyn gwenith ddwyn llawer o ffrwyth –
fod Crist wedi ei godi oddi wrth y meirw,
yn flaenffrwyth, yn fuddugoliaeth.

Robin Wyn Samuel, Gweddïo, 1994

526 NOSWYL Y PASG

Caniatâ, O Arglwydd, megis y bedyddir ni i farwolaeth dy fendigedig Fab ein Hiachawdwr Iesu Grist, fod inni felly, trwy farwhau'n wastad ein serchiadau llygredig, gael ein claddu gydag ef; a thrwy'r bedd a phorth angau fynd rhagom i'n hatgyfodiad llawen; trwy ei haeddiant ef, a fu farw, ac a gladdwyd, ac a atgyfododd drachefn er ein mwyn; sef dy Fab Iesu Grist ein Harglwydd.

Y Llyfr Gweddi Gyffredin

527 MOLIANT Y PASG

Gogoniant a fo i ti, O Dad hollalluog:
ar y dydd sanctaidd hwn cyfodaist dy Fab o blith y meirw
a'n gwneud ninnau yn gyfranogion
o'i fuddugoliaeth ar bechod a marwolaeth.

  Gogoniant a fo i ti, O Arglwydd Iesu Grist:
trwy dy aberth a'th atgyfodiad, trechaist angau
ac agor i ni byrth y bywyd tragwyddol.

  Gogoniant a fo i ti, O Ysbryd Glân:
yr wyt yn ein harwain i'r holl wirionedd
ac i adnabyddiaeth o'r Crist byw.

  Dad, Mab ac Ysbryd Glân, un Duw;
am i ti ddwyn bywyd ac anfarwoldeb i oleuni,
bendigedig fo dy enw sanctaidd yn oes oesoedd.

Prayers for the Church Year, Eglwys yr Alban

528 DATHLWN Y BYWYD NEWYDD

Ein Tad nefol,
  ynghanol bywyd newydd y gwanwyn a'i obaith gwyrdd,
  dathlwn y bywyd newydd sydd i ni yn Iesu Grist.
Fel y cododd Crist i fywyd newydd ar y trydydd dydd,
  gad i ninnau, wedi inni farw i'r drwg sydd ynom,
  godi i fywyd newydd yng Nghrist.
Cofiwn heddiw am ddigwyddiadau bore'r trydydd dydd
  wedi marwolaeth Iesu ac wedi gosod ei gorff mewn bedd.
Cofiwn am y gwragedd ffyddlon a ddaeth at y bedd a'u
  dagrau'n gymysg â gwlith y bore bach.
Diolchwn heddiw am bawb sy'n ffyddlon i Grist
  pan fo llawer wedi cilio,
  ac am bawb sy'n golchi llwybr eu gwasanaeth â'u dagrau.
Cofiwn am y garreg fawr drom oedd yn ffordd y gwragedd
  rhag sylweddoli gwirionedd gwyrthiol y Pasg cyntaf hwnnw.

Gweddïwn heddiw dros bawb sy'n gweld rhwystrau rhag credu,
   a thros bawb sy'n teimlo pwysau llethol eu hanobaith.
Cofiwn heddiw am wacter y bedd y bore hwnnw;
   cofiwn am golli un annwyl a cheisio ei gorff mud.
Dathlwn heddiw mai gwag yw ymffrost angau;
   dathlwn heddiw fod Iesu eto'n fyw.
Bydded iddo fyw yn ein profiad a'n bywyd bob un.
Bydded iddo fyw ym mywyd ei Eglwys.
Bydded iddo fyw ym mywyd ein cymdeithas, ein gwlad a'n byd.
Ni cheisiwn mwyach ymhlith y meirw yr hwn sy'n fyw
   ac yn teyrnasu am byth,
     oherwydd y mae'n wir wedi ei atgyfodi.

Casi Jones

529   COD NI O FEDD PECHOD

Hollalluog Dduw, Tad ein Harglwydd Iesu Grist, tydi a gyfodaist
dy Fab ac a roddaist iddo ogoniant, fel y byddai ein ffydd a'n
gobaith ynot ti. Bywha ni gydag ef a chod ni o fedd pechod i
fywyd o gyfiawnder. Galluoga ni i roi ein serch ar y pethau sydd
uchod, nid ar bethau sydd ar y ddaear, fel y cawn ran yn y
diwedd yn atgyfodiad y cyfiawn, ac yng ngogoniant dy deyrnas
nefol, lle yr aeth ein rhagflaenydd drosom ni, yr Arglwydd Iesu
Grist, sydd yn byw ac yn teyrnasu gyda thi a'r Ysbryd Glân yn
Dduw bendigedig yn oes oesoedd.

Llyfr Gwasanaeth, Eglwys Bresbyteraidd Cymru, 1958

530   FFYDD YR ATGYFODIAD

Cydnabyddwn, Arglwydd,
nad ydym yn deilwng o'th ras achubol.
   Hwyrfrydig ydym, fel dy ddisgyblion gynt,
i gredu'r dystiolaeth am y bedd gwag.
   Araf yw ein calonnau, fel y ddau ar eu ffordd i Emaus,
i gredu'r hyn a lefarwyd gan y proffwydi.
   Fel Thomas, fe fynnwn ninnau weld â'n llygaid ôl yr hoelion.
Trugarha wrthym, O Dduw.
   Dwg ni o garchar ein hanghrediniaeth i ryddid gorfoleddus
dy blant, sydd heddiw ym mhedwar ban byd yn uno gyda holl
deulu'r nef i lawenhau yn yr enw sydd goruwch pob enw,
ac sy'n cyffesu bod Iesu Grist yn Arglwydd,
er gogoniant Duw Dad.

Llyfr Gwasanaeth yr Annibynwyr Cymraeg, 1998

531 COLECT DYDD Y PASG

Hollalluog Dduw, a orchfygaist angau trwy dy unig-anedig Fab
Iesu Grist, ac agor inni borth y bywyd tragwyddol: cynydda a
chyfnertha ein ffydd, fel y bo inni ei adnabod ef a grym ei
atgyfodiad, a byw byth i'th ogoniant di; trwy'r un Iesu Grist ein
Harglwydd, sy'n byw ac yn teyrnasu gyda thi a'r Ysbryd Glân
byth yn un Duw yn oes oesoedd.

Y Llyfr Gweddi Gyffredin

532 DAETH GOLEUNI

Arglwydd, ar fore'r Pasg fe ddaeth goleuni
a chwalodd dywyllwch bedd a marwolaeth,
a goncrodd dywyllwch ofn ac ansicrwydd,
a ddinistriodd y tywyllwch sy'n difetha bywyd.
    Gwna ni, Arglwydd,
yn blant sydd yn gweld y golau hwnnw:
ei weld ym mhrofiadau bywyd,
ac o'i weld, byw yn ei lewyrch,
ac o fyw ynddo, canu iddo,
ac o ganu iddo, ymgysegru iddo,
oherwydd Iesu yw'r golau –
goleuni bywyd,
goleuni'r byd.
    Diolch, Arglwydd,
am bawb sydd wedi byw yn blant y goleuni:
ym mhelydrau eu ffydd hwy
yr ydym ninnau'n dod yn nes
i oleuni'r atgyfodiad.

Pryderi Llwyd Jones

533 DIOLCH AM DY BASG

Diolch i ti, O Dduw, am dy fawredd
    ac am roi dy harddwch i ni bob amser yn dy gread
    sydd wastad yn ei adnewyddu ei hun
    ac yn chwilio am ffyrdd o oresgyn anawsterau.
Hyd yn oed ynghanol y gaeaf, y rhew a'r oerni,
    diolch nad oes modd caethiwo bywyd
    sy'n mynnu tyfu a chyrraedd terfynau newydd.
Diolch nad oes lladd arnat ti, O Dduw,
    er ein bod ni yn mynnu dy fygu allan o'n bywyd yn aml.
Diolch am dy Basg, am dy fedd gwag,
    am y rhwyd yn llawn o bysgod,

ac am y gobaith na ellir ei ddileu
sy'n tarddu o geisio dilyn Crist yn agosach
ym mhethau cyffredin bywyd.
Diolch am y niwl sy'n codi
oddi ar drydydd dydd ein pryderon,
a'r sicrwydd o'th ofal amdanom
yn troi'r awydd i grio yn ddagrau llawenydd.
Dysg ni i fod mewn gwir gytgord â'n gilydd
fel yr wyt ti â'th gread,
wastad yn darparu i ni eirlysiau o obaith;
ac i ti yn unig y bo'r gogoniant a'r mawl.

Aled Lewis Evans

534 YN RHYDD Y DAETHOST

O Arglwydd Iesu Grist, clyw ein gweddi ni:
ti sydd wedi camu o'r bedd yn fyw;
ti sy'n gwasgaru'r cysgodion i gyd
gan ymlid brenin braw:
yn rhydd y daethost ar y trydydd dydd.
O Arglwydd,
ti sy'n ein cyfarch ar daith bywyd,
yn cwmnïa â ni;
ti, yr heliwr, sy'n bwrw dy rwyd amdanom;
ti, yr hawliwr, sydd â'th freichiau ar led i'n corlannu,
mynnwn dy adnabod di.
Yn yr ystafell ddirgel,
yng nghwmni dy bobl,
mewn diferion dŵr,
ac ar doriad y bara,
rho i ni dy adnabod.

John H. Tudor, 1932–2004, *Gweddïo*, 1993

535 GRYM YR ATGYFODIAD

Bywha dy Eglwys, O Arglwydd, â grym yr atgyfodiad:
adnewydda'i bywyd a grymusa ei chenhadaeth,
nertha'r sawl sydd mewn gwaeledd a phoen,
cysura'r sawl sydd mewn tristwch a phrofedigaeth,
a goleua'r sawl sy'n cerdded glyn y cysgodion.
Galluoga ni bob un i rannu ym mywyd atgyfodedig Iesu,
ac o wybod ei fod ef yn fyw, gwybod y cawn ninnau fyw ynddo
ef, yng ngogoniant ei deyrnas dragwyddol yn y nefoedd.

Susan Sayers

536 RHOWN GROESO I TI

O Grist, a sefaist ymysg dy ddisgyblion
i ddangos iddynt dy ddwylo a'th draed
er mwyn gorchfygu eu hamheuon:
    Rhown groeso i ti.
O Grist, a gyfarfyddaist â'th ddisgyblion
ac a dorraist fara ger eu bron
er mwyn iddynt dy weld a'th adnabod:
    Rhown groeso i ti.
O Grist, a anadlaist dy Ysbryd ar dy ddisgyblion
i roi iddynt dy dangnefedd dy hun
er mwyn dileu eu hofnau:
    Rhown groeso i ti.
O Grist, yr wyt yn sefyll yn ein mysg ni,
yn cyfarfod â ni,
yn anadlu arnom ni dy Ysbryd:
    Rhown groeso a chlod i ti.

A Restless Hope, Llawlyfr Gweddi CWM, 1995

537 EIN CODI I LAWENYDD

O Dduw, yr hwn trwy nerthol atgyfodiad dy Fab Iesu Grist oddi
wrth y meirw, a'n gwaredaist ni rhag gallu'r tywyllwch, ac a'n
dygaist ni i mewn i deyrnas dy gariad; ni a atolygwn i ti, megis
drwy ei farwolaeth y galwodd ef ni yn ôl i fywyd, caniatâ iddo
hefyd, drwy ei breswyliad gwastadol ynom, ein cyfodi ni i
lawenydd tragwyddol; drwy'r un Iesu Grist ein Harglwydd.

Addolwn ac Ymgrymwn, BBC, 1955

538 SYMUD Y MEINI

Pan yw'r drylliedig yn cael ei gyfannu,
pan yw'r clwyfedig yn cael iachâd,
pan yw'r ofnus yn cael ymgeledd:
    Y mae'r maen wedi ei dreiglo ymaith.
Pan yw'r unig yn canfod cyfeillgarwch,
pan yw'r trallodus yn canfod cysur,
pan yw'r pryderus yn canfod tawelwch meddwl:
    Y mae'r maen wedi ei dreiglo ymaith.
Pan ddysgwn rannu yn hytrach na hawlio,
pan ddysgwn gofleidio yn hytrach na tharo,
pan ymunwn yn deulu o amgylch y bwrdd:
    Y mae'r maen wedi ei dreiglo ymaith.

Ynot ti, Grist Iesu,
y mae pob maen yn cael ei dreiglo ymaith:
y mae cariad yn torri trwy gasineb;
y mae gobaith yn torri trwy anobaith;
y mae bywyd yn torri trwy angau.
    Halelwia! Crist a gyfodwyd!

Cymuned Iona

539   BYWYD O'R ARDD

Diolch, Arglwydd, mai mewn gardd y cafodd Iesu fedd.

Fel popeth byw a gleddir mewn gardd daw allan yn fwy byw.

Gwna ni'n fyw i'th alwadau, am ein bod wedi'n claddu ac wedi'n hatgyfodi gyda Christ.

Ym mhob argyfwng cred argyhoedda ni bod goruchafiaeth Iesu ar angau yn troi'n goncwest i ni mewn bywyd.

O wybod hyn, rho i ni'r tangnefedd sy'n eiddo i deulu'r ffydd.

D. Hughes Jones

540   Y NEFOEDD A'R DDAEAR YN LLAWENHAU

O Grist, yn dy atgyfodiad y mae'r nefoedd a'r ddaear
    yn llawenhau. Halelwia!
O Grist, yn dy atgyfodiad yr wyt wedi chwalu pyrth preswylfod
    y meirw; dinistriaist bechod a marwolaeth.
Trwy dy fuddugoliaeth, ymbiliwn arnat,
    cadw ni'n fuddugoliaethus dros bechod:
        Clyw ni, Arglwydd gogoniant.
O Grist, yn dy atgyfodiad yr wyt wedi dirymu marwolaeth,
    a rhoist i ni fywyd newydd.
Trwy dy fuddugoliaeth, ymbiliwn arnat,
    cyfeiria ein bywydau i fod yn greadigaeth newydd:
        Clyw ni, Arglwydd gogoniant.
O Grist, yn dy atgyfodiad yr wyt wedi rhoi bywyd newydd
    i'r meirw; dygaist yr holl ddynoliaeth o farwolaeth i fywyd.
Trwy dy fuddugoliaeth, ymbiliwn arnat,
    rho fywyd tragwyddol i bawb a ymddiriedwyd inni:
        Clyw ni, Arglwydd gogoniant.
O Grist, yn dy atgyfodiad yr wyt wedi trechu dy ddienyddwyr
    a'th warchodwyr, a llawenhau calonnau dy ddisgyblion.
Trwy dy fuddugoliaeth, ymbiliwn arnat,
    rho i ni lawenydd yn dy wasanaeth:
        Clyw ni, Arglwydd gogoniant.

Cymuned Taizé

541   Y CRIST BYW

Arglwydd Iesu Grist,
trwy dy atgyfodiad nerthol
gorchfygaist bechod ac angau
a gwnaethost bob peth yn newydd.

    Tyrd atom i'n llenwi â'th fywyd atgyfodedig dy hun,
i'n rhyddhau ni o bob digalondid
ac i'n tanio â gobaith a gorfoledd y Pasg.

    Fel y daethost at Mair yn yr ardd
a throi ei dagrau yn llawenydd,
tyrd at bob un sydd mewn trallod,
profedigaeth ac unigrwydd,
a chofleidia hwy yn dy gariad.

    Fel y daethost at dy ddisgyblion ar lan y môr,
a throi eu hofn yn hyder newydd,
tyrd at dy Eglwys ac at dy bobl heddiw
a gwna ni'n frwd a gwrol yn ein cenhadaeth.

    Fel y daethost at Thomas, yr amheuwr,
a throi ei amheuaeth yn argyhoeddiad sicr,
tyrd at y rhai sy'n teimlo'u ffydd yn wan
a'r rhai sy'n cael anhawster i gredu,
a rho iddynt sicrwydd llawen ynot ti.

    Fel y daethost at y ddau ar ffordd Emaus
a throi eu hanobaith yn orfoledd,
tyrd at y rhai sy'n teimlo'u bywyd yn ddibwrpas
a bydd yn gwmni iddynt ar eu taith.

    Tyrd atom bob un
a thrwy rym dy fywyd atgyfodedig
cod ni o'n gwendid a'n methiant
a rho i ni hyder yn ein ffydd
a gorfoledd yn dy waith.

Seiliedig ar weddi o Iona

542   BORE LLAWENYDD A GORFOLEDD

Arglwydd ein bywyd a Duw ein hiachawdwriaeth,
    diolchwn i ti am fore llawenydd a gorfoledd
      ar ôl dydd yr ing a'r marw.
Clodforwn di am yr atgyfodiad a'r bywyd
    ac am fuddugoliaeth ar angau a'r bedd.
Mewn syndod a braw yr edrychwn ar rymuster yr Iesu
    a roddodd ei gorff i'r curwyr gan ymddiried i'th ewyllys
      ddwyfol di am ei achos a'i enaid.

Llawenhawn am na all ef farw mwyach
  a bod ganddo agoriadau uffern a marwolaeth;
  a gweddïwn am brofiad o'i bresenoldeb
  gyda ni hyd y diwedd.

R. J. Jones, 1882–1975

543 Y FFORDD I EMAUS
Gydymaith byw, yn gwmni inni ar ein taith,
cyn i'r dydd ddirwyn i ben,
agor ein llygaid inni dy adnabod.

    Gydymaith byw, yn gwmni inni ar ein taith,
dangos inni y llwybr y dylem ei gerdded,
a rho ras inni i gynorthwyo'r rhai sydd wedi colli'r ffordd.

    Gydymaith byw, yn gwmni inni ar ein taith,
llanw ni â'th gariad,
er mwyn i ni, wrth dorri bara gyda'n gilydd,
adlewyrchu dy ogoniant di i eraill.

Golygydd

544 EFE A GYFODODD YN WIR
Bendigedig fyddo Duw a Thad ein Harglwydd Iesu Grist!
O'i fawr drugaredd fe barodd ein geni ni o'r newydd i obaith
bywiol trwy atgyfodiad Iesu Grist oddi wrth y meirw.
    Yr Arglwydd a gyfododd!
    Efe a gyfododd yn wir!

Iesu a ddywedodd, 'Myfi yw'r atgyfodiad a'r bywyd;
pwy bynnag sy'n credu ynof fi, er iddo farw, fe fydd byw;
a phob un sy'n fyw ac yn credu ynof fi, ni bydd marw byth.'
    Yr Arglwydd a gyfododd!
    Efe a gyfododd yn wir!

Felly, fy rhai annwyl, byddwch yn gadarn a diysgog,
yn helaeth bob amser yng ngwaith yr Arglwydd,
gan eich bod yn gwybod nad yw eich llafur yn yr Arglwydd
yn ofer.
    Yr Arglwydd a gyfododd!
    Efe a gyfododd yn wir!

Ewch gan hynny, a gwnewch ddisgyblion o'r holl genhedloedd...
ac yn awr yr wyf fi gyda chwi bob amser hyd ddiwedd y byd.
    Yr Arglwydd a gyfododd!
    Efe a gyfododd yn wir!

Caniedydd yr Ifanc

545 BUDDUGOLIAETH IESU
Iesu atgyfodedig, diolchwn i ti
fod daioni yn gryfach na drygioni;
fod cariad yn gryfach na chasineb;
fod goleuni yn gryfach na thywyllwch;
fod bywyd yn gryfach na marwolaeth,
a bod buddugoliaeth yn eiddo i ni
drwy'r hwn sydd yn ein caru.

Desmond Tutu

546 TANGNEFEDD I CHWI
Iesu atgyfodedig,
diolch i ti am dy gyfarchiad,
'Tangnefedd i chwi' –
Shalôm Duw, y tangnefedd dwfn, parhaol
sy'n dwyn llonyddwch mewnol,
sy'n cynnal person mewn storm,
sy'n gallu wynebu'r erlidiwr heb ofn,
sy'n cyhoeddi'r newyddion da
gyda gwroldeb a llawenydd.
    Hwn yw'r tangnefedd
sy'n cymodi brawd a chwaer, du a gwyn,
cyfoethog a thlawd, hen ac ifanc;
ond nid yw'n dangnefedd sy'n dawel
yn wyneb gormes ac anghyfiawnder.
    Hwn yw tangnefedd Duw,
sydd uwchlaw pob deall.

John Johansen-Berg, addas. Glyn Tudwal Jones

547 GRIST DYRCHAFEDIG
Grist dyrchafedig, fe'th addolwn.
    Unwaith buost fyw bywyd yn gyfyngedig i amser,
eto yr wyt yr un ddoe, heddiw ac yn dragywydd.
    Unwaith yr oeddet wedi dy gyfyngu i un lle,
eto yr wyt yn bresennol pa le bynnag y mae pobl yn dy geisio.
    Unwaith dim ond y rhai a'th gyfarfyddai wyneb yn wyneb
oedd yn dy adnabod, eto y mae dy gariad dwyfol yn ymestyn
drwy'r byd yn gyfan.
    Rhoddodd Duw i ti enw sydd goruwch pob enw;
cyffeswn ninnau mai ti yw ein Harglwydd,
a llawenhawn dy fod yn eiriol trosom.

Llyfr Gwasanaeth yr Annibynwyr Cymraeg, 1998

548 DYDD IAU'R DYRCHAFAEL

Hollalluog Dduw, erfyniwn arnat ganiatáu, megis yr ydym yn
credu i'th unig-anedig Fab esgyn i'r nef, felly fod i ninnau ym
meddylfryd ein calon ymddyrchafael yno, a thrigo'n wastad
gydag ef, sy'n byw ac yn teyrnasu gyda thi a'r Ysbryd Glân,
yn un Duw, yn oes oesoedd.

Y Llyfr Gweddi Gyffredin

549 YSTYR Y DYRCHAFAEL

Cynorthwya ni, Arglwydd, i ddeall ystyr dy esgyniad.

Cynorthywa ni i dderbyn, yn ei holl ryfeddod, dy fywyd dynol ar
y ddaear, a phâr i'n gweledigaeth ohono ymledu a chyfoethogi
bob dydd, er mwyn i ni rannu ym mendithion y disgyblion
cyntaf.

Cynorthwya ni i dderbyn dy ymadawiad o'r byd, ac i'w ddeall,
nid fel amddifadiad ond fel llwybr tuag at rym nad oes
gyfyngu arno gan amser na lle.

Cynorthwya ni i edrych am dy ddyfodiad, nid mewn cnawd i'w
weld a'i gyffwrdd, ond yn dy bresenoldeb ymysg dy bobl, a
thrwy dy Ysbryd yn cyffwrdd â'n meddwl, â'n calon ac â'n
henaid.

A thrwy'r rhodd o'r un Ysbryd, cynorthwya ni, Arglwydd, yn ein
bywyd ar y ddaear, i adlewyrchu dy ras a'th ddaioni, dy
realrwydd a'th brydferthwch, hyd nes y deui yn niwedd
amser, fel barnwr a brenin, yr un Arglwydd Iesu Grist, ddoe,
heddiw ac yn dragywydd.

Dick Williams

550 COD EIN CALONNAU

O Fendigaid Iesu, a esgynnaist i'r uchelder,
a drechaist angau ac uffern
ac a aethost i mewn i'r nefoedd yn fuddugoliaethus,
cod ein calonnau uwchlaw pob gofal bydol a thristwch,
pob ofn a phryder,
cofia ni sy'n aros yn nyffryn y byd hwn, a rho i ni dy fendith:
bendith ffydd ac amynedd,
bendith calon unplyg a gostyngedig,
bendith purdeb a chymwynasgarwch,
a bendith tangnefedd;
yn dy enw di, yr hwn, gyda'r Tad a'r Ysbryd Glân,
wyt un Duw, yn oes oesoedd.

R. R. Williams, 1886–1971

551 AROS GYDA NI

Aros gyda ni, Arglwydd,
oherwydd y mae'r dydd yn dirwyn i ben
ac nid ydym eto wedi adnabod dy wyneb
ym mhob un o'n brodyr a'n chwiorydd.

Aros gyda ni, Arglwydd,
oherwydd y mae'r dydd yn dirwyn i ben
ac nid ydym eto wedi torri bara
yng nghwmni'n brodyr a'n chwiorydd.

Aros gyda ni, Arglwydd,
oherwydd y mae'r dydd yn dirwyn i ben
ac nid ydym eto wedi gwrando ar dy Air
yng ngeiriau ein brodyr a'n chwiorydd.

Aros gyda ni, Arglwydd,
oherwydd y mae tywyllwch ein nos
yn troi yn olau dydd yn dy gwmni di.

Cynghrair Eglwysi Diwygiedig y Byd, Seoul 1989

552 YN DDYRCHAFEDIG OND NID O'N GAFAEL

Arglwydd Iesu, daethost i'r byd er mwyn bod yn agos atom;
esgynnaist i'r gogoniant er mwyn bod yn nes atom.

Nid wyt wedi dy gyfyngu mwyach gan ffiniau'r materol,
ond yr wyt yn ein mysg yn awr a phob amser,
yn anweledig ond nid yn absennol,
yn ddyrchafedig ond nid o'n gafael,
yng ngogoniant y nefoedd ond nid o gyrraedd y ddaear.

Gwna dy hun yn hysbys i ni.

Yn un â'r Tad,
fe gymeraist ein dyndod ni at galon y Duwdod, fel bo'r nefoedd
yn gwybod beth yw bod yn ddynol, ac yn derbyn dy eiriolaeth
dros ein gwendid a'n hangen ni.

Am hyn diolchwn i ti a chlodforwn dy enw sanctaidd.

Golygydd

553 WEDI MYND O'N BLAEN

Dragwyddol Dad, pan ddychwelodd dy Fab Iesu Grist i
ogoniant, ni adawodd mohonom yn ddigysur, eithr anfonodd yr
Ysbryd Glân i aros gyda ni am byth: caniatâ i'r un Ysbryd ein
dwyn ni yn y diwedd i'r cartref nefol hwnnw y mae Crist yn
myned iddo o'n blaen i baratoi lle i ni, a'r lle yr addolir ac y
gogoneddir ef, gyda thi a'r Ysbryd Glân, yn awr ac yn oes oesoedd.

Llyfr Gwasanaeth yr Eglwys Fethodistaidd, 1985

554 ARGYHOEDDA NI

Tyred, y Crist byw, i'r canol:
gwna dy hun yn hysbys inni,
dangos inni dy fod wedi concro angau
fel na bydd marw neb a gredo ynot.

Argyhoedda ni dy fod trwy dy aberth
wedi dirymu pechod a sicrhau na chondemnir neb
sydd â'i ymddiried ynot.

Treisia ein calonnau ni â'th gariad;
tor drwy ein serthedd a'n marweidd-dra ni;
â'th sancteiddrwydd bywiocâ ein cydwybod;
na ad inni suddo mewn digalondid na phesimistiaeth.

Gan i ti godi o'r bedd i'n cyfiawnhau,
agor ein llygaid i weld gogoniant y bywyd diddarfod
ac anllygradwy yr wyt wedi ei sicrhau inni,
ac yna cawn ninnau dystio wrth ein cenhedlaeth
fod pyrth gorfoledd ar agor led y pen
i'r sawl yr wyt yn ymafael ynddo.

Gwna hyn yn dy drugaredd, fel bo'r gogoniant i ti.

R. Tudur Jones, 1921–98, *Gweddïo,* 1992

555 Y DYN AR YR ORSEDD

Arglwydd Iesu, wrth i ni ddathlu dy ddychweliad i ogoniant y
nefoedd, cofiwn mewn diolchgarwch i ti gymryd ein dyndod ni
arnat, a'th fod yn awr wedi ei ddwyn gyda thi i'r bywyd
tragwyddol, gyda chreithiau dy ddioddefaint yn dal arno.

Arglwydd bendigaid, cynorthwya ni i fyw yn llawnder y
bywyd newydd sy'n eiddo i ni fel plant i Dduw, er mwyn i ni yn
y diwedd, rannu yng ngogoniant ac addoliad y nefoedd.

Gofynnwn hyn er mwyn dy enw sanctaidd.

Norah Field

Y PENTECOST

Ysbryd yw Duw,
a rhaid i'w addolwyr ef addoli mewn ysbryd a gwirionedd.
(IOAN 4:24)

Nid ysbryd y byd a dderbyniasom,
ond yr Ysbryd sydd oddi wrth Dduw,
er mwyn inni wybod y pethau a roddodd Duw o'i ras i ni.
(1 CORINTHIAID 2:12)

࿔

556 ANADL YR YSBRYD

Ysbryd Sanctaidd, Greawdwr,
yn y dechrau roeddit ti'n hofran uwchben y dyfroedd,
dy anadl di sy'n bywhau pob creadur,
hebot ti y mae pob creadur yn marw ac yn mynd yn ddiddim:
　　Tyrd atom, Ysbryd Sanctaidd.
Ysbryd Sanctaidd, Ddiddanydd,
trwot ti y cawn ein geni o'r newydd yn blant Duw,
yr wyt ti'n ein gwneud ni'n demlau byw i ti drigo ynddynt,
ti sy'n gweddïo oddi mewn i ni
â gweddïau sydd y tu hwnt i eiriau:
　　Tyrd atom, Ysbryd Sanctaidd.
Ysbryd Sanctaidd, Arglwydd, Rhoddwr Bywyd,
ti yw'r goleuni, ti sy'n dod â'r goleuni i ni,
ti yw daioni a ffynhonnell pob daioni:
　　Tyrd atom, Ysbryd Sanctaidd.
Ysbryd Sanctaidd, Anadl Bywyd,
yr wyt ti'n sancteiddio ac yn bywhau corff cyfan dy Eglwys,
yr wyt ti'n trigo ym mhob un o'i haelodau:
　　Tyrd atom, Ysbryd Sanctaidd.

Cymuned Taizé

557 TYRD, YSBRYD GLÂN

Mewn llawenydd a moliant dathlwn dy ddyfodiad di,
Ysbryd sanctaidd Duw,
Ysbryd grym a goleuni,
Ysbryd gras a bywyd.

Tyrd megis gwynt nerthol i'n hadnewyddu;
tyrd megis tân nefol i'n puro;
tyrd megis anadl Duw i'n bywhau;
tyrd megis colomen a rho i ni dangnefedd.
Tyrd, Ysbryd Glân, i'n c'lonnau ni,
a dod arnom d'oleuni nefol.

E. Milner-White, 1884–1964, addas.

558 GRYM YR YSBRYD

Ysbryd Glân Duw, nerthol fel y gwynt, disgynnaist ar ddilynwyr
Iesu ar y Pentecost gan roi iddynt rym i wneud pethau mawr
drosot. Drwy'r oesau ti sydd wedi tanio pobl â brwdfrydedd i
gyhoeddi'r newyddion da am Iesu, ac i wasanaethu eraill er ei
fwyn ef. Ysbryd Glân Duw, nerthol ac annisgwyl fel y gwynt,
disgyn arnom ninnau wrth i ni addoli, a bydd yn rym yn ein
bywydau.

Llyfr Gwasanaeth yr Annibynwyr Cymraeg, 1998

559 YSBRYD AFIEITHUS

Ysbryd afieithus Duw,
yn ffrwydro gyda llewyrch fflam
yn oerni ein bywydau
i'n cynhesu ag angerdd dros brydferthwch a chyfiawnder:
Moliannwn di.
Ysbryd afieithus Duw,
yn ein sgubo allan o gorneli llychlyd ein difaterwch
ac yn anadlu egni i'n hymdrechion dros newid:
Moliannwn di.
Ysbryd afieithus Duw,
yn llefaru geiriau sy'n llamu dros gloddiau ein hamheuon
ac yn cyhoeddi cenadwri o wirionedd a chariad:
Moliannwn di.
Ysbryd afieithus Duw:
fflam, gwynt, lleferydd,
tania ni, anadla ynom, llefara wrthym:
llanw dy fyd â chyfiawnder a llawenydd.

Jan Berry

560 DANFON NI YNG NGRYM YR YSBRYD
Hollalluog Dduw,
fel y danfonaist dy Ysbryd Glân ar dy ddisgyblion
ar ddydd y Pentecost,
â'r gwynt o'r nefoedd a thafodau o dân,
gan eu llenwi â llawenydd a hyder i bregethu'r Efengyl:
danfon ninnau allan yng ngrym yr un Ysbryd
i dystiolaethu i'th wirionedd
ac i dynnu'r holl bobloedd at dân dy gariad;
trwy Iesu Grist ein Harglwydd.

The Alternative Service Book

561 YMWÊL Â NI
Prydferth a gogoneddus wyt ti, Ysbryd Sanctaidd,
yn dy holl weithredoedd:
tydi sy'n dod yn ddirgel i'n calonnau i'n hanrhegu ni â ffrwyth
aberth ac atgyfodiad ein Gwaredwr;
tydi a arweiniodd feddyliau apostolion, proffwydi a haneswyr
wrth iddynt ysgrifennu llyfrau'r Beibl;
tydi sy'n goleuo'n meddyliau ninnau wrth ddarllen eu gwaith
fel ein bod, er mor ddi-weld ydym, yn cofleidio gwirionedd yr
Ysgrythur;
tydi sy'n bywiocáu geiriau Iesu yn yr efengylau
fel eu bod yn dod yn eiriau'r bywyd tragwyddol i ni;
tydi sy'n argyhoeddi'r anghrediniol ac yn eu haileni;
tydi sy'n sancteiddio'r aflan, yn arwain y crwydredig,
yn goleuo ein tywyllwch ac yn ein huno â Christ;
a thydi sy'n fywyd i'r meirw.
Hebot ti yr ydym yn wan,
yn ddieffaith ac yn ddi-sbonc:
parha yn dy drugaredd i'n harddel ni;
gweithreda'n nerthol yn ein plith
fel y gwnaethost lawer gwaith yn y gorffennol,
gan alw'r genhedlaeth hon o dir afradlonedd i gorlan y Bugail Da.
    Ac ymwêl â'n heglwysi a phob aelod ynddynt
i'n gwisgo â nerth o'r uchelder:
tydi yn unig a all roi i ni egni ac ysbryd cenhadu;
tydi yn unig a all feithrin ynom hiraeth am weld
dychweliad mawr at Grist yn ein gwlad:
tyred felly, a thyred yn fuan.
    Gwna hyn er gogoniant i'r Tad a'r Mab a thithau.

R.Tudur Jones, 1921–98, *Gweddïo*, 1992

562 GOLEUA LYGAID EIN CALONNAU

Ysbryd Iesu,

goleua lygaid ein calonnau:
arwain ni i'th adnabod di
yn ein gilydd ac yn ein cartrefi;
cymorth ni i werthfawrogi
arwyddion gobaith yn ein cymunedau;
gwna ni'n sensitif i bawb
sydd mewn angen am iachâd.

Ysbryd Iesu,

a dywalltwyd allan mewn fflamau tân
ar dy ddisgyblion adeg y Pentecost:
rho ein calonnau ninnau ar dân.

Gweddïwn y byddwn ni, dy gorff,

yn y fan hon ar wyneb daear
yn goleuo bywydau'n gilydd
â llewyrch Crist,
wrth i ni wynebu'r dyfodol
gyda ffydd newydd, gobaith newydd
a chariad newydd.

Archesgobaeth Dulyn

563 MEDDIANNA FI

O Ysbryd Sancteiddiolaf,
meddianna fi â'th dangnefedd,
goleua fi â'th wirionedd,
cynnau ynof dy fflam,
cryfha fi â'th nerth,
gwna dy hun yn weladwy ynof,
dyrchafa fi trwy ras i ras,
o ogoniant i ogoniant:
O Ysbryd yr Arglwydd,
yr hwn wyt gyda'r Tad a'r Mab yn un Duw yn oes oesoedd.

E. Milner-White, 1884–1964

564 EIN TYWYS I BOB GWIRIONEDD

Arglwydd, dywedaist y byddai dy Ysbryd Glân yn ein tywys
i bob gwirionedd. Felly yr addewaist ac felly yr ydym yn credu
ac yn ymddiried.

Agor ein calonnau i'w dderbyn, ein meddyliau i'w amgyffred,
a'n hewyllys i ufuddhau iddo; er gogoniant i ti.

Enid Morgan

565 BYWYD YSBRYD DUW

Ysbryd Sanctaidd Duw,
 y mae dy fywyd di yn llenwi'r cread
 ac yn dal pob peth mewn bodolaeth.
Y mae dy fywyd di yn llenwi pob creadur byw
 ac ynot ti y maent yn byw, yn symud ac yn bod.
Y mae dy fywyd di yn disgleirio trwy ogoniant natur
 ac fe welwn ninnau dy brydferthwch yn pefrio o'th gread.
Y mae dy fywyd di yn ein llenwi ninnau, dy blant,
 ac ynot ti y mae ystyr a diben ein bywyd.
Y mae dy fywyd di wedi ei bersonoli yn y dyn Crist Iesu,
 ac o'i weld ynddo ef, fe'i gwelwn ym mhob rhan o'th fyd.
Plygwn i'w addoli, ac o'i addoli i'w feddiannu,
 ac o'i feddiannu, i'w adlewyrchu gerbron y byd.

Golygydd

566 RHANNU DONIAU'R YSBRYD

Ti, Ysbryd Glân, a rydd fywyd:
 galw ni i rannu'n bywyd ag eraill.
Ti, Ysbryd Glân, sy'n ein cryfhau:
 helpa ni i ddwyn cysur i eraill.
Ti, Ysbryd Glân, sy'n ysbrydoli:
 galluoga ni i ysbrydoli eraill.
Ti, Ysbryd Glân, sy'n maddau:
 dyro ras i ninnau faddau'n llwyr.
Ti, Ysbryd Glân, sy'n cyfiawnhau:
 nertha ni i frwydro dros gyfiawnder.
Ti, Ysbryd Glân, sy'n rhoddi tangnefedd:
 gwna ni'n weithredwyr heddwch.

John H.Tudor, 1932–2004, Gweddïo, 1993

567 YN CURO WRTH Y DRWS

O Ysbryd dwyfol,
 sydd yn curo wrth ddrws fy nghalon
 yn holl amgylchiadau bywyd,
 dyro gynhorthwy i mi dy ateb.
Ni fynnaf fy ngyrru yn ddall fel sêr y nefoedd
 drwy eu llwybrau.
Ni fynnwn fy ngorfodi i wneuthur dy ewyllys o'm hanfodd,
 a chyflawni dy gyfraith heb ddeall,
 ac ufuddhau i'th orchmynion heb gydymdeimlad.

Dymunaf gymryd holl ddigwyddiadau 'mywyd
    fel rhoddion perffaith gennyt ti.
Dymunaf dderbyn hyd yn oed ofidiau bywyd
    fel rhoddion daionus gennyt.
Agor fy nghalon i dderbyn bob amser –
    yn y bore, yn y prynhawn, yn yr hwyr;
    yn y gwanwyn, yn yr haf ac yn y gaeaf.
Pa un ai mewn glaw neu mewn heulwen y deui,
    cymeraf di yn llawen i fy nghalon;
    yr wyt ti yn fwy na'r glaw a'r heulwen:
    tydi ac nid dy roddion a chwenychaf.
Cura, agoraf i ti.

George Matheson, 1842–1906, cyf. Lewis Valentine

568   RHODD YR YSBRYD
    Roedd dy bobl yn gweddïo, Arglwydd,
    ac atebaist hwy â gwyrth.
      Mae dy bobl yn gweddïo
    a rhaid i ni fod yn effro a disgwylgar,
    yn barod i gael ein hysgwyd gan wyrth,
    ein herio â'th Air,
    ein hysbrydoli â gweledigaeth,
    a'n hatgyfnerthu wrth i'th Ysbryd ddisgyn arnom;
    oherwydd pan fyddwn ynghyd mewn gweddi
    daw pethau mawr i fod.
      Ddwyfol Ysbryd,
    dy rodd di yw heddwch:
    yr heddwch y gwyddom amdano
    wrth gerdded ar lan y môr a'r tonnau'n cusanu'r traeth;
    yr heddwch y gwyddom amdano yng nghalon y goedwig,
    yn sŵn yr adar a'r brigau'n clecian;
    yr heddwch a ddaw atom
    yn rhediad cyson rhaeadr yn llifo;
    yr heddwch a ddaw atom ar ben mynydd
    pan fydd y cymylau'n cau amdanom
    ac aderyn yn gwibio ymhell islaw;
    a'r heddwch hwnnw sydd i'w gael yn rhuthr y ddinas
    ac ynghanol y ganolfan siopa.
      Ddwyfol Ysbryd,
    dy rodd di yw heddwch.

John Johansen-Berg, addas. Glyn Tudwal Jones

569   ADEILADU'R EGLWYS

O Dduw pob tangnefedd a diddanwch, tydi a gyflawnaist gynt
dy addewid i ddanfon yr Ysbryd Glân ar dy bobl, i adeiladu dy
Eglwys i fod yn gartref dy bresenoldeb parhaus ymhlith pobl:
caniatâ yn ddaionus i ninnau ddawn yr Ysbryd Glân,
i adnewyddu, i oleuo ac i sancteiddio ein heneidiau. Boed ef
uwchlaw i ni ac o'n cwmpas fel goleuni a gwlith y nefoedd, ac
ynom fel ffynnon o ddŵr yn tarddu i fywyd tragwyddol; trwy
Iesu Grist ein Harglwydd.

Llyfr Gwasanaeth, Eglwys Bresbyteraidd Cymru, 1958

570   DATGUDDIA DY HUN I NI

Arglwydd, gweddïwn ar i ti anfon dy Ysbryd Glân,
fel yr anfonaist ef ar ddydd y Pentecost gynt,
i'n sancteiddio a'n bywhau er clod i'th enw,
ac er llwyddiant dy deyrnas.

    Ie, O Dduw, datguddia dy hun inni ar y Sul arbennig hwn,
a gwna ni'n barod i ymateb i'th Ysbryd bywiol,
fel y cawn ein hargyhoeddi ynglŷn â phechod,
a chyfiawnder a barn.

    Gweddïwn am i'r tafodau tân ddod ar y tystion mud
fel y llefaront yn ddi-ofn yn dy enw.

    Gweddïwn am i'r Golomen nefol ddisgyn
lle mae casineb wedi lladd tangnefedd.

    Gweddïwn am i'r gwynt nerthol ddifa'r drwg
sydd yng nghalonnau pobl ym mhob man.

    Arglwydd, rhown glod i'th enw
am y Diddanydd sy'n troi ein nos yn ddydd
a'n tristwch yn llawenydd;
ac iddo ef, gyda'r Mab a thithau, yn un Duw,
y bo'r clod a'r anrhydedd yn oes oesoedd.

W. Rhys Nicholas, 1914–96

571   O ANADL, TYRED

Hollalluog Dduw, bu dy Ysbryd unwaith yn ymsymud uwchben
y ddaear afluniaidd a gwag, yn rhoi llun ar yr afluniaidd, a
chynnwys yn y gwagle. Bydded dy Ysbryd eto yn ymwneud â ni
yn ei ddoniau creadigol.

    Bydded dy law arnom, a phlyg ni i'th ewyllys, fel y bydd i ti
allu sylweddoli dy bwrpas ynom a thrwom, ac y byddo'r Eglwys
a brynwyd â gwerthfawr waed Crist, yn gyfrwng i ddwyn y byd
i'th geisio di.

Glanha hi, fel na bo ynddi bechod cudd. Tywallter dy Ysbryd
ar bob cnawd, fel y gwêl yr ifainc weledigaethau, fel yr
adnewydder y rhai hŷn, fel y gwisger dy Eglwys â nerth, ac fel y
datguddier dy ogoniant yng ngŵydd y byd.

O Anadl, tyred, gwna heddiw gynnwrf grasol.

Llyfr Gwasanaeth Ieuenctid

572 YR AWEL A'R GWYNT
Lle y bydd yr awel yn chwythu'n dyner
dros flodau'r gwanwyn;
lle y bydd y gwynt yn chwythu'n nerthol
dros frwyn y corsydd;
lle y bydd y gwynt yn sgubo'n ffyrnig
dros goed sy'n plygu:
gwybyddwch fod Duw'r gwynt a'r don
yn llefaru wrth ei bobl.

John Johansen-Berg, addas. Glyn Tudwal Jones

573 AR WASTAD YR YSBRYD
'Y mae'r Ysbryd yn ein cynorthwyo yn ein gwendid;
oherwydd ni wyddom sut y dylem weddïo,
ond y mae'r Ysbryd ei hun yn ymbil drosom
ag ochneidiau y tu hwnt i eiriau':
        Tyrd, Ysbryd Glân, i'n cynorthwyo.
'Yng Nghrist y mae cyfraith yr Ysbryd,
sy'n rhoi bywyd, yn ein rhyddhau o afael
cyfraith pechod a marwolaeth':
        Tyrd, Ysbryd Glân, i'n rhyddhau.
'Y sawl sydd ar wastad yr Ysbryd,
ar bethau'r Ysbryd y mae eu bryd,
ac y mae bod â'n bryd ar yr Ysbryd yn fywyd a heddwch':
        Tyrd, Ysbryd Glân, i'n hadfywio.
'Os yw'r Ysbryd a gyfododd Grist oddi wrth y meirw
yn cartrefu ynom, bydd yn rhoi bywyd newydd
hyd yn oed i'n cyrff marwol ni':
        Tyrd, Ysbryd Glân, i roi inni fywyd.
'Gwyddom fod Duw, ym mhob peth,
yn gweithio er daioni gyda'r rhai sy'n ei garu.
Os yw Duw trosom, pwy sydd yn ein herbyn?':
        Tyrd, Ysbryd Glân, i'n cynnal,
        ac i ti, gyda'r Tad a'r Mab, y bo'r clod a'r gogoniant.

Seiliedig ar Rufeiniaid 8

574 NERTH A DONIAU'R YSBRYD
 Ysbryd Sanctaidd,
yr wyt ti fel y gwynt yn chwythu lle y mynni,
yn dod atom ar hyd llwybrau annisgwyl
ac yn cyffwrdd â ni yn holl brofiadau'n bywyd;
tyrd atom yn awr yn dy rym a'th ddoniau.
 Ysbryd Sanctaidd – Ysbryd nerth ac adfywiad,
ymwêl â'th Eglwys
i'w deffro o'i chysgadrwydd
a'i gwneud yn dyst ffyddlon ac effeithiol i'r Efengyl.
 Ysbryd Sanctaidd – Ysbryd tangnefedd,
tywys bobl ym mhob man i heddwch a chytgord;
gwared hwy o ormes a chreulondeb,
ac arwain genhedloedd y ddaear i ganfod undod teulu Duw.
 Ysbryd Sanctaidd – Ysbryd diddanwch a chysur,
bydd yn nerth i'r gwan a'r tlawd;
bydd yn gwmni i'r unig a'r trist;
bydd yn dywysydd i'r rhai sydd wedi colli'r ffordd.
 Ysbryd Sanctaidd – Ysbryd gallu a gwirionedd,
gorchfyga ein hofnau a gwna ni'n wrol ynot ti;
rhyddha ni o'n syrthni ysbrydol
ac ennyn fflam ar allor ein heneidiau.
 Ysbryd Sanctaidd – Ysbryd Crist,
tyn ni i bresenoldeb ein Harglwydd Iesu;
mwyda'n calonnau caled yn llifeiriant ei gariad,
ysguba ymaith ein pechodau â'i faddeuant,
a llanw ni â gras a llawenydd ei fywyd ef.

Golygydd

575 FFRWYTHAU'R YSBRYD
 'Ffrwythau'r Ysbryd yw cariad, llawenydd a thangnefedd.'
 Arglwydd, planna ynom gariad Iesu
 a thywys ni i gymod â'n gilydd;
 rho i ni'r llawenydd a ddaw
 o rannu ym mywyd dy Ysbryd,
 ac mewn byd rhanedig a chreulon,
 gwna ni'n sianelau dy dangnefedd:
  Arglwydd, rho i ni o ffrwyth dy Ysbryd.
 'Ffrwythau'r Ysbryd yw goddefgarwch, caredigrwydd a daioni.'
 Arglwydd, gwna ni'n oddefgar
 a dysg ni i barchu'n gilydd,
 i fod yn garedig tuag at bawb mewn angen,

ac i dyfu mewn daioni wrth fyw i ti
ac wrth wasanaethu'n gilydd yn dy enw:
 Arglwydd, rho i ni o ffrwyth dy Ysbryd.
'Ffrwythau'r Ysbryd yw ffyddlondeb, addfwynder a
hunanddisgyblaeth.'
 Arglwydd, fel y buost yn ffyddlon i ni,
 gwna ni'n ffyddlon i ti ac i'n gilydd;
 planna ynom addfwynder Iesu
 a dysg ni i ddisgyblu a defnyddio
 pob dawn sydd ynom yn dy waith:
 Arglwydd, rho i ni o ffrwyth dy Ysbryd.
Helpa ni, Arglwydd, i dyfu yn ffrwythau'r Efengyl,
 i efelychu ein Harglwydd Iesu,
 i fynegi ei gariad ac i gerdded yn wastad yn ei lwybrau.

Seiliedig ar weddi gan Susan Sayers

576 I BA LE Y FFOAF O'TH YSBRYD: SALM 139
O Arglwydd, chwiliaist fi yn ôl a blaen,
deallaist fy meddyliau o hirbell,
ac nid oes ar fy nhafod unrhyw air
na wyddost ti amdano'n ganmil gwell.

 Rhy ryfedd yw i mi dy ddirgel ffyrdd,
rhy uchel i mi estyn atat draw;
ond deffro a noswylio wnaf bob dydd
dan ofal dy anfeidrol dirion law.

 Oddi wrth dy Ysbryd, i ba le yr af,
ac i ba le o'th wyddfod ffoaf fi?

 Os dringaf i'r entrychion, yno'r wyt;
os gwnaf fy ngwely'n uffern, wele di;
pe hedwn ar adenydd gwawr ymhell,
a thrigo ym mhellafoedd eitha'r môr,
ymaflyd oddi amgylch wna dy fraich
i'm hebrwng gartref yn dy goflaid siŵr.

 Os dywedaf, 'Cysgod nos a'm cuddia'n llwyr,
a throsodd t'wllwch du yn orchudd sydd';
eto nid tywyllwch ydyw'r gwyll i ti;
yr un i ti yw'r nos a golau dydd.

 O chwilia fi, O Dduw, a'm calon prawf –
prawf fi a gwybydd fy meddyliau cudd,
rhag crwydro ar gyfeiliorn hebot ti,
tywysa'm troed i rodio llwybr ffydd.

John H. Tudor, 1932–2004, *Gweddïo*, 1993

577 YSBRYD YR ADDEWID
Ysbryd Sanctaidd Duw,
buost yn symud ar wyneb y dyfroedd cyn ein bod;
ysbrydolaist bobl Dduw i'w foli ac i ymddiried ynddo:
    Tyred, Ysbryd yr addewid.
Cyneuaist dân yng nghalonnau'r proffwydi,
a chynheliaist eu ffydd yng nghanol anghrediniaeth;
nerthaist hwy yn nyddiau'r difaterwch ac yn oriau'r erlid:
    Tyred, Ysbryd yr addewid.
Disgynnaist fel colomen ar ein Brawd a'n Ceidwad Iesu Grist,
nes peri i addewid y Tad ddisgleirio ynddo,
ac i'w ddilynwyr ei gyffesu'n Arglwydd:
    Tyred, Ysbryd yr addewid.
Heddiw fe aethom yn wywedig iawn;
pallodd ein hysbryd, cydiodd oerfel ynom:
ti elli gynhesu ein calonnau a pheri iddynt losgi o'n mewn:
    Tyred, Ysbryd yr addewid.
Tyred, a pharatoa ni i Deyrnas Dduw
bob dydd o'n hoes.

Gweddïau yn y Gynulleidfa

578 TYRD I ORLIFO'N BYWYDAU
Arglwydd bywyd,
yr wyt ti'n agor dy freichiau i'n cofleidio yn dy gariad,
i'n bywhau â'th Ysbryd Glân ac i'n harfogi â'th nerth:
tyrd atom i adfywio'n ffydd ac i roi i ni awydd newydd
i weddïo ac i dyfu ym mywyd Crist:
    Ysbryd bywyd,
    anadla ar ein heneidiau llesg.
Gweddïwn dros y rhai
sy'n teimlo'u ffydd yn wan a'u gofidiau'n eu llethu;
y rhai sydd wedi pellhau oddi wrthyt ac sy'n ymbalfalu
am ystyr a chyfeiriad i'w bywydau:
    Ysbryd bywyd, tywys hwy
    i'r bywyd newydd sydd yn Iesu Grist.
Gweddïwn dros y rhai
sy'n dy wasanaethu yn dy Eglwys
ac yn tystio iti ym mywyd y byd, yn enwedig
y rhai sy'n wynebu gwrthwynebiad a difaterwch
ac yn digalonni yn y gwaith:
    Ysbryd bywyd, rho iddynt wroldeb
    a nerth i ddyfalbarhau.

Gweddïwn dros y rhai
sy'n dioddef tlodi a newyn,
y rhai sydd ynghanol peryglon rhyfel a therfysg,
a'r rhai sy'n ysglyfaeth i ormes a chreulondeb:

> *Ysbryd bywyd, arfoga ni*
> *i weithio dros heddwch a chyfiawnder yn y byd.*

Gweddïwn dros y rhai
sy'n wael mewn ysbytai neu yn eu cartrefi,
yn enwedig y rhai y mae eu bywyd yn y byd hwn
yn dod i'w derfyn:

> *Ysbryd bywyd, cynnal hwy hyd y diwedd*
> *a rho iddynt olwg ar ogoniant y bywyd tragwyddol.*

Ysbryd Sanctaidd Duw, tyrd atom
i orlifo'n bywydau â'th gariad, â'th ddoniau
ac â'th dangnefedd.

Golygydd

579 GWNA NI'N DDISGWYLGAR

Arglwydd Dduw Dad,
diolchwn heddiw am dy rodd di o'r Ysbryd Glân:
cofiwn yr Ysbryd a ddaeth mewn grym a gallu,
yr Ysbryd a greodd mewn newydd-deb,
yr Ysbryd a rannodd lawenydd a thangnefedd,
yr Ysbryd a roddodd ystyr a chyfeiriad,
yr Ysbryd a ffurfiodd gymdeithas a chariad.

    Cofiwn yr Ysbryd a fu'n symud droeon wedyn
yn hanes ein cenedl,
yn ysbrydoli, yn goleuo, yn cyffroi,
yn cysuro, yn dryllio, yn arwain ac yn bywhau.

    Arglwydd Dduw Dad,
sylweddolwn inni golli golwg ar dy Ysbryd di
a chael ein meddiannu gan ysbryd arall:
maddau'r ysbryd llesg a dihyder;
yr ysbryd diobaith a thrist;
yr ysbryd rhanedig ac amheus;
yr ysbryd sy'n caethiwo, tawelu, tywyllu ac oeri.

    Gwna ni'n ddisgwylgar
am yr Ysbryd a ryddhawyd ar y Pentecost
ac sy'n dal yn rhydd:
hwn yn unig all fwrw allan bob ysbryd arall.

Robin Wyn Samuel, *Gweddïo*, 1994

580 ADNABOD YR EIRIOLWR

Ydym, Arglwydd, rydym yn clywed ochenaid y cread:
fforestydd yn cael eu difa drwy fygythiad tlodi,
tir yn cael ei ddifwyno gan drachwant cenhedloedd,
afonydd yn cael eu gwenwyno â chemegau,
amgylchedd yn cael ei fygwth gan ffordd afradus o fyw,
ymbelydredd afreolus a all ddifa patrymau bywyd ei hun:
> *Rydym yn clywed, Arglwydd,*
> *ond ni wyddom sut y dylem weddïo.*

Ysbryd Glân Duw, Eiriolwr, ymbil dros dy greadigaeth
ag ochneidiau y tu hwnt i eiriau,
a rhyddha dy nerth adnewyddol ynom ni,
fel y gallwn uno'n gweddi a'n gwaith
i ryddhau'r greadigaeth o gaethiwed ei llygredd
i ryddid ei gogoniant:
> *Eiriolwr, tyrd atom a gwrando ni.*

Ydym, Arglwydd, rydym yn clywed ochenaid y ddynolryw:
y tlodion sy'n disgwyl ac yn ymdrechu,
y rhai sydd o dan orthrwm,
y rhai sy'n ymgyrchu dros ryddhad,
y tlawd, y digartref, y diobaith,
a'r rhai sy'n brwydro o'u plaid:
> *Rydym yn clywed, Arglwydd,*
> *ond ni wyddom sut y dylem weddïo.*

Ysbryd Glân Duw, Eiriolwr, ymbil dros y ddynolryw
ag ochneidiau y tu hwnt i eiriau,
a rhyddha dy nerth adnewyddol ynom ni,
fel y gallwn uno'n gweddi a'n gwaith
i ryddhau'r ddynolryw
o gaethiwed ei llygredigaeth i ryddid ei gogoniant:
> *Eiriolwr, tyrd atom a gwrando ni,*
> *a gad inni glywed nodau'r anthem yn ochenaid y gwewyr.*

Noel A. Davies, *O Ddydd i Ddydd*, Ebrill–Mehefin 1990

581 GRASUSAU'R YSBRYD GLÂN

O Dduw trugarog, gofynnwn i ti lenwi ein calonnau â grasusau'r
Ysbryd Glân: â chariad, llawenydd, tangnefedd, amynedd,
addfwynder, ffydd a daioni. Dysg ni i garu'r rhai sy'n ein casáu, a
gweddïo dros y rhai a wnêl niwed i ni, fel y byddom blant i ti, ein
Tad, yr hwn sy'n peri i'r haul godi ar y drwg a'r da ac yn glawio
ar y cyfiawn a'r anghyfiawn.

Anselm Sant, 1033–1109

286

582 YSBRYDOLA A DEFNYDDIA NI

Tyrd, Ysbryd Glân,
ysbrydola ni ag ynni dwyfol,
defnyddia ni yn dy wasanaeth,
a bendithia ni â'th ddoniau.

Tyrd, Ysbryd Glân,
rho i ni fywyd newydd,
cryfha ein cariad,
a chymorth ni i weld dy ffordd di ar ein cyfer.

Tyrd, Ysbryd Glân,
adnewydda'n bywydau lluddedig,
rhyddha ni o'r hyn sy'n rhwystro'n twf,
ac arwain ni i dangnefedd.

Tyrd, Ysbryd Glân,
cyflwyna ni i Dduw y Tad,
traetha wrthym am Dduw y Mab,
ac ni fydd terfyn ar ein mawl.

Seiliedig ar Veni Creator Spiritus

583 CYSEGRA EIN DYHEADAU A'N DONIAU

Ysbryd tragwyddol, yr hwn wyt erioed yn dwyn trefn allan o
anhrefn, ac yng nghyflawnder yr amser a elwaist i fod
gymdeithas newydd dy Eglwys. Gad inni eto weld dy wedd a'th
wyrth, a dwg eto lawer mwy, allan o bob llwyth ac iaith a phobl,
i'r sanctaidd gyfamod.

Ti, yr hwn a ysbrydolaist broffwydi llawer oes a'u gwneud yn
gryfion dros y gwir, meddianna heddiw eto bob aelod o'th
Eglwys. Cysegra ein dyheadau a'n doniau i'th ogoniant.

Disgyn, dyner Ysbryd, megis cynt ar bob oed a gradd, fel y
byddom un mewn meddwl a phrofiad ysbrydol ac yn gytûn ein
tystiolaeth gerbron y byd.

Ysbryd y deffroadau mawr, gwna'r Eglwys eto yn allu mwy
yn y byd, yn glir ei gweledigaeth, yn broffwydol ei gair, ac yn
sicr ei chenhadaeth.

Trig ynom yn wastadol, O Ysbryd Crist, i'n perffeithio mewn
cariad, fel y gweler dy rasol ffrwythau yn ein bywyd. Boed ein
calonnau yn demlau i ti, fel byddo ein bywyd oll yn addoliad.

O Eiriolwr mawr, yr hwn sydd yn eiriol dros Grist ynom ac
yn erfyn drosom, gwêl ein hangen a'n hiraeth, a gwrando ein cri;
trwy Iesu Grist ein Harglwydd.

R. W. Davies

584 PEN-BLWYDD YR EGLWYS
Ein Tad, trown atat i ddathlu pen-blwydd dy Eglwys
ac i ddiolch amdani:
diolchwn i ti am dy Ysbryd a'i creodd
ac sydd yn ei chynnal drwy dreialon amser;
am yr Ysbryd sydd yn ei goleuo
trwy ei dysgu am dy fawrion weithredoedd,
ac yn ei hargyhoeddi o bechod a chyfeiliorni yn ei ffyrdd;
am dy Ysbryd sy'n ei glanhau
o bob cymhelliad annheilwng a meddwl drwg;
am dy Ysbryd sydd yn dod â gwres i gynhesu'r meddwl oer
a thoddi'r galon galed;
am dy Ysbryd sydd yn rhoi bywyd newydd
mewn corff, meddwl ac ysbryd;
am dy Ysbryd sydd yn aflonyddu arni
yn ei hesmwythyd a'i difaterwch.
    Cadw feddwl a chalon dy Eglwys yn agored bob amser
i gael ei llenwi a'i meddiannu gan dy Ysbryd di;
yn enw Iesu Grist.

John Owen, Gweddïo, 1985

585 GWEINIDOGAETH IACHÁU
Ysbryd Glân, mae dy ddoniau di'n rhyfeddol,
a diolchwn amdanynt.
    Diolchwn i ti am ddawn iacháu:
mae'n wych gweld cleifion yn dod yn holliach,
a thystio i ddeillion yn cael adferiad golwg
a'r cloffion yn gallu cerdded.
    Diolchwn iti am bawb sy'n ymarfer gweinidogaeth iacháu
a phawb sy'n rhoi mynegiant i'th rodd di o iachâd.
    Ysbryd iachusol,
gweddïwn dros bawb sy'n dioddef oddi wrth glefydau difrifol
a'r rhai sy'n marw;
gweddïwn am fedr ac amynedd ar ran y meddygon a'r nyrsys
sy'n gofalu amdanynt mewn ysbyty a hospis;
gweddïwn y caiff eu perthnasau a'u cyfeillion,
yn eu cariad a'u gofal, dderbyn nerth a chysur.
    Cadw eu ffydd rhag gwegian a'u dewrder rhag pallu
wrth iddynt galonogi a chynnal ei gilydd trwy adegau o brawf.
    Gweddïwn dros rai sy'n dioddef gan AIDS
wrth iddynt wynebu holl galedi salwch terfynol
ar ben baich ychwanegol beirniadaeth a chamddeall.

Gweddïwn am arweiniad i'r rhai sy'n ymchwilio fel,
trwy dy ysbrydoliaeth di a'u sgiliau hwy, y canfyddir ffyrdd
i oresgyn plâu ein cenhedlaeth bresennol.
    Cynorthwya ni i fyw yn dy ffordd di
ac i geisio dy iachâd o ran corff, meddwl ac ysbryd.

John Johansen-Berg, addas. Glyn Tudwal Jones

586   GWNA NI'N BOBL AGORED
Dduw Dad, anfon dy Ysbryd Glân i'n bywydau,
   a thrwy dy Ysbryd gwna ni'n bobl agored.
Agor ein clustiau i glywed yr hyn yr wyt ti'n ei ddweud
   wrthym yn yr hyn sy'n digwydd i ni,
   a'r hyn sy'n digwydd i'n byd.
Agor ein llygaid i weld anghenion pobl o'n cwmpas,
   a gweld yng nghanol y cyfan
   ogoniant dy Fab Iesu Grist.
Agor ein gwefusau i rannu'r newyddion da am Iesu,
   i ddwyn cysur a llawenydd i fywydau eraill.
Agor ein meddyliau i ddarganfod gwirioneddau newydd
   amdanat ti a'th greadigaeth.
Agor ein calonnau i'th garu di,
   ac i garu ein cyd-ddynion,
     fel y ceraist ti ni yn Iesu Grist.

Caryl Micklem, 1925–2001

587   YR YMWELYDD NEFOL
Maddau i ni, O Ymwelydd nefol,
am gau ohonom y drws mor fynych yn dy erbyn;
dysg i ni ffordd well o'i gau, er mwyn myfyrio arnat
a thrwy hynny dy gael di atom.
    Gymeri di yr allwedd i'th feddiant
i ddyfod i mewn ac allan fel y mynnot?
    O na allem roi'r cyfrifoldeb i gyd arnat ti
am gau'r drws yn ddiogel rhag pob gelyn crwydrad
o feddwl ddaw i'n blino.
    Nid oes fangre ddigon tawel ar wyneb daear
i ni breswylio mewn tangnefedd os na byddi di yno,
ac nid oes derfysg all aflonyddu ar y rhai
y rhoddi di dangnefedd iddynt.
    Dyro inni, yma'n awr, glywed yn ystafell gaeedig y meddwl,
dy lais di yn sibrwd: 'Tangnefedd!'

H. Elvet Lewis, 1860–1953

588 DDIDDANYDD, DANLLYD YSBRYD
　　　O Ysbryd Glân,
　　　　　Ddiddanydd, danllyd Ysbryd,
　　　　　bywyd pob creadur:
　　　　　sanctaidd wyt ti –
　　　　　ti sy'n rhoi bodolaeth
　　　　　i bob peth.
　　　Sanctaidd wyt ti –
　　　　　ti wyt yn falm
　　　　　i'r rhai a glwyfwyd hyd at angau.
　　　　　Sanctaidd wyt ti –
　　　　　ti wyt yn glanhau'r clwyf dyfnaf.
　　　Dân cariad,
　　　　　anadl pob sancteiddrwydd,
　　　　　rwyt ti mor felys i'n calonnau.
　　　Rwyt yn llenwi dyfnderau'n calonnau
　　　　　â pheraroglau dy ras a'th rinwedd.

Hildergard o Bingen, 1089–1179

589 SYCHEDU AM DDUW
　　　O Dad, ym mha le bynnag
　　　y mae dy Eglwys yn hesb a sychedig,
　　　gad i ffrydiau dy Ysbryd lifo drwyddi i'w diwallu a'i hadfer.
　　　　　Gwna ni'n ymwybodol o'n syched amdanat
　　　fel y deuwn atat yn eiddgar i yfed o'th ddyfroedd byw.
　　　　　Gofynnwn i ti ein gwneud
　　　yn sianelau effeithiol i'th gariad a'th faddeuant
　　　yn ein hymwneud â'n gilydd.
　　　　　Mwyda ni yn nyfroedd dy gariad, er mwyn i ni,
　　　yn ein cartrefi a'n mannau gwaith,
　　　yn ein siopa a'n hamdden,
　　　yn ein siarad a'n gweithredoedd,
　　　fynegi dy gariad di i bobl eraill.
　　　　　Helpa ni i sefyll ochr yn ochr
　　　â'r rhai sy'n dioddef mewn corff, meddwl ac ysbryd,
　　　y rhai sy'n dyheu am iachâd a chymorth,
　　　am nerth i ddyfalbarhau,
　　　ac am wroldeb i wynebu profiadau anodd:
　　　cofleidia a chynnal hwy â'th Ysbryd.
　　　　　Arglwydd, cymaint yw ein hangen amdanat;
　　　mor dlawd yw ein heneidiau hebot;
　　　mor hesb ein bywydau heb lifeiriant dy Ysbryd.

Tywys ni yn dyner a chariadus
at y dŵr bywiol sy'n diwallu pob syched:
glanha, bywha ac adnewydda ni,
yn enw Iesu Grist ein Harglwydd.

Susan Sayers

590 WYTHNOS CYMORTH CRISTNOGOL: i
Dad trugarog, cofiwn mewn tristwch am y rhai sy'n dioddef
newyn a thlodi, ac am y plant sy'n gorfod ffarwelio â llwyfan ein
byd cyn dechrau cerdded arno. Arglwydd, maddau'r
anghyfiawnder sydd ar ein daear. Cofiwn, mewn cywilydd, fod
ein hunanoldeb a'n dihidrwydd ni yn cyfrannu at yr
anghyfiawnder hwnnw. Mor fynych y buom yn gweiddi am ein
hawliau a'n cysur a'n ffyniant, heb sylweddoli bod ein ffyniant ni
wedi ei blethu â ffyniant ein brodyr a'n chwiorydd drwy'r byd.
Boed yr wythnos hon, felly, yn gyfle, yn enw Iesu Grist, i ddatod
llinynnau trugaredd ein calon.

Llyfr Gwasanaeth yr Annibynwyr Cymraeg, 1998

591 WYTHNOS CYMORTH CRISTNOGOL: ii
Diolchwn i ti, O Dduw, am Gymorth Cristnogol:
oherwydd y cymorth a rydd i ffoaduriaid,
i drueiniaid mewn trychinebau,
i'r tlodion sy'n ymdrechu i gynnal bywyd;
oherwydd y dystiolaeth a rydd i'r Crist
sydd yn tosturio wrth y torfeydd newynog;
oherwydd y cyfle a rydd i Gristnogion i gymryd rhan
yng nghenhadaeth drugarog yr Arglwydd.
Gweddïwn dros y rhai sy'n casglu
trwy flychau ar strydoedd,
trwy gasgliadau mewn eglwysi,
a thrwy amrywiol ffyrdd,
ar iddynt brofi llawenydd yn y gwaith;
dros y rhai sy'n gweinyddu'r gronfa,
ar iddynt gyflawni'r gwaith mewn cariad
a chydag ymroddiad llwyr;
dros y rhai sy'n cyfrannu o'u cyfoeth ar iddynt fod yn hael
ac yn onest i wynebu'r cyfrifoldeb am gyflwr y tlawd;
drosom ein hunain ar i ni'n rhoi ein hunain
yn gyntaf i'r Arglwydd,
ac yna i'w weision er cyflawni ei waith.

Huw Wynne Griffith, 1915–93, *Gweddïo*, 1991

592 WYTHNOS CYMORTH CRISTNOGOL: iii
Ein Tad nefol, deisyfwn ar i ti agor ein calonnau
mewn cydymdeimlad â'r rhai sydd mewn angen ym mhob man.
 Ynghanol ein llawnder, cynorthwya ni
i sylweddoli'n iawn beth yw gwewyr eisiau,
a phoen newyn, a baich tlodi mawr.
 Gwna ni'n fwy sensitif i angen pobl eraill,
a bendithia bob ymdrech i gwrdd â'u gofyn.
 Diolch i ti am waith Cymorth Cristnogol,
am lafur ac arweiniad ei swyddogion,
am help cyson y gweithwyr gwirfoddol,
am y rhai sy'n barod i guro drysau,
a'r rhai sy'n barod i'w hagor
a chyfrannu'n hael o flwyddyn i flwyddyn.
 Wrth gofio fod miloedd drwy'r byd mewn angen,
helpa ni i gofio fod Iesu'n dal i ddweud wrth ei ddilynwyr,
'Rhowch *chwi* iddynt beth i'w fwyta.'
 Gwna ni'n barod ein hymateb ac yn hael ein cymorth,
a bendithia bob trefnu gofalus
a fydd yn dileu'r pellteroedd er mwyn achub bywydau.
 Am fod ein hymdrech yn fach a'r gofyn yn fawr,
gweddïwn ar i rywrai o'r newydd gael eu hysgogi
i weithredu cyfiawnder a thrugaredd yn y byd;
yn enw Iesu Grist ein Harglwydd.

W. Rhys Nicholas, 1914–96

593 EIDDO DUW I'R BYD
Gwêl dy ddwylo,
gwêl y cyffyrddiad a'r tynerwch:
 Eiddo Duw i'r byd.
Gwêl dy draed,
gwêl y llwybr a'r cyfeiriad:
 Eiddo Duw i'r byd.
Gwêl dy galon
gwêl y tân a'r cariad:
 Eiddo Duw i'r byd.
Gwêl y groes,
gwêl Fab Duw a'n Gwaredwr ninnau:
 Eiddo Duw i'r byd.
Hwn yw byd Duw:
 Gwasanaethwn ef ynddo.

Wild Goose Worship Group

594 GWNEUD YN DDA HEB WNEUD DAIONI

Cydnabyddwn gerbron Duw yr adegau hynny
pan na charon ni eraill fel y carodd Iesu ni.
Rydym yn bobl sydd yn awyddus i wneud yn dda
ond yn araf i wneud daioni.
Cyffeswn hyn i Arglwydd bywyd:
    Yn dy drugaredd, Arglwydd, maddau inni.
Rydym yn bobl sydd yn awyddus i arbed amser
ond yn gyndyn i roi amser.
Cyffeswn hyn i Arglwydd bywyd:
    Yn dy drugaredd, Arglwydd, maddau inni.
Rydym yn bobl sydd yn awyddus i wella ein bywydau,
ond yn araf i wella ein byd.
Cyffeswn hyn i Arglwydd bywyd:
    Yn dy drugaredd, Arglwydd, maddau inni.
Ac eto, ychydig o bobl sy'n mwynhau adnoddau'r ddaear,
ac ni chaiff pawb gyfran ohonynt.
Cyffeswn hyn i Arglwydd bywyd:
    Yn dy drugaredd, Arglwydd, maddau inni.
Bydded i'n Duw graslon faddau inni
a'n gwneud ni'n bobl deilwng ohono ef –
yn ein bywyd, trwy farwolaeth,
ac am dragwyddoldeb.

Trefn Gwasanaeth Cymorth Cristnogol, 2004

595 GWASANAETHU MEWN BYD O ANGEN

Dduw cariadlon,
    rwyt yn ein galw i'th wasanaethu mewn byd o angen.
Wrth inni fwydo'r newynog
    rydym yn offrymu bara i Grist yn yr anialwch;
    pan fyddwn yn helpu i suddo pydew ar gyfer pentref sychedig,
    rydym yn offrymu cwpaned o ddŵr i Grist ar y groes.
Cynorthwya ni i weld ein bod ym mhob gofal a roddwn
    yn byw'r Efengyl yn enw Iesu ein Gwaredwr.
Diolchwn iti am ein partneriaeth yn yr Efengyl
    â Christnogion mewn sawl gwlad.
Bydded inni galonogi'n gilydd
    wrth inni roi a derbyn yn enw Crist.
Pan glywir cri'r weddw a'r amddifad yn ein tir,
    gwna ni'n barod i ymateb gyda'n gilydd
    â thrugaredd a chyda ffydd.

John Johansen-Berg, addas. Glyn Tudwal Jones

596   BOD YN GRIST I BAWB
> Dduw cariadus,
>> cymorth ni i fod yn Grist i bawb
>> mae eu bywydau yn ein cyffwrdd.
> Gweld eraill
>> fel y gwelodd Iesu hwy,
>> gyda llygaid tosturiol.
> Gwrando
>> fel y gwrandawodd Iesu,
>> ar gri calonnau ysig
>> ac ar fyd rhanedig.
> Cyffwrdd eraill,
>> fel Iesu,
>> gyda gobaith ac iachâd.
> Gwasanaethu eraill,
>> fel Iesu,
>> heb unrhyw amodau.
> Torri bara gydag eraill,
>> fel Iesu,
>> er mwyn porthi'r newynog.
> Dathlu gydag eraill,
>> fel Iesu,
>> lawnder dy ddarpariaeth di.
> Dduw cariadus,
>> cymorth ni i fod yn Grist i bawb
>> y mae eu bywydau yn ein cyffwrdd ni.

John Slow, Gweddïo, 2001–02

597   MOR YSBLENNYDD WYT TI
Sanctaidd, sanctaidd, sanctaidd, Arglwydd Dduw hollgyfoethog,
Tad, Mab ac Ysbryd Glân, un Duw'n oes oesoedd!
> Mor ysblennydd dy nodweddion,
yn dy gariad, dy gyfiawnder, dy nerth a'th lendid dihalog,
ac mor syfrdanol dy weithredoedd,
yn creu a chynnal, yn barnu ac achub.
> Yr wyt wedi ein hamgylchynu ar bob tu;
ni all neb ohonom dy osgoi na chilio oddi wrthyt;
yr wyt yn bresennol ym mhob oes ac ym mhob man.
> Er mor enfawr y bydysawd ac er mor gymhleth ei wead,
tydi a'i lluniodd a thydi sy'n llywodraethu drosto;
ni all chwyldroadau daear na chynllwynion pobl
gymylu dy ogoniant.

Plygwn ger dy fron i gydnabod gyda syndod
dy fod wedi sylwi mor drugarog arnom ni
a sicrhau fod dy drugaredd fel mur cadarn o'n hamgylch.
    Ymunwn â'r Eglwys ar y ddaear
a'r Eglwys fuddugoliaethus yn y nefoedd
i'th ogoneddu di, y Drindod Sanctaidd,
gan roi i ti'r clod a'r gogoniant yn oes oesoedd.

R. Tudur Jones, 1921–98, Gweddïo, 1992

598   CYMUNDEB O GARIAD

Dragwyddol ac anfeidrol Dduw,
    er na fedrwn ni amgyffred rhyfeddod dy fawredd,
    yr wyt ti'n ein gwahodd i'th bresenoldeb,
    a thrwy Iesu Grist ac yng ngrym yr Ysbryd Glân,
    yn ein tywys i rannu yn y cymundeb o gariad sydd ynot ti.
Addolwn di am inni dy adnabod fel Duw y Tad:
    am dy waith yn galw'r byd a'r bydoedd i fod;
    am dy ragluniaeth dyner yn cynnal dy gread,
    ac am i ti dy ddatguddio dy hun i ni yn Dduw cariad.
Addolwn di am inni dy adnabod fel Duw y Mab:
    am i'th ogoniant dwyfol ddod i'n plith yn y dyn Iesu;
    am i ti rannu yn ein bywyd dynol ni yn ei wynfyd a'i wae,
    ac am iti, yn Iesu, faddau inni ein pechodau a'n cymodi â thi.
Addolwn di am inni dy adnabod fel Duw yr Ysbryd Glân:
    am i ti wisgo dy Eglwys â nerth ar ddydd y Pentecost;
    am i ti wroli dy ddisgyblion i gyhoeddi'r newyddion da,
    ac am dy bresenoldeb byw gyda ni yn goleuo, yn arwain ac yn
    bywhau.
Mae rhyfeddod dy sancteiddrwydd yn llawer mwy na'n deall ni,
    ond diolchwn iti am dy ddatguddio dy hun inni,
    ac am i ti ein cofleidio, ein cynnal a'n cadw yn dy ras.
Ac i ti, yr un Duw, yn Dad, Mab ac Ysbryd Glân,
    y bo'r mawl a'r gogoniant yn oes oesoedd.

Golygydd

599   AM OLEUNI NEFOL

O dragwyddol Dduw, rhoddwr bywyd pob enaid, gofynnwn i ti
lewyrchu dy oleuni a'th ddiddanwch nefol ar dy Eglwys gyfan
ym mharadwys ac ar y ddaear, a chaniatâ i ninnau, sy'n dilyn
esiampl dy weision ymadawedig, gael mynediad gyda hwy i'th
lawenydd tragwyddol; trwy Iesu Grist ein Harglwydd.

John Wordsworth, 1843–91

600 DAWNS Y DRINDOD
O Dduw ein dirgelwch,
ti sy'n ein dwyn i fywyd,
yn ein galw i ryddid,
ac yn symud rhyngom mewn cariad:
gad i ni yn y fath fodd
ymuno yn nawns y Drindod,
fel y bydd i'n bywydau d'adleisio di,
yn awr a byth bythoedd.

Janet Morley, cyf. Enid Morgan

601 Y DRINDOD YN GWARCHOD
Y Drindod
yn fy ngwarchod:
y Tad drosof,
y Gwaredwr o danaf,
yr Ysbryd o'm cwmpas:
y Tri Sanctaidd
yn f'amddiffyn.
    Pan ddaw'r nos
bendithia'm cartref,
Sanctaidd Dri,
gwylia fi.
    Pan ddaw cysgodion,
clyw fy nghri,
Sanctaidd Dri,
cylchyna fi,
fel y bo'n
Amen i ti;
Sanctaidd Dri,
o'm cwmpas i.

Enid Morgan

602 SUL Y DRINDOD
Hollalluog a thragwyddol Dduw, yr wyt wedi dy ddatguddio dy
hun yn Dad, Mab ac Ysbryd Glân, ac yr wyt yn byw ac yn
teyrnasu yn undod perffaith cariad:
cadw ni'n ddiysgog yn y ffydd hon, fel yr adwaenwn di yn dy
holl ffyrdd a llawenhau am byth yn dy ogoniant tragwyddol,
sy'n dri pherson mewn un Duw,
yn awr ac yn oes oesoedd.

Llyfr Gwasanaeth yr Eglwys Fethodistaidd, 1985

603 MAWL I'R DRINDOD

Rwyt yn teilyngu pob mawl, dragwyddol Dad:
    creaist y bydysawd yn ei holl amrywiaeth
    a gwnaethost ni ar dy lun a'th ddelw dy hun.
Rwyt yn teilyngu pob mawl, Arglwydd Iesu Grist:
    ymwelaist â'r ddaear i ddatguddio cariad Tad,
    gan adfer ein gobaith trwy dy fywyd a'th farwolaeth.
Rwyt yn teilyngu pob mawl, Ysbryd Glân Duw:
    gelwaist bobl Dduw ynghyd
    a gelwaist ni i fod yn Eglwys ar y ddaear.
Dragwyddol Dad,
Arglwydd Iesu,
Ysbryd Glân Duw:
    rwyt yn teilyngu pob mawl,
    yn awr ac yn oes oesoedd.

Gweddïau i'r Eglwys a'r Gymuned, addas. Trefor Lewis

604 WYTHNOS UN BYD

Dragwyddol Dduw,
credwn fod ein haddoli yn ein tynnu'n nes atat ti
ac at ein cymdogion ar y ddaear.
    Gweddïwn dros y cread cyfan:
boed i ni ddysgu cyn ei bod yn rhy hwyr
barchu dy ddaear unigryw, fregus, hardd
a'i holl greaduriaid.
    Gweddïwn dros bob cenedl a hil:
boed i'n gweithredoedd a'n ffordd o fyw ddangos ein cred
fod pob un ym mhob man yn frodyr ac yn chwiorydd i ni,
beth bynnag fo'u gwlad, eu dinas neu eu llwyth,
beth bynnag fo'u haddysg neu eu diwylliant,
beth bynnag fo'u hamgylchiadau, eu crefydd neu eu lliw.
    Gweddïwn am heddwch yn ein byd briwedig a thoredig:
gweddïwn y gwelir dinistrio arfau yn hytrach na phobl,
y tawelir y dryllau ac nid lleisiau'r tlodion,
ac y deallwn nad moethusrwydd yw cariad mewn byd mor frau.
    Gweddïwn dros yr Eglwys ym mhob rhan o'r byd:
boed iddi fod yn driw ac yn llawen, yn iach ac yn egnïol,
gan ailddarganfod dro ar ôl tro i ti ei galw i fodolaeth
er mwyn gwasanaethu ac achub eraill.
    Gofynnwn hyn yn llawn hyder a gobaith
yn dy ras anorchfygol, yn enw Iesu Grist.

Llyfr Gwasanaeth yr Annibynwyr Cymraeg, 1998

605   PERTHYN I'N GILYDD

Heddiw, Arglwydd,
bydd pobl yn cael eu geni a bydd pobl yn marw;
bydd pobl yn priodi, yn gadael cartref
ac yn sefydlu eu haelwydydd eu hunain;
bydd pobl yn gwledda, yn newynu,
yn gwneud arian, yn dwyn arian,
yn rhannu arian ag eraill;
bydd pobl yn llwyddo ac yn methu;
bydd rhai yn lladd a rhai yn caru a thosturio.

    Dyma dy deulu di, Arglwydd,
ac y mae'n deulu mawr
a thu hwnt i'n dirnadaeth ni,
ac eto fe wyddom ein bod yn rhan ohono.

    Tyn ni'n agosach at ein gilydd fel plant i ti;
dysg ni i ofalu am ein gilydd,
a gofidio am ein gilydd,
nid mewn gweddi achlysurol,
ond yn y ffordd y gwariwn ein harian,
a threulio'n hamser,
a bwrw'n pleidlais a magu'n plant.

    Adnewydda'r teimlad yng nghalon pawb ohonom
ein bod yn perthyn i'n gilydd,
a boed i'r syniad o deulu fod yn real
yn ein meddwl ac yn ein bywyd,
fel y gallwn ofyn hyn yn enw'r Iesu,
a'n dysgodd ni i'th alw di yn 'Dad'.

Meurwyn Williams, 1940–98

606   UN TEULU YNG NGHRIST

Am y goludoedd amrywiol sydd ym mywyd cenhedloedd y byd;
am ein cyd-ddynion ym mhob gwlad, o bob lliw ac iaith;
am y cyfan a gawn drwy eraill mewn llên a chelfyddyd,
addysg a chrefydd:
    Diolchwn i ti, O Dduw.
Am ein cenedl ni, ei hiaith a'i diwylliant,
am y gwŷr da a neilltuwyd gennyt i fod yn arweinwyr iddi
a'r gweision cywir a feithrinaist ynddi:
    Diolchwn i ti, O Dduw.
Am bawb sy'n cyhoeddi Efengyl y Cymod
ac sy'n dilyn ffordd tangnefedd:
    Diolchwn i ti, O Dduw.

Rhag gosod terfynau i'th deyrnas di,
nad oes ynddi nac Iddew na Groegwr,
Barbariad na Scythiad, caeth na rhydd;
rhag gwadu ohonom ein dynoliaeth gyffredin
a'n brawdoliaeth yng Nghrist:
> *Gwared ni, O Arglwydd.*

Rhag culni cenedlaethol,
rhagfarn hil a chadwynau plwyfoldeb:
> *Gwared ni, O Arglwydd.*

Rhag y nwydau cynddeiriog sy'n ennyn gelyniaeth;
rhag pob amharodrwydd i gydnabod ein hundod ynot ti;
rhag pob ffurf ar hunangyfiawnder
a thrachwant personol:
> *Gwared ni, O Arglwydd.*

Tywys ni i sêl o blaid uniondeb, brawdoliaeth
ac ewyllys da ymhlith y cenhedloedd.

Prysura'r dydd pan fydd y cleddyfau wedi eu troi'n sychau
a'r gwaywffyn yn bladurau,
pan na chyfyd cenedl gleddyf yn erbyn cenedl
ac na ddysgant ryfel mwyach.

Diogela ni oll o dan arglwyddiaeth cariad Crist
lle nad oes ganolfur a'n gwahaniaetha.

Gofynnwn hyn yn enw Iesu, ein Brawd a'n Prynwr.

Gweddïau yn y Gynulleidfa, addas.

607 COLECT AM HEDDWCH Y BYD

Hollalluog Dduw, ffynhonnell pob meddwl o wirionedd a hedd:
ennyn yng nghalon pob dyn wir gariad at heddwch; ac â'th
ddoethineb pur a heddychlon arwain y rhai sy'n ymgynghori
dros genhedloedd y byd, fel yr hyrwyddir dy deyrnas mewn
tangnefedd, hyd oni lenwir y ddaear â gwybodaeth o'th gariad;
trwy Iesu Grist ein Harglwydd.

Y Llyfr Gweddi Gyffredin

608 COLECT GŴYL YR HOLL SAINT

Dduw hollalluog, a gysylltaist ynghyd dy etholedigion yn un
cymundeb a chymdeithas yn nirgel gorff dy Fab, Crist ein
Harglwydd, caniatâ i ni ras i ddilyn dy saint gwynfydedig mewn
buchedd rinweddol a duwiol, fel y delom i'r llawenydd
anhraethol hwnnw a baratoaist i'r rhai sy'n dy garu'n ddiffuant;
trwy Iesu Grist ein Harglwydd.

Y Llyfr Gweddi Gyffredin

609 GŴYL YR HOLL SAINT
O Arglwydd ein Duw, diolchwn i ti
am y rhai fu'n dilyn ffordd dy fywyd di
yn llawen drwy'r oesau:
am y saint a'r merthyron, merched a dynion,
a offrymodd eu bywyd,
er mwyn arddangos dy fywyd cyflawn di,
ac er mwyn i'th deyrnas fynd rhagddi yn y byd.
Am dy gariad a'th ffyddlondeb
rhoddwn glod i'th enw glân.

O Arglwydd, diolchwn i ti
am y rhai a ddewisodd ffordd dy Fab,
ein brawd Iesu Grist:
ynghanol treialon, bu iddynt gynnig gobaith;
ynghanol casineb, llosgodd eu cariad yn fflam;
ynghanol erledigaeth, buont yn dystion i'th nerth di;
ynghanol anobaith, daliasant wrth dy addewidion.
Am dy gariad a'th ffyddlondeb
rhoddwn glod i'th enw glân.

O Arglwydd, diolchwn i ti
am y gwirionedd a ddysgwyd ganddynt ac a drosglwyddwyd i ni:
mai drwy roi y cawn ninnau dderbyn;
mai drwy fod yn wan y down ninnau'n gryf;
mai drwy garu eraill y cawn ninnau'n caru;
mai drwy offrymu'n hunain y bydd i'th deyrnas flodeuo;
mai drwy farw yr etifeddwn fywyd tragwyddol:
Arglwydd, rho inni'r gwroldeb i ddilyn ffordd dy fywyd di.
Am dy gariad a'th ffyddlondeb
rhoddwn glod i'th enw glân.

Cyngor Eglwysi'r Byd

610 BYWYDAU DISGLAIR Y SAINT
Arglwydd,
    diolchwn am dy frenhiniaeth fawr dros fyd a bywyd.
Diolchwn am gyfeillion a cheraint a fu'n gobeithio ynom,
    er i ni weithiau siomi eu gobeithion.
Diolchwn i ti am y rhai a roddodd eu hymddiriedaeth ynom,
    er i ni fethu â bod yn deilwng o'r ymddiriedaeth honno.
Diolchwn am y rhai sydd wedi maddau i ni,
    er i ni eu clwyfo.
Diolchwn am y rhai sydd yn ein caru,
    er i ni ar dro fod yn annheilwng o'u cariad.

Diolchwn i ti am esiampl gwŷr a gwragedd da i'n symbylu.
Cofiwn gyda diolch am fywydau disglair dy saint
    ar hyd y canrifoedd a'u gweithredoedd yn llefaru
    ymhell wedi eu marw.
Diolchwn am y seintiau cyfoes a'u bywydau hwythau
    yn ysbrydoliaeth i ni.
Diolchwn hefyd am y seintiau sy'n cyd-fyw â ni,
    yn rhodio'r un ffordd, yn trigo yn yr un fro,
    a ninnau heb eu hadnabod,
    ond sydd â'u dylanwad yn pereiddio cymdeithas.
Am y rhai hyn oll, diolchwn i ti, y Brenin tragwyddol.

Rhagor o Weddïau o'r Gynulleidfa, addas.

611   YNG NGHWMNI'R SAINT
    Arglwydd, yn aml, wrthyf fy hunan,
    mae fy llygaid yn ddall,
    fy nghlustiau yn fyddar,
    fy nghalon yn ddigariad,
    fy ffydd yn wan
    a'm gweddi yn ddistaw.
       Ond yng nghwmni'r saint, Arglwydd,
    yn rhwymau'r teulu,
    caf weld dy ogoniant drwy lygaid eraill,
    caf glywed gair dy obaith yng ngeiriau eraill,
    caf ymdeimlo â mawredd dy gariad yng nghwlwm cariad eraill,
    caf ymddiried ynot drwy bwyso ar ffydd eraill;
    dyrchefir fy ngweddïau yng nghymundeb gweddïau'r saint.
       Diolchwn, Arglwydd,
    am gymdeithas y saint,
    am gwmwl tystion y ffydd,
    ac am gymundeb dy Eglwys lân drwy'r byd a'r nef.
       Yn rhwymau'r teulu, gwna ni'n wrol dros y gwir,
    yn gadarn yn y ffydd ac yn dystion i obaith yr Efengyl;
    trwy Iesu Grist ein Harglwydd.

Noel A. Davies

AMGYLCHIADAU ARBENNIG

Y mae Duw yn noddfa ac yn nerth i ni,
yn gymorth parod mewn cyfyngder . . .
Y mae Arglwydd y Lluoedd gyda ni, Duw Jacob yn gaer i ni.
(SALM 46:1,7)

Buost yn noddfa i'r tlawd, yn noddfa i'r anghenus yn ei gyfyngder,
yn lloches rhag y storm ac yn gysgod rhag y gwres.
(ESEIA 25:4)

∽

612 GWEDDI'R FAM FEICHIOG
Nefol Dad, ble fedra i ddechrau diolch i ti
am y wyrth yr wyt wedi'i blannu ynof?
    Sut fedra i ddiolch am y fraint
o gael bywyd newydd yn tyfu oddi mewn i mi?
    Ond fe wyddost ti yn well na neb
fel y mae 'nghalon yn llawn rhyfeddod a chariad
tuag at y person bach newydd yma.
    Ond fe wyddost ti hefyd am fy ofnau:
helpa fi, Arglwydd, i ymddiried fy mhlentyn
yn llwyr i ti.
    Dysg fi i'w gyflwyno i'th ofal yn ddyddiol;
gofala am ei ddatblygiad a thawela fy enaid innau,
fel na fydd dim yn amharu ar yr enaid bach newydd hwn.
    Helpa ni i baratoi lle arbennig yn ein teulu ar ei gyfer.
Arglwydd, tyn ni'n nes atat bob dydd,
fel bod ein perthynas â'n gilydd yn gryfach
a'n cariad yn ddyfnach.
    Cyffyrdda fy mhlentyn â'th Ysbryd,
fel y bydd yn tyfu i'th adnabod a'th garu di.
    Gofynnaf hyn yn enw dy Fab dy hun,
Iesu Grist ein Harglwydd.

Gweddïau i'r Teulu

613 GWEDDI I GLAF MEWN YSBYTY

Bydd gyda mi, O Arglwydd, yn y lle dieithr hwn.

Mae pawb yn garedig iawn, ond y mae ofn arnaf –
ofn yr amgylchfyd clinigol,
ofn yr afiechyd sydd yn fy nghorff,
ofn yr hyn sy'n mynd i ddigwydd i mi.

Ynot ti yn unig y mae sicrwydd a thangnefedd:
amgylchyna fi a bwrw allan fy holl ofnau.

Cynthia Saunders Davies

614 YR HENOED

Arglwydd ein Duw, na wyddost heneiddio,
diolchwn i ti am y rhai yn ein plith y digonaist hwy â hir
ddyddiau.

Cydnabyddwn ger dy fron ein dyled iddynt.

Bu iddynt ein magu a'n haddysgu;
cawsom elwa ar eu doniau a'u hynni yn nyddiau eu cryfder,
a diolchwn i ti dy fod wedi caniatáu iddynt aros yn ein plith
i'n cyfarwyddo ni â'u cyngor ac i'n cyfoethogi â'u profiad.

Ymbiliwn dros y rhai ohonynt a oddiweddwyd gan wendid corff
a'r rheini y cymylwyd eu cof gan henaint.

Ymbiliwn ar yr un pryd dros y sawl sy'n eu hymgeleddu ar eu
haelwydydd;
rho iddynt amynedd a nerth meddwl a chorff i ofalu
amdanynt.

Diolchwn i ti am y rhai sy'n gwarchod trigolion y sefydliadau
henoed:
rho ras iddynt wneud eu gwaith fel bo'r sefydliadau hynny'n
gartrefi mewn gwirionedd, yn aelwydydd lle mae cariad yn
teyrnasu.

Na ad inni oddef i neb deimlo'n unig pan fo eu cyfoedion wedi
eu rhagflaenu,
ac amddiffyn ni rhag trin yr hen a'r methedig yn nawddoglyd,
gan anghofio'r urddas a'r safle a oedd ganddynt yn nyddiau eu
nerth.

Cydnabyddwn mai yn dy law di y mae ein hamserau:
dysg i ni felly gyfrif ein dyddiau fel y bo inni brynu'r amser
a'i ddefnyddio er clod a gogoniant i ti,
ac i wasanaethu ein cyfoedion
a'u gwarchod yn nydd gwendid ac unigrwydd.

Hyn a ofynnwn yn enw ac yn haeddiant ein Harglwydd Iesu Grist.

R. Tudur Jones, 1921–98, *Gweddïo*, 1992

615   BLINDER
> Bu'n ddiwrnod prysur, Arglwydd;
>> rwyf wedi blino,
>> mae fy llygaid yn drwm gan gwsg.
> Mor esmwyth yw'r gobennydd dan fy mhen,
>> ac mor glyd yw'r garthen gynnes amdanaf.
> Oes, mae gen i le i ddiolch:
>> bu dy ofal yn ddiflino drosof drwy'r dydd.
> Mae angen cwsg arnaf,
>> mae angen dy ofal arnaf drwy oriau'r nos.
> Y Duw diflino, cymer fy mlinder,
>> a thywallt dy dangnefedd i'm calon.
> Gallaf fi gysgu'n dawel heno,
>> ond y mae miloedd na allant:
>> gweithwyr y nos, ar fôr a thir,
>> mewn ffatrïoedd a goleudai,
>> mewn ysbytai a chartrefi henoed,
>> y plismyn ar balmant y dref,
>> y pobydd yn ei bopty,
>> y claf ar wely poen,
>> yr euog a ŵyr anniddigrwydd cydwybod,
>> y crwydryn digartref, diwely,
>> a holl ffoaduriaid y byd.
> Pan fo goleuni'r dydd yn pylu,
>> a chysgodion nos yn disgyn,
>> Arglwydd y goleuni, goleua eu tywyllwch.
> Rwyf wedi blino, Arglwydd,
>> gad i mi gysgu yn niogelwch dy gariad,
>> a gorffwys yn dy dangnefedd.

J. Pinion Jones

616   GOFALWYR
> Arglwydd,
>> cymorth y gwan a chynhaliwr yr eiddil,
>> clyw ein gweddi yn awr
>> dros y rhai sy'n fawr eu gofal am anwyliaid.
> Diolch i ti am y rhai sydd wedi rhoi
>> blynyddoedd o'u bywydau i ofalu am geraint methedig:
>> pan fo'r gofal yn drwm a gorffwys yn brin,
>> gofynnwn i ti roi iddynt o'th nerth;
>> pan fo'r claf yn anhapus a checrus,
>> rho iddynt o'th amynedd i ddal ati i garu a gofalu.

Diolchwn i ti am bob trefniant a wneir i estyn cymorth iddynt:
   am ysbytai a chartrefi sy'n derbyn rhai methedig dros dro
   i roi ysbaid i'w gofalwyr,
   am ofalwyr proffesiynol a nyrsys ardal
   sy'n galw'n rheolaidd i weini yn y cartref;
   diolchwn yn arbennig am y cariad sy'n ysgogi'r gwaith.
Gwna ni'n ymwybodol o'u hunigrwydd a'u hangen,
   ac yn barod i'w cynorthwyo yn ôl ein gallu.
Gwna ni'n barod i golli oedfa neu gyfarfod
   er mwyn galluogi rhywun arall i fod yn bresennol.
Dysg ni i werthfawrogi'r aberth a wnânt a'u calonogi ynddo.
Rho i bob un ohonom y cariad a ddangosaist ti i ni –
   cariad sy'n barod i aberthu er mwyn eraill.

M. Angharad Roberts, Gweddïo, 1997

617   DROS BLANT ANYSTYWALLT

Arglwydd, ein Tad nefol, a Thad holl blant y llawr,
clyw ein gweddi yn awr
ar ran plant anystywallt ein cymdeithas.

   Diolchwn dy fod wedi'n creu ar dy ddelw dy hun
a bod y ddelw honno ar bob un o'n plant;
ond gofidiwn am y rhai nad yw'r ddelw i'w gweld arnynt
a'r rhai y mae eu hymddygiad yn gwbl anhydrin.

   Maddau i ni ein methiant,
fel teuluoedd ac fel cymdeithas,
i'w trin a'u dysgu.

   Diolchwn i ti am bob un sy'n gweithio mewn canolfannau cadw
ac am aelodau o'r gwasanaethau prawf
sy'n ceisio gofalu am blant a phroblemau ymddygiad ganddynt.

   Rho dy ddoethineb a'th arweiniad i'r llysoedd plant
sy'n gorfod barnu a dedfrydu rhai ifanc:
boed iddynt weinyddu barn deg
gyda gofal a thrugaredd.

   Gwared hwy rhag unrhyw awydd i ddial
neu i geisio boddhau dicllonedd y cyhoedd.

   Dysg ni, O Dad nefol, mai dy blant di yw'r rhai hyn,
ac arwain ni i ddeall dy ffordd di o garu ac o ddisgyblu,
fel y gallom gyflawni ein dyletswydd
er lles dy blant,
er diogelwch ein cymdeithas
ac er gogoniant i ti.

M. Angharad Roberts, Gweddïo, 1997

618 DROS BLANT DIFREINTIEDIG
O Dad, gyda chariad a gofid cyflwynwn i ti
anghenion plant sy'n ddifreintiedig yn ein cymdeithas;
y rhai a wnaed yn nerfus,
yn ofnus neu'n ymosodol
gan brofiadau erchyll;
y rhai a ddaliwyd mewn cwerylon a thensiynau
rhwng oedolion;
y rhai y mae esgeulustra neu drachwant eu cartrefi
yn eu gosod o dan anfantais;
y rhai a gysgodwyd gymaint yn eu cartrefi
fel nad ydynt yn abl i wynebu gofynion y byd mawr oddi allan;
y rhai sy'n analluog i ymdopi â chreulondeb
a hagrwch eu hamgylchfyd,
neu â gofynion cymdeithas farus.

O Dad, yr wyt yn ein galw i rannu yn dy waith creadigol
ac yn ymddiried gofal am yr ifanc i ni;
cynorthwya ni i dyfu mewn sensitifrwydd,
dirnadaeth a gweledigaeth,
fel y bo'r plant difreintiedig yn ein mysg
yn canfod y caredigrwydd a'r gofal
sy'n rhan o'u genedigaeth fraint.

Donald Hilton

619 GWEDDI'R FERCH DDIBRIOD
Mewn byd lle mae cynifer yn ddigartref ac yn ddi-deulu,
diolch i ti, Arglwydd,
am gael bod yn deulu:
am fam a thad,
am frawd a chwaer ac am nain a thaid.
Diolch i ti
am y teulu estynedig:
pob modryb ac ewythr, pob cefnder a chyfnither,
a phawb arall sy'n perthyn i mi.
Am fy mod yn mynd yn hŷn, Arglwydd,
ac yn sylweddoli y gallwn fod yn ddibriod am weddill fy oes,
rwyf yn dechrau dod i werthfawrogi mwy
y teulu estynedig.
Defnyddia fi, Arglwydd,
i ddod â'n teulu yn nes at ei gilydd –
i fod yn berson fydd yn adeiladu'r teulu
trwy ein helpu i werthfawrogi a derbyn ein gilydd.

Ond defnyddia fi hefyd i estyn terfynau teulu:
   i ddefnyddio pob rhodd a dawn a roddaist i mi,
   i ddefnyddio bywyd ac amser,
   cariad a chydymdeimlad,
   haelioni a llawenydd,
   gofal a gobaith,
   i fod yn gyfrwng y gwerthoedd gwâr
   yn ein cymdeithas gystadleuol.
Diolch, Arglwydd,
   am fendith a chyfle a braint y dibriod.
Diolch am bob rhyddid i'th wasanaethu di,
   a diolch am dorf ardderchog y rhai dibriod
   sydd wedi dy wasanaethu mor ffyddlon,
   mor llawen ac mor llwyr,
   wrth ddilyn eu Harglwydd dibriod,
   ein Gwaredwr Iesu Grist.

Gweddïau i'r Teulu

620 GWEITHWYR MEDDYGOL

Gwyddom, Arglwydd, mai dy fwriad di yw i bob un ohonom
fwynhau iechyd yn ei gyfanrwydd. Felly, yn llawn ffydd a hyder
gweddïwn ar ran y rhai sy'n gweithio er iachâd a lles y gymuned.

Gweddïwn ar ran meddygon teulu sy'n dwyn cysur a chyngor
i ni; am eu gwybodaeth a'u sgiliau a ddefnyddir yn anhunanol er
ein lles.

Gweddïwn ar ran y rhai sy'n gweithio mewn ysbytai:
meddygon o dan hyfforddiant, ymgynghorwyr, llawfeddygon,
nyrsys a staff technegol. Boed iddynt, ynghanol gwybodaeth
gynyddol a sgiliau newydd, barhau'n wylaidd, gan gofio mai ti
yw ffynhonnell pob iachâd.

Gweddïwn ar ran y rhai sy'n gweithio yn y cefndir:
gwyddonwyr sy'n ymdrechu i goncro afiechydon, gweithwyr yn
y labordai, a'r rhai sy'n cynhyrchu ac yn dosbarthu cyffuriau
angenrheidiol.

Gweddïwn dros y rhannau hynny o'r byd lle mae gwasanaeth
meddygol, a'r cyfleusterau a gymerwn ni yn ganiataol, yn brin.
Symbyla ni i fod yn hael ein hymateb i'w hangen.

Gweddïwn dros bobl ifanc sydd dan hyfforddiant i fod yn
feddygon a nyrsys, gan ofyn i ti eu cynysgaeddu â doethineb,
medr a chydymdeimlad a'u harwain i ddefnyddio'u doniau yn dy
wasanaeth di ac er iechyd a lles eu cyd-ddynion.

Donald Hilton

621 WRTH DDARLLEN PAPUR NEWYDD
Lluchio papur newydd allan roeddwn i, Arglwydd,
    ac yna dechreuais ddarllen:
    darllen y dudalen flaen,
    y newyddion pwysig –
    rhyfel, damwain, etholiad,
    lladrad, protest.
Brawychwyd fi wrth ddarllen;
    roeddwn wedi gweld y cyfan o'r blaen –
    wedi bwrw golwg drosto, fwy neu lai.
Yn fy mraw, trof atat ti, Arglwydd,
    a gofyn i ti dderbyn y cyfan yn dy drugaredd.
Cymer newyddion y dydd:
    gwêl bob gair, y penawdau, pob brawddeg;
    dyma newyddion fy myd i fel y mae ar y dudalen flaen:
    Arglwydd hollalluog, dyma fy myd i –
    cenfigen, marwolaeth, rhyfel,
    cariad, sioc, tristwch, llawenydd –
    da a drwg.
Rwyt ti, Arglwydd, yn gwybod am y cyfan;
    does dim cyfrinachau'n cael eu celu rhagot.
Helpa ni i roi pob rhan o fywyd,
    pob munud o bob dydd,
    ger dy fron di,
    a gofyn i ti edrych yn dosturiol dros y cyfan.
Dy fyd di yw hwn,
    ac y mae ei hanes fel pasiant ger dy fron,
    oblegid yn Iesu Grist fe ddaethost yn newyddion da
    i ganol ein byd a'n bywyd ni.

Meurwyn Williams, 1940–98

622 SANCTEIDDIO GWAITH
Ein Duw a'n Tad,
    gan dy fod yn gorchymyn i ni weithio
    i ddiwallu'n hanghenion ein hunain
    ac i wasanaethu cymdeithas,
    sancteiddia di ein holl lafur fel y bydd yn dwyn llesâd
    i'n heneidiau yn ogystal â'n cyrff.
Gwna ni'n wastad yn ymwybodol
    mai ofer yw ein holl ymdrechion
    heb dy oleuni di i'n harwain
    a'th law di i'n nerthu.

Gwna ni'n ffyddlon yn y tasgau hynny
   a osodaist arnom ac y cymhwysaist ni i'w cyflawni,
   gan ein harbed rhag unrhyw genfigen
   o alwedigaethau pobl eraill.
Rho i ni galonnau parod i ddiwallu anghenion y tlawd,
   heb ymffrostio yn ein haelioni,
   na'n dyrchafu'n hunain
   uwchlaw y rhai fydd yn derbyn ein cymorth.
Ac os byddi'n cymryd ein gwaith oddi arnom,
   cadw ni rhag dicter a chwerwder,
   a gwna ni'n ddigon grasol a gostyngedig
   i dderbyn cymorth oddi wrth eraill.
Yn fwy na dim, gad i'r grasusau tymhorol a feddwn
   gyd-fynd â grasusau ysbrydol,
   fel, mewn corff ac enaid,
   y byddwn fyw i'th ogoneddu di,
   ac i estyn dy deyrnas ar y ddaear.

John Calfin, 1509–64

623 GWEDDI UN SYDD WEDI COLLI CYMAR

O Dduw ein Tad, a baich fy ngofid a'm galar yn fy llethu,
daethost yn agos ataf yng nghwmni a charedigrwydd ffrindiau,
a theimlaf dy gariad a'th ofal yn lapio amdanaf.

   Mor anodd yw derbyn fod yr un a garaf wedi marw;
na chaf ei weld,
na chlywed ei lais,
na mwynhau ei gwmni byth eto.

   O Dad, a wnei di droi fy nagrau yn ffenestri gloyw,
i mi drwyddynt weld gobaith yr Efengyl,
a chael nerth i gredu fod yr un a gerais mor fawr
yn ddiogel yn dy bresenoldeb di,
yn fwy byw nag erioed,
ac y daw'r amser y caf ei weld eto ryw ddydd
pan gawn fod gyda'n gilydd yn ein cartref tragwyddol
yn dy gwmni di.

   Er i mi gredu hyn, Arglwydd,
mae fy unigrwydd yn aros.

   Pan yw fy nghalon bron â thorri,
cynorthwya fi, o bwyso arnat ti ac ar addewidion dy Air,
i deimlo dy gariad a'th dangnefedd yn llenwi fy nghalon.
Gofynnaf hyn yn enw Iesu Grist, yr atgyfodiad a'r bywyd.

Gweddïau i'r Teulu, addas.

624 DIODDEFWYR HIV/AIDS

Arglwydd, cynorthwya ni i ymateb i her AIDS:
    i amddiffyn y rhai sydd yn iach,
    i dawelu ofnau y rhai sy'n bryderus,
    i estyn cymorth i'r rhai sydd mewn poen,
    i gofleidio y rhai sydd yn marw
    wrth iddynt lifo i'r cariad diddarfod,
    i gysuro'r rhai sydd mewn profedigaeth,
    ac i galonogi'r rhai sy'n ceisio gofalu
    am gleifion a'r rhai sydd yn marw.
Galluoga ni i gynnig ein hegni,
    ein dychymyg,
    a'n hymddiriedaeth
    yn nirgelion dy gariad,
    i ni fod yn un â'n gilydd a thrwy'n gilydd,
    wrth geisio rhyddhau ein gilydd
    o ofn afiechyd.
Cyflwynwn y meddyliau a'r gweddïau hyn
    yn nirgelwch y cariad
    sy'n gallu cynnal ein holl ofnau a'n clwyfau,
    o ba le bynnag y dônt,
    a chyda consýrn cariadus am bob un sy'n dioddef.

Bill Kirkpatrick

625 LLYWODRAETH SEFYDLOG

Diolchwn i ti, O Dduw,
am fendithion llywodraeth sefydlog
a holl ddarpariaethau bywyd cymunedol:
am heddlu i amddiffyn ein rhyddid ac i gadw trefn;
am ysgolion i'n plant a'n hieuenctid gael paratoi
ar gyfer bywyd;
am ysbytai lle caiff y claf ofal;
am ffyrdd da i hyrwyddo teithio;
am drefn effeithiol i gael gwared o'n sbwriel;
am barciau a gerddi'n llawn harddwch a lliwiau;
am lyfrgelloedd yn llawn llyfrau,
cylchgronau a phapurau;
am theatrau a chanolfannau cymdeithasol i'n diddori;
am ddosbarthiadau nos a chyfleon i ddysgu
sgiliau newydd;
am ofal dros y difreintiedig:
molwn di a diolchwn i ti, nefol Dad.

Caniatâ, O Arglwydd,
i ni fod yn ddiolchgar
am y bendithion a dderbyniwn,
a bod yn wyliadwrus er sicrhau tegwch a chyfiawnder
mewn materion lleol,
gan wneud ein rhan yn gydwybodol
fel dinasyddion da.

*Gweddïau i'r Eglwys a'r Gymun*ed, addas. Trefor Lewis

626 CYMDOGAETH

Diolch i ti, Arglwydd, am hyfrydwch y profiad
o gerdded yn ffresni'r bore i lawr at y siopau i lenwi'r fasged.

Derbyn ein diolch am arian i brynu llond basged
a fydd yn iechyd ac egni i borthi'r cyrff egnïol.

Ond wrth gyrchu'r siopau a chwrdd â hwn a'r llall
a chyfnewid profiadau, derbyniwn faeth na all yr un pwrs ei brynu:
nid y fasged yn unig sy'n llawn pan ddychwelwn adref,
a bendithiwn dy enw am ein plethu i mewn i batrwm cynnes
ein bro.

Awn gyda'r dynion i'w gwaith,
gyda'r plant i'r ysgol,
a'r henoed i'r clinig.

Y mae inni ran yn y geni, y priodi a'r marw.

Y mae'r capel dydd Sul drws nesa i'r siop fore Llun,
a chartre'r henoed yn syllu ar gampau'r tîm pêl-droed.

Ac fe ddeui i'n cyfarfod ym mywyd bob dydd ein hardal,
yng ngwead y gymdeithas glòs sy'n cau mor dynn amdanom.

Maddau inni os yw ein diogelwch yn troi yn hunanoldeb
ac yn peri i ni anghofio y rhai nad ydynt wedi llwyddo
i wreiddio ym mhridd eu bro nac yn naear ffydd eu tadau:
y rhai a alltudiwyd gan ddiffyg gwaith a chyfle;
y rhai a garcharwyd mewn celloedd estron;
y claf mewn ysbytai pell,
a'r plant sydd wedi colli gofal a chysur cartref,
a phob un sy'n crwydro'n ddiamcan.

Sancteiddia ni, O Dduw,
oddi mewn i gylch ein cymdogaeth.

Rho i ni ras a rhuddin,
addfwynder ac argyhoeddiad,
a ffydd i weld yn eglur fod Tad holl gyrrau'r ddaear
yn preswylio o fewn ein bro.

Cynnal Oedfa

627 MOLIANT NATUR
Cri adar yn galw'n uchel ar fynydd;
sŵn creaduriaid y môr yn nyfnder yr eigion;
brefu'r gwartheg allan yn y caeau:
sŵn llais Duw yn galw ar galon a meddwl.
    Ehedydd uchel, aderyn y gân lawen, cana i mi;
ewig fuan, yn rhedeg yn gyflym ar y gwastadedd eang, rhed i mi;
eog disglair, lle y tardd yr afon, neidia i mi.
    Mae adar yr awyr,
bwystfilod y maes,
pysgod yr afonydd,
yn cyflwyno cân o fawl
i Arglwydd mawr yr awyr a'r môr,
y bu i'w Fab farw a chyfodi er fy mwyn.

John Johansen-Berg, addas. Glyn Tudwal Jones

628 DIOLCH AM RIENI DA
Diolch i ti, Arglwydd,
am rieni da, diwyd a duwiol
sy'n anwylo'u plant,
yn amcanu er eu daioni,
yn aberthu er eu lles tymhorol,
yn gwrthod iddynt fynd allan i'r byd
heb eu harfogi â chrefft, galwad,
cymeriad a chrefydd.
    Helpa ni, Arglwydd, i'w hanrhydeddu
trwy barchu eu bwriadau da,
eu barn gytbwys a'u profiad aeddfed,
ac i fod yn ufudd iddynt ym mhob dim,
a chydnabod yn ostyngedig
eu hawl a'u hawdurdod arnom.

D. J. Evans, 1917–2004

629 RHAI YN WYNEBU TOR-PRIODAS
Arglwydd Dduw, a roddaist dy enw i bob teulu,
ac a roddaist i ni'r rhodd o gariad rhwng mab a merch,
a'r cariad hwnnw'n arwain at briodas a sefydlu teulu:
diolch i ti am y cariad hwn
sydd wedi clymu llawer ynghyd
a'u cadw trwy anawsterau a phrofiadau chwerw bywyd.
    Clyw ein gweddi yn awr
dros y rhai sydd wedi eu brifo wrth i'r cariad hwn fethu.

Gwarchod y rhai sy'n ceisio ailsefydlu bywyd
yn dilyn ysgariad poenus.

Er gwaethaf eu siom mewn cariad dynol,
arwain hwy i ymddiried yn dy gariad di-sigl di
ac i brofi dy faddeuant am eu holl fethiannau.

Cadw yn dy ofal y plant
sy'n symud yn ôl a blaen rhwng dau gartref:
y rhai sy'n amddifad o ofal un rhiant,
a'r rhai sy'n cael eu rhwygo rhwng dau.

Boed iddynt ddod i adnabod ynot ti
y cariad nad yw byth yn pallu
a'r tangnefedd sydd uwchlaw pob deall

M. Angharad Roberts, Gweddïo, 1997

630 CARTREFI TRIST

Gweddïwn, Arglwydd, ar ran cartrefi sy'n drist:
  rhai oherwydd tlodi, anwybodaeth neu anallu;
  rhai oherwydd pryder, afiechyd neu ofn;
  rhai oherwydd siomedigaeth, chwerwder neu unigrwydd;
  rhai oherwydd cwerylon rhwng gŵr a gwraig;
  rhai oherwydd cwerylon rhwng rhieni a phlant;
  rhai oherwydd agwedd perthnasau neu gymdogion;
  rhai oherwydd diffyg dealltwriaeth o bwrpas bywyd;
  rhai oherwydd colli ffydd neu heb ganfod ffydd.
Arglwydd, rho i ni ras i helpu pan allwn,
  fel bo dy heddwch a'th gariad di
  yn cynyddu fwyfwy yng nghartrefi pobl ym mhob man.

Edmund Banyard

631 RHAI MEWN CARCHAR

Arglwydd, agor ein llygaid
i ddioddefiadau ein brodyr a'n chwiorydd
sydd wedi eu carcharu,
er mwyn i ni, drwy ein deall a'n cariad,
estyn iddynt dy dangnefedd a'th lawenydd.

Daethost i'n gollwng yn rhydd:
pâr i'th oleuni lewyrchu ar bawb sy'n garcharorion;
esmwythâ eu dioddefiadau,
a chynorthwya ni oll,
trwy gyfiawnder a chymod,
i ymgyrraedd at wir ryddid plant Duw.

Pax Christi

632 GWEDDI PERSON DI-WAITH

Arglwydd, dyma fi:
dim swydd,
dim cyflog,
dim cydweithwyr . . . dim calon i symud o'r tŷ,
a sefyll yn y ciw dôl yn fy llethu.

　　Yma yr ydw i,
wedi colli fy hyder a'm hunan-barch
a phryder a chywilydd yn pwyso'n drwm arnaf.

　　Arglwydd, dyma fi:
yn y cyfnod anodd hwn
gad i mi deimlo dy fod ti yn dal i gofio amdanaf;
gad i mi deimlo dy freichiau tragwyddol yn fy nghynnal,
a gad i mi weld fod rhyw bwrpas yn hyn i gyd.

　　Arglwydd, dyma fi:
derbyn fi,
defnyddia fi,
a dyro hyder newydd i mi
i fentro a brwydro a dal ati,
gan gredu y bydd rhyw ddrws yn rhywle yn agor i mi –
drws y gallaf gerdded trwyddo'n hyderus
law yn llaw â thi.

　　Rho gymorth i mi ddyfalbarhau i chwilio am waith;
maddau i mi pan fydd fy amynedd yn pallu;
helpa fi i ddisgwyl yn ffyddiog
a bod yn gryf a gwrol fy nghalon.

　　Tydi hi ddim yn hawdd, Arglwydd,
ond rho imi'r sicrwydd dy fod ti gyda mi
drwy'r cyfan i gyd.

Gweddïau i'r Teulu, addas

633 GWEDDI UN SY'N YMDDEOL

Plygaf ger dy fron, O Dduw,
i ddiolch i ti am dy rodd o amser:
am flynyddoedd, am ddyddiau,
am oriau ac am funudau.

　　Aeth y blynyddoedd heibio heb i mi eu defnyddio'n llawn;
rhuthro yma ac acw fu fy hanes
heb i mi gyflawni fy mwriadau na gorffen fy ngwaith.

　　Ni allaf ond gofyn am dy faddeuant
a chyflwyno ymdrechion a methiannau'r blynyddoedd
i ti, y Tad trugarog a graslon.

Yn awr fe ddaeth yr amser i mi ymddeol,
ac fe rydd hynny i mi fwy o amser i wneud
y pethau yr wyf hyd yma wedi eu hesgeuluso.

Erfyniaf am dy gymorth
i ddefnyddio fy amser yn ddoeth,
er budd i eraill ac er clod i ti.

Gwn mor hawdd fyddai eistedd a gwneud dim,
ond nid felly y dymunaf ddefnyddio fy amser.

Arwain fi i weld fy nghyfle
i fod o wasanaeth yn y gymdeithas,
i gyfrannu'n llawnach i fywyd a chenhadaeth dy Eglwys,
i gefnogi achosion da,
i fod o gymorth i eraill,
ac i wneud hynny'n llawen a chyda gwên.

Gofynnaf hyn yn enw Iesu Grist,
a aeth oddi amgylch gan helpu eraill.

seiliedig ar weddi o *Gweddïau i'r Teulu*

634   Y RHAI SY'N GWEITHIO AR Y TIR
Arglwydd ein Iôr,
mor ardderchog yw dy enw ar yr holl ddaear:
ti a greodd yr hollfyd
ac a'n galwodd ni i gydweithio gyda thi i'w drin;
cyffeswn ein bod yn aml wedi'i gam-drin a'i reibio;
nid ydym bob tro wedi defnyddio'r awdurdod
a roddaist i ni yn gyfrifol;
gofynnwn am dy faddeuant
ac am wyleidd-dra i geisio dy arweiniad di yn y gwaith.

O gofio am yr addewid y caiff y greadigaeth
ei rhyddhau o gaethiwed a llygredigaeth,
cynorthwya ni i gymryd ein cyfrifoldeb o ddifri,
i barchu dy waith ac i amaethu'n gyfrifol.

Cyflwynwn i ti y rhai sy'n gweithio ar y tir;
ym mhob straen, wrth addasu i ddulliau a gofynion newydd,
ac ym mhob pryder am y dyfodol,
rho iddynt dy dangnefedd.

Ynghanol prysurdeb dyletswyddau na ellir eu hepgor,
caniatâ iddynt ymwybyddiaeth o'th bresenoldeb
a chyfle i'th addoli.

Yng nghefn gwlad, lle gwelir gogoniant dy greadigaeth,
caniatâ i ni weithio i ddangos gogoniant y Creawdwr.

M. Angharad Roberts, *Gweddïo*, 1997

635 GWYLIAU

Arglwydd, diolchwn am yr adnewyddiad
a rydd gwyliau i'n bywyd:
am gyffro'r disgwyl a'r cynllunio;
am ryddid oddi wrth ddyletswyddau bob dydd;
am brofiadau a chyfleon newydd.

    Rhoddaist fyd rhyfeddol i ni:
ble bynnag yr awn fe'n hamgylchynir
gan bethau sy'n bleser i'r llygaid
ac yn faeth i'r meddwl.

    Helpa ni i ddefnyddio'n gwyliau
i ganfod dy ogoniant di yn dy greadigaeth;
i ddefnyddio'n rhyddid i ddeall yn gliriach
y cyflawnder bywyd yr wyt ti'n ei gynnig i ni'n barhaus.

    Derbyn ein diolch am gyfoeth amrywiol bywyd,
dy rodd di i ni;
a phan ddaw ein gwyliau i ben,
arwain ni'n ôl i'n cartrefi yn ddiogel,
wedi'n hadnewyddu a'n hysbrydoli
o gael gorffwys a chael mwynhau
rhyfeddodau dy fyd di.

Roy Chapman

636 Y GWANWYN

Canmolwn di, O Dduw, am dy greadigaeth,
ac am i ti osod trefn odidog ar yr hyn a greaist.

    Wedi oerni a seibiant y gaeaf,
daw'r gwanwyn a'i fywyd newydd i lonni'r greadigaeth,
ac y mae'r blagur yn y coed
yn ernes fod tyfiant a ffrwyth i ddilyn maes o law.

    Diolch am gael teimlo gwres yr haul unwaith eto,
a mwynhau golau dydd sy'n ymestyn o ddydd i ddydd.

    Diolch am gael clywed cân yr adar ar fore braf
a gweld anifeiliaid wedi deffro eto o drymgwsg gaeaf.

    Diolch i ti, Arglwydd, fod y gwanwyn hefyd
yn amser i baratoi'r tir a hau'r had.

    Bendithia'r paratoi a'r hau eleni,
fel bod cnwd digonol ar gyfer dyn ac anifail.

    Bendithia waith yr amaethwr, a phâr fod cynnyrch y tir
yn cael ei rannu'n deg fel na fydd newyn yn ein byd.

    Ond, Arglwydd, yr ydym yn dyheu hefyd
am weld gwanwyn arall – gwanwyn ysbrydol.

Deffra ni o'n trymgwsg fel dilynwyr Iesu Grist,
a phâr fod gwres yr Ysbryd yn gafael ynom.

Anfon ni i baratoi'r tir ac i hau had yr Efengyl yn naear
ein gwlad.

Dangos i ni nad oes gobaith am gynhaeaf
oni bai fod yr hau yn digwydd.

Rho i ni obaith am adnewyddiad a bywyd newydd yn
yr Ysbryd.

Ifan Rh. Roberts

637 YR HAF

Dduw Dad,
diolchwn i ti fod yr haf hirddisgwyliedig wedi cyrraedd;
diolchwn am yr addewid yng nghân y gwcw,
am lawnder a lliwiau natur o'n cwmpas
ac am law a haul sy'n bwydo pob tyfiant.

Gweithia dy haf ynom ninnau bob un:
glawia arnom gawodydd dy ras a'th faddeuant,
er mwyn i ninnau dyfu'n gryfach ac yn llawnach
yn ein ffydd a'n hadnabyddiaeth ohonot ti,
ac er mwyn i'n bywydau ddwyn ffrwyth
mewn gweithredoedd da.

Diolchwn am bob cyfle eleni eto
i deithio i hen gyrchfannau a mannau newydd;
gweddïwn am ddiogelwch ar ein taith,
ac am dy gariad yn ein calonnau
wrth inni gwrdd â chyfeillion hen a newydd,
ac arwain ni bob un i fannau newydd yn ein profiad ysbrydol.

Yr adeg hon o'r flwyddyn,
gyda phlant a phobl ifainc yn wynebu arholiadau,
gweddïwn drostynt yn eu pryder:
cynorthwya hwy i ddarganfod cydbwysedd
rhwng gwaith a gorffwys,
a helpa hwy i wneud eu gorau dan bwysau'r dydd,
gan gofio fod y gwerth yr wyt ti'n ei roi arnom
yn bwysicach na phrofion a safonau'r byd.

Trwy gydol yr haf,
diogela'r plant a'r bobl ifainc yn eu chwarae,
modurwyr ar eu teithiau,
ac amaethwyr ar y tir gyda'u peiriannau trwm,
a gad i ni oll deithio a gweithio'n ddiogel yn dy gwmni di.

Casi Jones

638   YR HYDREF

Ein Duw a'n Tad,
yr wyt ti wedi trefnu fod pedwar tymor i'r flwyddyn;
wele ni yn awr yn troi tudalen ac yn croesawu tymor yr hydref:
tymor ffrwythau aeddfed a chnydau breision;
tymor cynhaeaf, diolchgarwch a dathlu;
tymor ailgychwyn ysgol, a choleg;
tymor y gobeithion a'r dechreuadau newydd,
tymor lliwiau euraid y coed a'r perthi,
tymor diosg y dail a byrhau golau dydd
a thymor paratoi ar gyfer gorffwys y gaeaf.

    Cynorthwya ni, Arglwydd, i werthfawrogi dy haelioni mawr
yn nhrefn a phrydferthwch a chynnyrch y cynhaeaf,
ac i fynegi'n llawn ein diolchgarwch
am yr holl roddion a'r breintiau a osodaist arnom.

    Cynorthwya ni i barchu dy gread,
i ymatal rhag rheibio a cham-drin y ddaear,
ac fel y bydd natur yn gorffwys ac yn cysgu,
dysg ninnau i gyd-fynd â rhod a phatrwm y tymhorau
ac i fod yn gydweithwyr cyfrifol â thi
ac yn stiwardiaid doeth o'r ddaear a'i chynnyrch.

    Cyflwynwn i ti ysgolion a cholegau ein gwlad,
wrth iddynt ddechrau ar raglen newydd o ddysgu ac addysgu;
bendithia'r athrawon, y plant a'r myfyrwyr,
fel y byddant gyda'i gilydd yn tyfu mewn deall a doethineb
ac yn eu paratoi eu hunain i fyw i'th wasanaethu di
trwy wasanaethu cymdeithas a chyd-ddyn.

    Fel y bydd natur yn ei rhoi ei hun o flwyddyn i flwyddyn
mewn cynnyrch a ffrwythlondeb,
helpa ninnau i'n rhoi ein hunain mewn cariad ac ymroddiad
i ti, ein Duw, ac i waith dy deyrnas.

Golygydd

639   Y GAEAF

O Dduw ein Tad, rhown ddiolch i ti
am dy ofal drosom ar bob adeg o'n bywyd.

    Yn nhymor y gaeaf cofiwn mor garedig y buost wrthym
trwy gydol dyddiau, wythnosau a misoedd y flwyddyn;
cofiwn mai dy gariad di a'n cadwodd,
a bod arnom angen dy arweiniad eto
i'n cynnal trwy bob anhawster, siomedigaeth a pherygl
a ddaw i'n rhan.

Yn y gaeaf byddi di'n gosod pethau yn eu lle priodol,
yn rhoi trefn ar bopeth
er mwyn sicrhau amrywiaeth lliwiau a lluniaeth
yn ein byd rhyfeddol a hardd,
gan atgyweirio'r byd ar gyfer bywyd newydd y gwanwyn.
    Diolch am gyfnod o dawelwch pan nad oes swn,
na llais na sibrwd yn y tawelwch.
    Wrth i'r gaeaf ddod ag oerni,
siom a thristwch i'n bywydau,
cynorthwya ni, ein Tad,
i ymddiried ynot ti,
gan wybod fod y Garddwr Mawr
yn medru defnyddio'r profiadau anodd er ein lles.
    Fel y mae'n rhaid wrth aeaf caled i baratoi ar gyfer
haul gwanwyn a haf,
dysg ni fod rhai pethau caled y mae'n rhaid i ni eu hwynebu
er mwyn canfod y bywyd da.
    Wrth i ni ddathlu Gŵyl y Geni
a chofio dy ddyfodiad atom yn dy Fab Iesu Grist,
cynorthwya ni i gofio dy fod yn dod atom bob amser,
yn yr haf a'r gaeaf,
yn y profiadau hyfryd ac anodd,
yn yr heulwen a'r ddrycin.
    Gad i ni werthfawrogi dy bresenoldeb a'th ofal drosom,
edifarhau am ein holl gamweddau,
a'th wasanaethu di mewn llawenydd a diolch.

Golygydd

640   AWR NOSWYL

O Arglwydd,
cynnal ni drwy gydol dydd y byd helbulus hwn,
hyd oni ddisgynno'r cysgodion a dyfod yr hwyr,
pan ostego prysurdeb y byd,
y darfyddo twymyn bywyd
ac y delo awr noswyl i ninnau.
Yna, yn dy drugaredd,
dyro i ni drigfa ddiogel,
gorffwysfa sanctaidd,
a thangnefedd yn y diwedd;
trwy Iesu Grist ein Harglwydd.

J. H. Newman, 1801–90

641   AR DDECHRAU'R DYDD

Arglwydd, diolchwn i ti am gysgod dy adain yn ystod oriau'r nos ac am gael deffro i wynebu un diwrnod arall yn ein bywyd. Cedwaist ni rhag yr haint a rodia yn y tywyllwch a rhag dychryn y nos. Mawr yw dy ofal drosom a'th fendithion yn llifo'n barhaus i gynnal a chyfoethogi ein bywyd.

Diolchwn am y wawr sydd yn agor llenni'r nos ac yn dwyn goleuni a bywyd i'r ddaear. Pan gwyd yr haul bydd creaduriaid y tywyllwch yn troi i orwedd yn eu llochesau, a dyn yn mynd allan i'w orchwyl hyd yr hwyr.

Rho ras i ni ddechrau gwaith pob dydd trwy blygu ar ein gliniau i gydnabod ein dyled i ti, O Dduw, a gweddïo am dy gwmni ar hyd oriau'r dydd. Ni wyddom beth a ddigwydd mewn diwrnod gan mor lluosog y dylanwadau sy'n gweithio arnom a'r temtasiynau sydd ar ein llwybr. Ond nid oes raid ofni'r un gelyn, ond i ni rodio yn dy gwmni.

Cadw ni, O Dduw, rhag crwydro oddi ar dy lwybrau, a nertha ni lle'r ydym yn wan, fel y delom yn ddiogel i derfyn dydd. Rho i ni weld y pethau y dylem eu gwneud, a rho i ni nerth a gras i'w cyflawni.

Gofynnwn hyn yn enw Iesu Grist, ein Harglwydd.

Gweddïau yn y Gynulleidfa, addas.

642   AR DERFYN DYDD

Diolchwn i ti, O Dduw, am ein dwyn yn ddiogel i derfyn diwrnod arall.

Diolchwn i ti am dy ofal a'th ffyddlondeb, er mai diofal ac anffyddlon fuom ni yn ein perthynas â thydi.

Cyfaddefwn inni wyro oddi ar dy lwybrau. Gadawsom heb eu gwneud lawer o bethau y dylasem eu gwneud, a gwnaethom bethau na ddylasem eu gwneud. Ond er pob crwydro a methiant ar ein rhan, gwyliaist drosom yn ofalus a chawsom ddod i gysgod yr hafan yn ddiogel gyda'r hwyr.

Diolch am dy gariad a'th hynawsedd yn ein derbyn ni, a gweddïwn am ras yn awr i blygu'n ostyngedig ger dy fron i'th gydnabod am bopeth a fuost i ni hyd y munudau presennol.

Rho i ni'r ddawn, O Dduw, i weld dy ogoniant di yn y nos. Maddau mai rhywbeth i'w ofni yw'r nos i ni yn fynych – ofni'r tywyllwch a'r anhysbys.

Ond diolch bod i'r tywyllwch ei ogoniant. Yn oriau'r nos y deuwn yn fwyaf ymwybodol o'th ofal a'th gariad di, yr hwn wyt yn gwylio drosom.

Cadw ni, O Dduw, o dan gysgod dy adain, fel na ddelo'r un
niwed yn agos atom. Dymunol yw cael ymollwng i freichiau
cwsg yn y ffydd dy fod ti'n gofalu amdanom.

Ti, yr hwn nad wyt yn hepian na chysgu, cofia'n dyner am
bawb sydd yn wynebu'r nos mewn ofn, pryder a phoen, a phawb
sydd wrth waith a gorchwyl yn oriau'r tywyllwch.

Clyw ein gweddi yn enw Iesu Grist ein Harglwydd.

Gweddïau yn y Gynulleidfa, addas.

643 AR RAN PERFFORMWYR AC ACTORION

Arglwydd y Ddawns,
diolchwn am i ti sefyll wrth ein hochr ar y ddaear
ac am i ti ymweld â phobl gyda hiwmor a chwerthin.

Rho ras ac arweiniad dy Ysbryd Glân
i'r rhai sy'n diddanu eraill mewn cymdeithas.

Gweddïwn dros y clown sy'n dwyn lliw a llawenydd i'n mysg.

Gweddïwn dros y pypedwr
sy'n dwyn hapusrwydd i gynifer o blant.

Llawenhawn am fod cymaint o'r plentyn
ym mhob un ohonom, waeth pa mor hen nac ifanc.

Gwna ni'n ffyliaid drosot ti,
yn cyhoeddi Efengyl lawen dy gariad
nes dwyn llawenydd i fywydau llawer.

Gweddïwn dros y rhai sy'n ein diddanu fel actorion:
trwy gyfrwng y ffilmiau a'r dramâu a welwn
cawn ein herio, ein hysbrydoli, ein helpu a'n harwain.

Weithiau achosir ni i deimlo'n ofnus neu'n drist;
yn aml cawn ein difyrru a'n cysuro.

Bydded i actorion gyflawni eu gwaith creadigol gydag
ymroddiad, heb fyth ddifrïo eu chwarae
na sarhau eu gweithgarwch,
ond yn hytrach roi gogoniant i ti
gyda chymeriadau wedi eu cyflwyno'n dda
er mwyn dysgu a difyrru.

John Johansen-Berg, addas. Glyn Tudwal Jones

644 GWAITH A BYWYD

Arglwydd, rho i mi waith
hyd oni orffenno fy mywyd,
a bywyd
hyd oni orffennaf fy ngwaith.

Ar garreg fedd Winifred Holtby, 1898–1935

645 POB DAWN A DIWYLLIANT

Molwn di, awdur pob dawn a diwylliant:
molwn di am gerddoriaeth,
am gael ymdawelu yn ei felodïau peraidd,
am gael ein gwefreiddio gan gordiau godidog,
am leisiau cyfoethog ac offerynnau soniarus,
am gyfansoddwyr cerdd a chân a symffoni:
    Molwn di, Ffynnon pob dawn.
Molwn di am lên a drama,
am radio a theledu a phapur newydd,
am gewri geiriau a llunwyr cerddi,
am adroddwyr storïau, croniclwyr ein dyddiau:
    Molwn di, Ffynnon pob dawn.
Molwn di am gelfyddyd gain,
am arlunwyr, meistri lliwiau
a phenseiri patrymau,
am luniau cyntefig a lluniau cyfoes,
am gamera ac am gerflun:
    Molwn di, Ffynnon pob dawn.
Molwn di am grefftwr ac am weithiwr,
yn plygu metal, yn naddu cerrig,
yn rhoi siâp ar bren a phlastig,
yn llunio, yn cyweirio peiriannau,
yn codi tai, yn gosod ffyrdd,
yn gyrru trên a char a lorri ac awyren:
    Molwn di, Ffynnon pob dawn.
Molwn di am dechnoleg,
yn treiddio'r eangderau,
yn cloddio'r dyfnderau,
yn chwyldroi diwydiant
ac yn gwella cyfleusterau bywyd bob dydd:
    Molwn di, Ffynnon pob dawn.
O Dad, ein lluniwr a'n cynhaliwr,
am amrywiaeth meddwl dyn,
am gynnyrch diwydiant a diwylliant,
am ddatblygiad cymeriad dyn a chenedl,
am wefr a blas ac ysbrydiaeth:
    Am dy aml ryfeddodau,
    molwn di, Ffynnon pob dawn.

Noel A. Davies, *Gweddïo*, 1975

646 AR AWR EIN DEFFRO OLAF
Dwg ni, O Arglwydd Dduw,
ar awr ein deffro olaf,
i borth a thrigle'r nef,
i ni gael mynd i mewn trwy'r porth
a chael preswylio yn y trigle hwnnw,
lle nad oes na dydd na nos, ond un goleuni;
na sŵn na hedd, ond un beroriaeth;
nac ofn na gobaith, ond un bodlondeb;
na diwedd na dechrau, ond un tragwyddoldeb,
yn nhrigfannau dy ogoniant a'th benarglwyddiaeth,
byth heb ddiwedd.

John Donne, 1572–1631

BENDITHIADAU

Bydded i'r Arglwydd dy fendithio a'th gadw;
bydded i'r Arglwydd lewyrchu ei wyneb arnat, a bod yn drugarog wrthyt;
bydded i'r Arglwydd edrych arnat, a rhoi iti heddwch.
(NUMERI 6:24–26)

∽

647   A bydded i Dduw, ffynhonnell gobaith, eich llenwi â phob
llawenydd a thangnefedd wrth ichwi arfer eich ffydd, nes eich
bod, trwy nerth yr Ysbryd Glân, yn gorlifo â gobaith.

Rhufeiniaid 15:13

648   Iddo ef sy'n abl i'ch gwneud yn gadarn, . . . i Dduw, yr unig un
doeth, y bo'r gogoniant, trwy Iesu Grist – iddo ef y bo'r
gogoniant am byth!

Rhufeiniaid 16:25, 27

649   Gras ein Harglwydd Iesu Grist, a chariad Duw, a chymdeithas yr
Ysbryd Glân fyddo gyda chwi oll!

2 Corinthiaid 13:13

650   Iddo ef, sydd â'r gallu ganddo i wneud yn anhraethol well na dim
y gallwn ni ei ddeisyfu na'i ddychmygu, trwy'r gallu sydd ar
waith ynom ni, iddo ef y bo'r gogoniant yn yr Eglwys ac yng
Nghrist Iesu, o genhedlaeth i genhedlaeth, byth bythoedd!

Effesiaid 3:20–21

651   Bydded i Dduw tangnefedd, yr hwn a ddug yn ôl oddi wrth y
meirw ein Harglwydd Iesu, Bugail mawr y defaid, trwy waed y
cyfamod tragwyddol, eich cyflawni â phob daioni, er mwyn ichwi
wneud ei ewyllys ef; a bydded iddo lunio ynom yr hyn sydd
gymeradwy ganddo, trwy Iesu Grist, i'r hwn y byddo'r
gogoniant byth bythoedd!

Hebreaid 13:20–21

652   Bydded i'n Harglwydd Iesu Grist ei hun, a Duw ein Tad, yr hwn
sydd wedi ein caru ac wedi rhoi i ni ddiddanwch bythol a gobaith
da trwy ras, ddiddanu eich calonnau a'ch cadarnhau ym mhob
gweithred a gair da!

2 Thesaloniaid 2:16–17

653   Bydded i Dduw pob gras, yr hwn a'ch galwodd i'w dragwyddol
ogoniant yng Nghrist Iesu, eich gwneud yn gymwys, yn gadarn,
yn gryf ac yn ddiysgog. Iddo ef y perthyn y gallu am byth. Amen.

1 Pedr 5:10–11

654   Bydded gras, trugaredd a thangnefedd gyda ni, oddi wrth Dduw
y Tad ac oddi wrth Iesu Grist, Mab y Tad, mewn gwirionedd a
chariad.

2 Ioan 3

655   Iddo ef, sydd â'r gallu ganddo i'ch cadw rhag syrthio, a'ch gosod
yn ddi-fai a gorfoleddus gerbron ei ogoniant, iddo ef, yr unig
Dduw, ein Gwaredwr, trwy Iesu Grist ein Harglwydd, y byddo
gogoniant a mawrhydi, gallu ac awdurdod, cyn yr oesoedd, ac yn
awr, a byth bythoedd!

Jwdas 24–25

656   'I'n Duw ni y bo'r mawl
a'r gogoniant a'r doethineb a'r diolch
a'r anrhydedd a'r gallu a'r nerth
byth bythoedd!' Amen.

Datguddiad 7:12

657   Boed i gariad yr Arglwydd Iesu ein tynnu ato'i hun;
boed i allu'r Arglwydd Iesu ein nerthu yn ei wasanaeth;
boed i lawenydd yr Arglwydd Iesu lenwi ein heneidiau,
a boed i fendith y Duw hollalluog, y Tad, y Mab a'r Ysbryd
Glân, fod arnom yn awr ac am byth.

William Temple, 1881–1944

658   Duw fo'n gysur ac yn nerth i chwi;
Duw fo'n obaith ac yn gynhaliaeth i chwi;
Duw fo'n llewyrch ac yn llwybr i chwi;
a bendith Duw, Greawdwr, Waredwr, a Rhoddwr bywyd,
a fo arnoch yn awr a hyd byth.

Llyfr Gweddi Seland Newydd, 1989

659   'Teilwng yw'r Oen a laddwyd i dderbyn gallu, cyfoeth, doethineb
a nerth, anrhydedd, gogoniant a mawl . . . I'r hwn sy'n eistedd ar
yr orsedd ac i'r Oen y bo'r mawl a'r anrhydedd a'r gogoniant a'r
nerth byth bythoedd!' Amen.

Datguddiad 5:12–13

660   A bydd tangnefedd Duw, sydd goruwch pob deall, yn gwarchod
dros eich calonnau a'ch meddyliau yng Nghrist Iesu.

Philipiaid 4: 7

661   Bydded i Dduw'r tangnefedd ei hun eich sancteiddio chwi yn
gyfan gwbl, a chadw eich ysbryd a'ch enaid a'ch corff yn gwbl
iach a di-fai hyd ddyfodiad ein Harglwydd Iesu Grist!

1 Thesaloniaid 5:23

662   I'r hwn sydd yn ein caru ni ac a'n rhyddhaodd ni oddi wrth ein
pechodau â'i waed, ac a'n gwnaeth yn urdd frenhinol, yn
offeiriaid i Dduw ei Dad, iddo ef y bo'r gogoniant a'r gallu byth
bythoedd!

Datguddiad 1:5–6

663   O Grist, ein hunig Iachawdwr,
preswylia felly ynom, fel yr elom allan i'r byd,
a goleuni gobaith yn ein llygaid,
dy Air ar ein gwefusau
a'th gariad yn ein calonnau,
fel y gwnelom ewyllys ein Tad nefol
y dydd hwn ac yn oes oesoedd.

Bob Bore o Newydd, BBC, 1938

664   Bendithied yr Arglwydd ni,
cadwed ni rhag drwg,
a'n dwyn i fywyd tragwyddol.

Y Llyfr Gweddi Gyffredin

665   Tra bo'r byd yn troi ac yn hyrddio drwy'r gofod
a'r nos yn disgyn a'r dydd yn gwawrio o wlad i wlad,
boed i ni gofio pobl –
yn deffro, yn cysgu, yn cael eu geni ac yn marw –
un byd, un ddynoliaeth.
Awn oddi yma mewn tangnefedd.

Cyngor Eglwysi'r Byd

666   O Grist, a ddaethost er mwyn i ni gael bywyd
        a'i gael yn ei gyflawnder,
        rho i ni rym yn ein cariad,
        cryfder yn ein gostyngeiddrwydd,
        purdeb yn ein sêl,
        caredigrwydd yn ein chwerthin,
        a'th dangnefedd yn ein calonnau bob amser,
        er mwyn dy enw glân.

Worship Now

667   Rhodded Arglwydd tangnefedd
        ei dangnefedd ei hun i ni
        bob amser ac ym mhob man.
        Yr Arglwydd a fyddo gyda ni oll.

anhysbys

668   Nertha ni, Arglwydd,
        i fynd allan i'r byd mewn heddwch:
        i ymwroli a dal wrth yr hyn sydd dda;
        i sicrhau na thalwn ddrwg am ddrwg i neb;
        i gryfhau y llesg ac i gynnal y gweiniaid;
        i gynorthwyo'r cystuddiedig;
        i anrhydeddu pob dyn;
        i garu a gwasanaethu'r Arglwydd,
        gan lawenychu yn nerth yr Ysbryd Glân.
        A bendith Duw, y Tad, y Mab a'r Ysbryd Glân,
        a fyddo yn ein plith ac yn trigo gyda ni yn wastad.

Seiliedig ar 1 Thesaloniaid 5:12–15

669   Boed i'r ffordd godi i'th gyfarfod.
        Boed i'r gwynt fod yn wastad o'th du.
        Boed i'r haul dywynnu'n gynnes ar dy wyneb.
        Boed i'r cawodydd ddisgyn yn dyner ar dy feysydd
        hyd nes y cyfarfyddwn drachefn.
        Boed i Dduw dy gadw yng nghledr ei law.

Hen fendith Albanaidd

670   Ac yn awr, i'r hwn sydd yn abl i'n cadw ni rhag syrthio, a'n codi
        o ddyffryn tywyll anobaith i fynydd disglair gobaith, o ganol nos
        dywyllaf pob arswyd i wawr llawenydd; iddo ef y bo'r gallu a'r
        gogoniant, yn oes oesoedd.

Martin Luther King, 1929–68

671   Bydded i Arglwydd tangnefedd ei hun roi tangnefedd ichwi bob
        amser ym mhob modd! Bydded yr Arglwydd gyda chwi oll!

2 Thesaloniaid 3:16

672   I Frenin tragwyddoldeb, yr anfarwol a'r anweledig a'r unig
        Dduw, y byddo'r anrhydedd a'r gogoniant byth bythoedd!

1 Timotheus 1:17

673   Bydded i gawodydd bendithiol Duw ddisgyn arnoch.
        Bydded i nentydd cariad Crist eich diwallu.
        Bydded i afonydd yr Ysbryd eich cynnal.
        Bydded i'r Drindod Sanctaidd
        eich llenwi â llawenydd a thangnefedd.

John Johansen-Berg, addas. Glyn Tudwal Jones

674   Arglwydd, anfon ni o ben y mynydd
        i wynebu'r byd drachefn,
        gyda sicrwydd ffydd yn ein cerddediad,
        gwres dy gariad yn ein calon,
        a goleuni gobaith yn ein llygaid.

Golygydd

675   Gwylia, Arglwydd annwyl,
        gyda'r rhai hynny sy'n effro,
        yn gwylio neu'n wylo,
        a rho'r rhai sy'n cysgu yng ngofal dy angylion.
        Ymgeledda dy gleifion, O Arglwydd Grist:
        i'r rhai blinedig, dyro orffwys;
        i'r rhai sy'n marw, dyro fendith;
        i'r rhai sy'n dioddef, dyro esmwythâd.
        Tosturia wrth dy rai cystuddiedig;
        gwarchod dy rai llawen,
        a hynny er mwyn dy gariad dy hun.

Awstin Sant, OC 354–430

676   Dad Sanctaidd, cadw ni yn dy wirionedd;
        Fab Sanctaidd, amddiffyn ni dan adenydd dy groes;
        Ysbryd Sanctaidd, gwna ni'n demlau ac yn drigfannau dy
        ogoniant:
        caniatâ i ni dy dangnefedd holl ddyddiau ein bywyd,
        O Arglwydd.

Gwasanaeth Cwmplin yr Eglwys Faronaidd

677 Mae'r oedfa drosodd a'r gwasanaeth yn dechrau:
ewch, bobl Dduw, i fyd Duw;
ewch i gyfarfod Crist mewn cyfaill a dieithryn;
gwasanaethwch ef ym mhawb y byddwch yn eu cyfarfod.
A boed i fendith y Tad, y Mab, a'r Ysbryd Glân
eich llenwi chwi a'r holl greadigaeth,
yn awr a hyd byth.

Paul Sheppy

678 O Dduw, a'm dug o orffwys nos neithiwr
i olau dydd hyfryd heddiw,
dwg fi o olau ir y dwthwn hwn
i olau ffordd tragwyddoldeb.

Carmen Gadelica

679 Bendith, llawenydd a chariad a fo i ni
oddi wrth Dduw ein Tad,
sy'n ein henwi, ein cadw ac yn ein cynnal yn ei law,
y dydd hwn, yr awr hon, y foment hon
ac yn oes oesoedd.

Iona

680 I'th law di, dirion Dad,
yr ymddiriedwn ein hunain a'n gilydd,
ein cyrff a'n heneidiau,
ein hamseroedd a'n hanghenion,
ein gobeithion a'n cynlluniau.
Gwarchod a bugeilia ni,
ac arwain ni yn y diwedd
i ddiogelwch a llawenydd
ein cartref tragwyddol.

Golygydd

681 I Dduw'r Tad, a'n carodd ni'n gyntaf,
a'n gwneud yn gymeradwy yn yr Anwylyd;
I Dduw'r Mab, a'n carodd ni,
a'n golchi oddi wrth ein pechodau yn ei waed ei hun;
I Dduw'r Ysbryd Glân,
sy'n tywallt cariad Crist ar led yn ein calonnau,
y bo'r cariad a'r gogoniant dros holl amser
a hyd dragwyddoldeb.

Y Llyfr Gweddi Gyffredin

682   Gwared ni, Arglwydd, tra byddwn yn effro,
        gwarchod ni tra byddwn yn cysgu,
        fel pan fyddwn yn effro y gwyliwn gyda Christ,
        a phan gysgwn y gorffwyswn mewn tangnefedd.

Gwasanaeth Cwmplin

683   Arglwydd Iesu,
        cymer ein dwylo, ein genau,
        ein meddyliau a'n calonnau,
        a defnyddia hwy i gyflawni dy waith,
        i siarad drosot,
        i feddwl dy feddyliau,
        ac i estyn dy gariad i'r byd.

Golygydd

684   Bydded i'r Tad gerdded gyda chwi yn ffresni'r ardd.
        Bydded i'r Mab gerdded gyda chwi ar lwybr y mynydd.
        Bydded i'r Ysbryd gerdded gyda chwi ar ffordd y pererinion.
        Bendith y Tad, y Mab a'r Ysbryd a fo arnoch yn wastad.

John Johansen-Berg, addas. Glyn Tudwal Jones

685   Fy Nhad,
        boed i mi ddechrau pob dydd yn dda
        a'i ddiweddu'n fuddugoliaethus:
        bydded dy fendith ar fy holl ddyddiau
        a'th oleuni ar fy holl ffyrdd.

anhysbys

686   Dad nefol,
        cymer fy nghorff lluddedig,
        fy meddwl dryslyd,
        a'm henaid aflonydd i'th freichiau,
        a rho i mi orffwys –
        gorffwys tawel, diogel ac adfywiol ynot ti.

anhysbys

687   Bydded i oleuni'r awyr roi gobaith i chwi.
        Bydded i sŵn y moroedd eich symbylu.
        Bydded i arogl y ddaear eich amgylchynu â llawenydd.
        Bydded i Dduw yr holl greadigaeth
        eich bendithio drwy eich holl ddyddiau.

John Johansen-Berg, addas. Glyn Tudwal Jones

688   Yn ffresni'r bore,
ym mwrlwm y dydd
ac yn nistawrwydd y nos,
bydded i mi ganfod Duw yn gwmni i mi,
ei fraich yn nerth i mi,
a llewyrch ei wyneb yn oleuni i mi,
ar hyd llwybr fy mhererindod.

Golygydd

689   I ble bynnag yr awn,
boed i lawenydd y Duw grasol fynd gyda ni.
I ble bynnag yr awn,
boed i wyneb y Crist tyner lewyrchu arnom.
I ble bynnag yr awn,
boed i'r Ysbryd byw ein hamgylchynu.
I ble bynnag yr awn,
boed i'r Drindod Lân ein cysgodi,
ein cynnal a'n cadw.

The Pattern of our Days

690   Boed i ni hedd dwfn y don sy'n llifo.
Boed i ni hedd dwfn yr awel sy'n crwydro.
Boed i ni hedd dwfn y ddaear ddigyffro.
Boed i ni hedd dwfn y sêr sy'n goleuo.
Boed i ni hedd dwfn Mab Tangnefedd i'n cysuro.

Bendith Geltaidd, cyf. T. J. Davies

691   Boed i Dduw y Tad ein bendithio;
boed i Grist y Mab ein hymgeleddu;
boed i'r Ysbryd Glân ein goleuo holl ddyddiau ein bywyd.
Bydded yr Arglwydd i ni yn amddiffynfa,
ac yn Geidwad corff ac enaid,
yn awr a hyd byth, ac yn oes oesoedd.

Llyfr Cerne, 10fed ganrif

692   Arglwydd, bendithia i ni heddiw
y drysau a agorwn,
y bobl a gyfarfyddwn,
a'r ffyrdd a rodiwn.
Bydd yn gwmni i ni drwy gydol y dydd
a chadw ni'n wastad yn dy hedd.

The Pattern of our Days

693   Bydded i dawelwch y Creawdwr gau amdanoch.
Bydded i dawelwch y Gwaredwr eich cwmpasu.
Bydded i dawelwch y Cysurwr eich amgylchynu.
Bydded i dawelwch y Tri Bendigaid
eich cynnal a'ch cadw i fywyd tragwyddol.

John Johansen-Berg, addas. Glyn Tudwal Jones

694   Boed i'th draed gerdded yn ffordd yr Arglwydd.
Boed i'th lais lefaru Gair yr Arglwydd.
Boed i'th ddwylo wneud ewyllys yr Arglwydd.
Boed i'th fywyd ddangos yn glir gariad yr Arglwydd.
A boed hedd yr Arglwydd gyda thi yn awr ac am byth.

anhysbys

695   BENDITHION Y CREAD
Boed i fendith y goleuni fod arnat –
goleuni oddi allan ac oddi mewn.
Boed i fendith yr heulwen ddisgleirio arnat
a chynhesu dy galon,
fel y bydd yn gloywi fel tanllwyth o dân
a dieithriaid a chyfeillion yn dod i dwymo wrtho.
Boed i'r goleuni ddisgleirio o'th lygaid
fel cannwyll wedi'i gosod ar sil ffenestr tŷ
yn gwahodd y crwydryn i ddod i mewn o'r storm.
Boed i fendith y glaw fod arnat –
y tyner law melys fydd yn dyfrhau d'ysbryd
i flodau flaguro ynot
a gwasgaru persawr i'r awel.
Boed i fendithion y glawogydd trymion fod arnat
i drochi dy enaid,
i'w olchi'n lân a phur,
a gwneud ohono lyn disglair
fydd yn adlewyrchu glesni'r awyr
a golau'r sêr.
Boed i fendith y ddaear fod arnat –
y ddaear fawr gron –
fel y bydd cyfarchiad caredig pawb
fydd yn cerdded ei llwybrau
yn llonni dy galon.
Boed i'r Arglwydd dy fendithio
a'th fendithio'n hael.

Hen fendith Wyddeleg

696   Ewch mewn tangnefedd, i garu ac i wasanaethu'r Arglwydd: a
bendith Duw hollalluog, y Tad, y Mab a'r Ysbryd Glân a fyddo
gyda chwi.

traddodiadol

697   Gogoniant i'r Tad, ac i'r Mab ac i'r Ysbryd Glân;
megis yr oedd yn y dechrau, y mae'r awr hon,
ac y bydd yn wastad: yn oes oesoedd. Amen.

traddodiadol

MYNEGAI I DEITLAU'R GWEDDÏAU

Cyfeirir at rif y weddi

Jones, Richard 251
Jowett, J.H. 51
Julian o Norwich 19
Jwdas 325

King, Martin Luther 327
Kirkpatrick, Bill 310

Lake, M. Islwyn 33
Laud, William 121, 150
Lewis, H. Elvet 19, 41, 61, 96, 250, 289
Lewis, P. Huw 111
Lewis, Saunders 173
Lewis, Trefor 10, 38, 105, 112, 135, 139,
    146, 170, 173, 208, 210, 227, 240, 245,
    255, 297, 311
Litwrgi'r Eglwys Uniongred
    Ddwyreiniol 191
Livingstone, David 160
Loader, Maurice 118, 154
Loyola, Ignatius 113
Luc 15 58
Luff, Alan 137
Luther, Martin 7, 117

Llawlyfr Defosiwn i Blant a Phobl Ieuainc
    11, 135, 238
Lleian o'r 17eg ganrif 113
Lloyd, Ieuan 236
Llwyd, Morgan 103
Llyfr Addoliad Cyffredin 172, 260
Llyfr Cerne 331
Llyfr Du Caerfyrddin 41
Llyfr Gwasanaeth Cuddesdon 75
Llyfr Gwasanaeth, Eglwys Bresbyteraidd
    Cymru (1958) 12, 55, 63, 126, 217,
    234, 263, 280
Llyfr Gwasanaeth Ieuenctid 63, 76, 281
Llyfr Gwasanaeth Iona 60
*Llyfr Gwasanaeth yr Annibynwyr
    Cymraeg* (1962) 188, 242
*Llyfr Gwasanaeth yr Annibynwyr
    Cymraeg* (1998) 39, 79, 148, 171, 174,
    191, 206, 233, 245, 249, 252, 263, 270,
    275, 291, 297
Llyfr Gwasanaeth yr Eglwys Fethodistaidd
    (1985) 11, 98, 272, 296
Llyfr Gwasanaethau, Eglwys
    Bresbyteraidd Cymru (1991) 12, 248
Llyfr Gweddi Galasius 175, 209
Llyfr Gweddi Gyffredin, Y 17, 23, 73,
    152, 153, 162, 177, 184, 191, 200, 201,
    203, 209, 210, 225, 233, 237, 244, 254,

    262, 264, 271, 299, 326, 329
Llyfr Gweddi Seland Newydd, 1989 325
*Llyfr o Wasanaethau Crefyddol ar Gyfer
    Ieuenctid Cymru* 12, 79, 90, 154, 235
Llyfr yr Addoliad Teuluaidd 12, 140

M'Comb, Samuel 29
Maelor, Gareth 247
Marshall, Peter 20
Matheson, George 279
McIlhagga, Kate 211, 220
Micklem, Caryl 112, 115, 147, 289
Milner-White, E. 22, 97, 100, 103, 107,
    275, 277
Milwr dienw yn Rhyfel Cartref America 108
Moody, D. L. 106
Morgan, D. Eirwyn 119
Morgan, Enid 20, 49, 54, 173, 175, 187,
    189, 190, 202, 230, 248, 258, 277, 296
Morley, Janet 30, 79, 170, 173, 187, 202,
    231, 249, 258, 296
Morris, Dewi 240
Morris, John 68

Newbigin, Yr Esgob Lesslie 151
Newell, J. Philip 40
Newman, John Henry 25, 319
Nicholas, W. Rhys 52, 53, 89, 125, 182,
    197, 225, 230, 241, 280, 292
Niebuhr, Reinhold 110
Nouwen, Henri 189

O Ddydd i Ddydd 286
Owen, Emyr 143
Owen, Griffith 88
Owen, John 91, 131, 195, 288
Oxford Book of Prayer, The 13, 108, 118

Pab Ioan Paul II, Y 132
Pab Ioan XXIII, Y 189
Padrig Sant 102
Parish Prayers 13, 75
Pascal 105
Pattern of our Days, The 14, 331
Patterns for Worship 14, 58
Pax Christi 313
Pickering, Roger 245
Pont Cariad: Llawlyfr Gweddi CWM
    136, 182, 200
Powell, Rebecca 87
Powell, Vavasor 116, 206
Prayers for the Christian Year 13, 215
Prayers for the Church Year 190, 262